BIBLIOTECA INDIANA
Publicaciones del Centro de Estudios Indianos

Universidad de Navarra
Editorial Iberoamericana

Dirección: Ignacio Arellano y Celsa Carmen García Valdés.
Secretario ejecutivo: Juan Manuel Escudero.
Coordinadora: Pilar Latasa.

Biblioteca Indiana, 14

HERENCIA CULTURAL DE ESPAÑA EN AMÉRICA. SIGLOS XVII Y XVIII

TRINIDAD BARRERA (ED.)

Universidad de Navarra • Iberoamericana • Vervuert • 2008

Bibliographic information published by Die Deutsche Nationalbibliothek.
Die Deutsche Nationalbibliothek lists this publication in the Deutsche
Nationalbibliografie; detailed bibliographic data are available on the Internet at
http://dnb.ddb.de

Agradecemos a la Fundación Universitaria de Navarra su ayuda en los proyectos
de investigación del GRISO a los cuales pertenece esta publicación.

Este libro ha sido financiado por el Proyecto de Investigación de Excelencia HUM611.
Consejería de Innovación, Ciencia y Empresa. Junta de Andalucía.

ISBN 978-84-8489-376-9 (Iberoamericana)
ISBN 978-3-86527-436-6 (Vervuert)

Depósito Legal: M. 52.109-2008

Diseño de la cubierta: Juan Manuel Escudero
Ilustración de la cubierta: Detalle de la iglesia de Santa María de Tonantzintla, México

Impreso en España

Este libro está impreso íntegramente en papel ecológico sin cloro.

ÍNDICE

6

PRÓLOGO

Los trabajos aquí reunidos se enmarcan en el Proyecto de Investigación de Excelencia que coordino, *Herencia cultural de España en América. Poetas y cronistas andaluces en el Nuevo Mundo. Siglos XVI, XVII y XVIII*, que en esta ocasión se ha ocupado de los siglos XVII y XVIII[1]. Buena parte de este volumen es fruto de la investigación realizada por miembros del equipo: María Caballero, Consuelo Varela, Gema Areta, José Manuel Camacho, Beatriz Barrera Parrilla, Julián González-Barrera, Catalina Quesada y yo misma; lo demás es generosa aportación de especialistas invitados: Ignacio Arellano, de la Universidad de Navarra; Virginia Gil Amate, de la Universidad de Oviedo; Salvador Bernabéu, de la Escuela de Estudios Hispanoamericanos de Sevilla (CSIC); Eduardo Hopkins, de la Pontificia Universidad Católica del Perú, y Martha Barriga, de la Universidad Mayor de San Marcos en Lima (Perú).

El mosaico aquí presentado ha abordado los siglos XVII y XVIII, fijando la atención en personajes andaluces que desarrollaron su labor cronística o poética en América, desde los más conocidos como el jienense Caviedes, de la mano de Arellano; el Inca Garcilaso de la Vega —único caso de nacido en América que escribe desde tierras andaluzas—, sobre el que arroja su mirada Hopkins; los sevillanos Dávalos y Ojeda, en el punto de mira de Barrera Parrilla y Quesada respectivamente; hasta otros menos conocidos, como el sevillano Rocha, del que se ocupan Areta y Camacho; el cordobés Andrés Pérez de Rivas, atendido por Bernabéu o el también sevillano Ortiz de Zúñiga, que tra-

---

[1] En 2007 publicamos un volumen dedicado al siglo XVI, *Herencia cultural de España en América. Poetas y cronistas andaluces en el Nuevo Mundo. Siglo XVI*, Sevilla, Publicaciones de la Universidad de Sevilla.

ta Varela. En autores y obras del siglo XVIII se han centrado tres trabajos: Caballero se ha ocupado del gaditano Celestino Mutis, Gil Amate estudia al malagueño Granados y Gálvez y yo analizo, en parte, la figura del jienense Antonio de Viedma. Dos trabajos completan el conjunto: la presencia de personajes claves de la conquista americana en la obra de un dramaturgo español, Tirso de Molina, muy vinculado con América y Sevilla, que ha analizado González-Barrera, y la imagen de Lima en el siglo XVIII, que expone Barriga.

A todos los participantes de este volumen colectivo quiero dar las gracias por su colaboración y muy especialmente a Beatriz Barrera por su inestimable ayuda en la preparación de este libro.

Trinidad Barrera
Sevilla, marzo de 2008

EL INGENIO CONCEPTISTA Y EL CRIOLLISMO COSTUMBRISTA DE JUAN DEL VALLE CAVIEDES

Ignacio Arellano
GRISO, Universidad de Navarra

EL CRIOLLISMO Y CAVIEDES. ALGUNAS GENERALIDADES POLÉMICAS

La persona y la obra de Caviedes plantean numerosos problemas. De la confusión sobre su biografía y psicología dan muestra las múltiples, contradictorias e infundadas caracterizaciones que se han sucedido basadas a menudo en datos inventados, falsos o sin documentar. Ballón[1] recoge una buena galería en la que se califica al poeta de truhán, perdulario, pícaro, místico, ingenioso, primer criollo, español de la mejor cepa, el español más indiano, criollo revolucionario, rebelde, procaz, extranjero, calavera, inculto, alcohólico, etc., continuando a veces las invenciones de Ricardo Palma, o describiendo una vida imaginaria a base de deducciones abusivas de sus poemas. Trabajos más fundamentados, como los de Lohmann Villena, García Abrines o Lorente Medina[2] permiten precisar muchos detalles biográficos, pero el estado de la obra sigue siendo muy precario. Baste revisar las ediciones principales para percibir las inseguridades de autoría, de fijación textual, y de interpretación derivadas de las anteriores, que marcan la recepción de la obra poética de Caviedes. Como apunta Lorente Medina[3]:

---

[1] Ballón, 1998, pp. 19-24.
[2] Lohmann Villena, 1937; Lorente Medina, 1991, 1999; García Abrines, 1993.
[3] Lorente, 1992, p. 297.

Su obra [...] sigue planteando numerosas interrogantes que se derivan, en gran medida, del desconocimiento de su verdadero corpus poético. Ello hace que todos los estudios que le dediquemos estén marcados por el sello de la provisionalidad.

Una constante en la crítica, desde los primeros momentos, es la presencia, en diversa medida y con matices varios, de una perspectiva patriótica, nacionalista o como quiera denominarse, que subraya el supuesto criollismo militante del poeta, el cual resultaría ser uno de los primeros «revolucionarios» constructores de una identidad peruana o americana enfrentada al sistema político e ideológico de la colonia. En la noticia del *Mercurio peruano* (1791) que comenta Lorente Medina[4] se advierte ya esa postura en el «deliberado proyecto, por parte de la Sociedad Académica de Amantes de Lima, de rescatar las grandezas de su pasado nacional», pero esta inicial actitud romántica pronto desemboca en las apreciaciones modernas que insisten en la rebeldía del criollo frente a la sociedad colonial y privilegian significados políticos, los cuales, avanzo ya, no pueden sustentarse en los textos de Caviedes.

Ya resulta sospechoso que los juicios emitidos sobre Caviedes en este sentido coincidan exactamente con otros que atañen a Ruiz de Alarcón, Sor Juana Inés de la Cruz, Bernardo de Balbuena o Rosas de Oquendo[5], como si todos los textos y sus circunstancias fueran iguales, coincidencia que revela el apriorismo de tales juicios, no apoyados en las obras sino en las ideas preconcebidas del crítico. Según escribe Verena Dolle[6] a propósito de la «conciencia criolla» de Bernardo de Balbuena en *El Bernardo*, con palabras que pueden muy bien adaptarse al caso que nos ocupa:

Se hace patente [...] que todos los comentarios citados dejan traslucir más la intención del crítico que el significado concreto del texto y demuestran que mediante las descripciones paisajísticas, un género textual fuertemente tópico, no se puede aclarar realmente la cuestión de una conciencia criolla o americana de Balbuena.

[4] Lorente, 1999, p. 848.
[5] Ver para este asunto en Rosas de Oquendo, Arellano, 2007, donde analizo algunos aspectos del criollismo supuesto en el poeta que pueden aplicarse también a Caviedes, *mutatis mutandis*.
[6] Dolle, 2004, p. 479.

Examinaré unas muestras de este tipo de aproximaciones a la obra de Caviedes, intentando esbozar un rápido «estado de la cuestión» antes de proponer algunos comentarios sobre el mecanismo ingenioso y los aspectos «criollos» de la poesía caviediana.

Espigando sin intenciones exhaustivas en la bibliografía se pueden acumular juicios como el de Reedy[7], quien halla en el «temperamento criollo y en el espíritu de rebeldía de Caviedes» las raíces de una literatura nacional manifiesta «en su descarada visión de la sociedad virreinal y en su actitud de independencia intelectual». Casi todos los elementos mencionados —temperamento criollo, espíritu de rebeldía, descarada visión, independencia intelectual—, son conceptos vagos difícilmente precisables en la lectura de la obra del poeta, pero esta vía de análisis revela su inoperancia sobre todo en las abundantes contradicciones que provoca. Así, Costigan[8], al estudiar la obra satírica de Gregorio de Matos y de Caviedes, escribe que ambos experimentan la vida marginal[9] de los intelectuales criollos dentro del sistema colonial, y adopta parcialmente valoraciones de Ventura García Calderón y Alberto Sánchez sobre el criollismo de Caviedes, aunque niega la condición revolucionaria que había visto en él Sánchez. Líneas más abajo (contradiciendo la sátira del sistema que había observado anteriormente) subraya el conservadurismo ideológico del poeta, que reflejaría la mentalidad aristocrática típica. Aunque percibe la sátira contra los médicos mulatos y mestizos, considera que en el lenguaje satírico de Caviedes hay una exploración de la cultura popular que resulta «contrahegemónica» frente al «official European code»[10], y que rompe ese código lingüístico dominante (que sería el «Iberian hegemonical discourse») y que todo ello exhibe un «truly American flavor».

No hay espacio para demorarse en la discusión teórica previa, pero me limitaré a señalar que este contradictorio diseño de Costigan ignora la cuestión de los géneros literarios y sus convenciones, que im-

[7] Reedy, 1984, p. XI.

[8] Costigan, 1994. Ver también Costigan, 1992a, 1992b.

[9] Lorente, 1999, ha mostrado la buena inserción de Caviedes en la sociedad limeña. La marginalidad social del poeta es completamente falsa. Los datos aducidos por Costigan en 1992a, sobre la vida de buhonero enfermizo y sedentario de un Caviedes distante del ambiente cortesano, y que provocaría su resentimiento social, son erróneos.

[10] Costigan, 1994, p. 95.

plican un determinado registro, el bajo estilo de la sátira en este caso, el cual no es contrahegemónico salvo en el sentido de oponerse a los estilos elevados de los géneros considerados «superiores» (tragedia y épica): no hay un código europeo o español hegemónico y monolítico en los términos que aduce Costigan. La sátira en el ámbito peninsular también incluye los registros bajos y populares, y la integración del quechua o los vocablos de Indias en el lenguaje de la poesía de Caviedes es algo más complejo de lo que Costigan juzga, como intentaré comentar enseguida. La conclusión de Costigan en uno de sus trabajos[11], aparte de emitir una valoración fundada en cimientos discutibles, no responde a la realidad textual de la poesía de Caviedes:

> El valor positivo del discurso satírico caviediano reposa principalmente en el hecho de haber funcionado como arma de enfrentamiento al discurso consagrado por el canon oficial, donde solo comparecían los elementos de la visión de la elite dominante.

Desde este prejuicio no es de extrañar que considere la imitación de Quevedo por parte de Caviedes como una carnavalización de los géneros barrocos serios con intención de desacralizarlos, sin darse cuenta de que Caviedes ¡imita precisamente la obra burlesca de Quevedo, no la seria!

Lasarte[12] intenta conciliar algunas cuestiones difíciles. Enmarca las sátiras de Caviedes en las confrontaciones de criollos y chapetones[13], en las cuales el poeta alabaría la «verdadera nobleza americana» (alabanzas que no abundan en su poesía, dicho sea de paso). Cree que el poeta y su obra son receptores y transmisores de la «ideología colonial» que integra diversas prácticas discursivas, unas en armonía y otras en tensión, situación conflictiva que explicaría las «posibles ambigüedades que se pueden hallar en la obra de Valle y Caviedes». Lasarte in-

---

[11] Costigan, 1992a, p. 220, traducción mía. No se me alcanza por qué el hecho de funcionar como arma de enfrentamiento a un código literario (si así fuera, que no lo es) habría de conferir un valor especial a una obra literaria, si esta no tiene otros méritos. Por lo demás, como he dicho, ese canon oficial que ve Costigan no existe en la literatura del Siglo de Oro: la situación es mucho más compleja.

[12] Lasarte, 2002 y 2004.

[13] En realidad Caviedes, considerado «criollo» en todos estos trabajos, sería más bien un chapetón, aunque llegado joven a Lima.

troduce un elemento que complica la situación y que contradice los juicios de Costigan: la reivindicación por parte de los criollos de su pulido lenguaje cortesano, tan elegante o más que el de los escritores de la metrópolis, aspecto que pone también de relieve Lavallé[14]. Se trataría así, no de una negación o ruptura de lo que Costigan calificaba de código hegemónico, sino de todo lo contrario: la «defensa e ilustración de la hispanidad criolla» en palabras de Lavallé.

La visión «españolista» de García Abrines[15], para quien Caviedes es un andaluz barroco, provoca las diatribas de Ballón[16], que considera semejante calificación como una «exacción chovinista» dirigida a suprimir de la obra de Caviedes «su raigal perfil literario popular y criollo, sus contenidos y referentes netamente andinos»: «típico coro ritual de una comunidad arcaica que canta, durante la ejecución del réprobo, un desentonado peán expiatorio que a la vez elogia al enunciador que lo desacredita, y si ovaciona escarnece; encomia con el mismo entusiasmo que corrige los versos, se hace lenguas al tachar sus valores andinos» (p. 24)... y sigue:

> la crítica editorial última se afana puerilmente por afincar solo en la península las presuntas composiciones de Caviedes, y leerlas con estrictez desde ese referente: se autoarroga así el derecho de alienar y entrizar los valores culturales de la raza en un tórculo dogmático (p. 25).

Ballón llega a proponer que no se estudie la autoría de los poemas en cuestión, y que se lean todos revueltos, los auténticos, los atribuidos, los apócrifos, los de otros autores, los de cualquier autor, etc., porque lo que interesa, según él, es «la cultura colonial» que no tiene por qué ser monódroma ni obedecer a la represión de la exactitud o la desambigüedad, y es por definición (según él) anónima y colectiva.

Glosar las incoherencias y arbitrariedades de este dogmático trabajo de Ballón (que tiene observaciones válidas en sus primeras páginas) nos llevaría muy lejos: apuntaré solo que confunde distintos tipos de expurgos, y que una operación —ilegítima y denunciada con justicia— es eliminar del corpus poemas auténticos sobre la base de cri-

---

[14] Lavallé, 2002.
[15] García Abrines, 1993.
[16] Ballón, 1998, pp. 24-25, 27, etc.

terios no científicos (por sucios, indecentes, escatológicos, etc.), y otra muy distinta —legítima y necesaria— es eliminar del corpus de Caviedes los poemas que no son de Caviedes. Por lo demás García Abrines no puede calificarse —entre otras pedanterías— de «típico coro ritual de una comunidad arcaica»: es solo un editor que no representa ninguna conspiración inquisitorial[17] contra las isotopías «desvergonzadas [...] licenciosas, sensuales, herejes» y parainstitucionales de la «literatura criolla popular peruana»[18], isotopías, por otra parte, que al menos en la obra de Caviedes serían difíciles de identificar como rasgos peculiares.

Es en el ámbito de la crítica norteamericana donde más se subraya esta supuesta cualidad criolla —y subversiva— de Caviedes. Lasarte[19] recoge valoraciones de Vidal (la sátira de Caviedes supondría una crítica social consciente dirigida a destruir la sacralidad con que el sistema social intenta reproducirse a través de las tipificaciones que sanciona positivamente[20], etc.), o de Johnson, para quien el poeta atacaría a la sociedad virreinal y «aún más, a las posesiones españolas ultramarinas en general». Mabel Moraña[21] entra ya en territorios de crítica francamente totalitaria, afirmando que la realidad americana exige un enfoque cultural propio que haga justicia a su «singularidad conflictiva [...] nacida bajo el signo de la violencia y los intereses del dominador» (p. 230) y adelanta la acusación contra los críticos que no estén de acuerdo con su postura, de mantener «resabios colonialistas». Desde seme-

---

[17] Y que si dice que Caviedes nació en Porcuna es porque Caviedes nació en Porcuna, no por «exacción chauvinista».

[18] Ballón, 1998, p. 27. Es bastante dudoso que la poesía de Caviedes sea poesía «popular».

[19] Lasarte, 2004, p. 136. Ver Vidal, 1985 y Johnson, 1993.

[20] Modo de decir que los estratos dominantes en una sociedad tienden a conservar su posición. No hallo en la poesía de Caviedes un ataque desacralizador contra las tipificaciones sancionadas positivamente: ni ataca al virrey, ni al sistema judicial, ni a los modelos poéticos, ni al sistema económico... Todos los temas que aparecen en su sátira son perfectamente típicos del género y la perspectiva del emisor satírico se adapta bastante bien a la del moralista —más o menos serio, más o menos burlón— que critica los vicios, y refuerza por tanto el sistema social. En cuanto al ataque a las posesiones de ultramar en general es una invención de Johnson, o ha tenido acceso a textos desconocidos de Caviedes donde figure tal asunto, o confunde a Caviedes con un pirata inglés o pichelingüe.

[21] Moraña, 1988.

jante perspectiva, vacía de cualquier rigor científico, sustituido por la militancia ideológica, denuncia a quienes[22] consideran el barroco americano como «una realización degradada y siempre tributaria de los modelos metropolitanos» (p. 231), reniega del «purismo eurocentrista» y afirma que el barroco de Indias coincide con el proceso de emergencia de la conciencia criolla (p. 234). Podría contestarse a Moraña que en modo alguno la experiencia de la violencia y la opresión del dominador es específica de las Indias: tal experiencia no confiere a la historia americana ninguna peculiaridad, sino más bien la sitúa en un proceso común a caldeos, asirios, persas, romanos, chinos y bantúes, es decir, común a todos los imperios de Oriente y de Occidente y desde luego, es un proceso existente en la América prehispánica, donde existía, como en cualquier parte, imperialismo, opresión y dominaciones varias antes de la Conquista. No creo, pues, en este sentido, que sea necesario un enfoque cultural propio. Sería también discutible el concepto de «purismo (eurocentrista)». Y, en fin, los críticos que relacionan el barroco de Indias con el europeo no necesariamente practican una operación de subordinación ni consideran degradado el producto artístico indiano: se limitan a menudo a establecer y estudiar el hecho indiscutible de unos modelos literarios transplantados y adaptados a un nuevo medio, pero que conservan las raíces hispánicas, muy bien señaladas por Cisneros o Barrera[23], y bastante claras para quien las quiera ver sin prejuicios y dogmatismos cerrados a cualquier discusión racional. Ballón o Moraña, entre otros, se inventan inquisiciones imaginarias para articular sus respuestas a injusticias y «exacciones» igualmente imaginarias.

Llama la atención que las argumentaciones de las que he dado una muestra apenas se justifiquen con los textos de Caviedes. Convendrá asomarse, pues, en el espacio disponible, a unos cuantos de esos textos —fundamentalmente los satíricos, que son los más seguros y los

---

[22] Pero no dice quiénes son estos: entendemos que son todos los que mantienen resabios colonialistas, es decir, todos los que no compartan los juicios de Moraña, quien no se libra tampoco de esos resabios: maneja, por ejemplo, el concepto eurocentrista de *barroco*, contradictorio —si es que ha de tener algún contenido— con la reivindicación radical del «indianocentrismo».

[23] Cisneros, 1990, p. 134 («Caviedes está situado en el mundo cultural hispánico»); Barrera, 1979, p. 15 («en la época en que nos situamos las modas literarias americanas eran fiel reflejo de las modas españolas»).

más significativos en este terreno de la actitud criollista del poeta— y
examinar las cuestiones propuestas confrontándolas con los propios
versos.

LOS ELEMENTOS CRIOLLOS EN LA POESÍA DE CAVIEDES. INGENIO Y COSTUMBRISMO

Caviedes —afirmación de Perogrullo— vive y escribe en el Perú,
y ese ámbito permea su obra, que traza un mapa de motivos limeños,
desde los temas y personajes, al vocabulario. La sátira de los médicos,
por ejemplo, lleva los nombres y apellidos de los facultativos de Lima,
con sus circunstancias y detalles personales. Otros tipos de la ciudad
(mendigos, abogados, funcionarios, mercaderes...) y lugares urbanos
(iglesias, calles, plazas, muelles...), o sucesos (procesiones, terremotos,
ataques de piratas, defensas de las costas...) protagonizan los textos de
Caviedes, evidentemente insertados en la realidad social de Lima y el
Perú del siglo XVII. Como escribe Cisneros[24]:

> Acontecimientos y personajes de la ciudad ocuparon la pluma de
> Caviedes, que ofició de gacetillero y ofreció breves apuntes sobre el clima
> de la ciudad, sobre los terremotos, sobre puentes y paseos. Sus versos do-
> cumentan además hasta preocupación por el andar de la mujer limeña.

Pero si analizamos la inserción de todos estos elementos en el conjunto de los poemas advertimos el repertorio habitual de la sátira barroca: médicos, falsos caballeros, alcahuetas, pidonas, prostitutas,
hipócritas, materia escatológica... La irreverencia e indecorosidad del
corpus a que me refiero no responden, como sustentaba Ballón, a la
calidad criolla, sino a la calidad satírica y burlesca que obedece al concepto de la *turpitudo et deformitas*. Su antihegemonismo no depende de
su condición colonial, sino de la condición satírica —siempre que podamos considerar «hegemónico» a lo que llama Costigan código europeo, abusivamente identificado con los géneros serios—.
Lo que realmente hace Caviedes es adoptar a su medio los temas
usuales, añadiendo alguno más específicamente local. Los chistes, alu-

---

[24] Cisneros, 1990, p. 114.

siones, y juegos de ingenio se apoyan efectivamente en personajes y costumbres indianos, pero ese criollismo se manifiesta en el plano temático, no en la rebeldía militante ni en fórmulas expresivas negadoras del canon hispánico, como veremos.

Las técnicas de adaptación son muy evidentes. La sátira de los médicos se personaliza en figuras históricas concretas y se apoya en circunstancias y detalles de la Lima o el Perú coetáneos. Si tomamos el ejemplo de una décima del poema núm. 10[25], dirigida contra don Lorenzo de Ulloa, médico indiano, vemos que resulta indispensable el conocimiento de algunos aspectos de la realidad peruana para comprender el texto satírico:

> Seré en pegar la pedrada
> don Lorenzo, el sin igual,
> que da muerte natural
> porque su cura es aindiada.
> Su persona es reservada   105
> de Potosí por la suerte
> de médico, mas se advierte
> que tan sólo es en rigor
> cacique y gobernador
> de la mita de la Muerte. (vv. 101-110)

El juego dilógico de *natural*, por alusión al sentido de 'nativo', ya que don Lorenzo es médico indio, resulta fácil. Más complicada es la comprensión de la pedrada y la calidad de reservado de Potosí, que según explica Cabanillas

señalan una identificación burlesca entre el médico don Lorenzo Ulloa y la historia de un milagro de la Virgen de la Candelaria, cuya imagen se encontraba en la parroquia de San Pedro de Potosí. Cuenta Arzans de Orsúa en su *Historia de la Villa Imperial de Potosí* [...] «sucedió en 1618 que en la mina cuya veta es llamada Antona y es una de las cinco principales del rico cerro, estando en ella trabajando los indios salió uno de ellos cargado de un costal de metal. Era este indio muy devoto de la Madre de Dios de la Candelaria de San Pedro y se llamaba Lorenzo, y

---

[25] Usaré la numeración de la edición de Cáceres. Utilizo en la explicación de estos versos las notas de Carlos Cabanillas a su edición, inédita todavía (tesis doctoral de la Universidad de Navarra), de los poemas médicos de Caviedes.

estando en la mitad del camino de aquella mina cayó un suelto sobre el indio y derribándolo quedó enterrado con solamente la cabeza fuera. Al punto de caer (según el indio contó después) llamó en su favor a esta divina señora [...] se le apareció visible, y levantándolo de los brazos le dijo en el idioma indiano: "saltama, Lorenzo", que quiere decir: 'Levántate, Lorenzo', y lo levantó de las manos con las suyas piadosas sano y bueno y lo sacó hasta la boca de la mina, y allí desapareció la santísima Virgen». La identificación explica también que su persona sea reservada 'guardada para cuando sea necesario' y 'privilegiada' de la Muerte, y así está reservado para seguir matando. La relación con la piedra y la pedrada del v. 101 también deben ir dentro de esa identificación, pues aparece en otros poemas que mencionan a don Lorenzo.

La *mita* en el ámbito andino es la fuerza del trabajo organizada por turnos, para efectuar trabajos ordenados. En el Virreinato el cacique era el encargado de repartir las mitas y don Lorenzo sería el cacique encargado de asignar los trabajos y tributos de la Muerte.

En cuanto a la acusación general que se refiere a la calidad letal del médico, no ofrece novedades.

El ingenio de otra burla al médico Liseras se construye en forma de lo que Gracián llamaba agudeza de proporción, pues establece correspondencia con alguna circunstancia del sujeto. El médico corcovado Liseras, después del terremoto de octubre de 1687, salió con espada al cinto. Caviedes se burla de su figura y de su espada comparándolo con un ratón en una décima muy densa de técnicas conceptistas:

> Tembló la tierra preñada[26]
> y al punto que se movieron
> los montes, luego parieron
> a Liseras con espada,
> porque su traza gibada,   5
> sin forma ni perfección,
> como es globo en embrión
> hecho quirúrgica bola,
> así que se puso cola
> quedó físico ratón.

[26] «la tierra pesada» en Cáceres; adopto en este caso la lectura de García Abrines, que es una de las variantes. Ver el aparato de variantes de Reedy, que elige la misma lectura que Cáceres.

El fundamento de la comparación es visual (la deformidad de Liseras lo asemeja al ratón, siendo la espada la cola del animal), pero también alude a la creencia de que los ratones se reproducían por generación espontánea a partir de la misma suciedad, y constituían, por tanto, una especie imperfecta, embrionaria. De ahí que se le aplique también la metáfora de la bola quirúrgica o mola matriz (o bolamatriz), que define Covarrubias: «Es un pedazo de carne que se forma en el vientre de la mujer, casi con los mismos accidentes y sospechas que si fuese preñado». Y toda la idea surge (agudeza de proporción) de la circunstancia del terremoto y la de pasearse el médico con espada: el temblor de tierra fundamenta la evocación del famoso verso de Horacio (*Epístola a los Pisones*, v. 139): «parturient montes, nascetur ridiculus mus» ('Se pondrán de parto los montes, nacerá un ridículo ratón').

Este mecanismo que funde motivos clásicos con personajes locales y sus circunstancias es recurrente en Caviedes[27] y explica muchos de sus chistes y alusiones. La burla del doctor Machuca en el poema 25, vv. 49-52 resulta incomprensible si no se atiende a una anécdota relativa al médico, narrada en el poema 24 —y aludida otras veces—, y si no se recuerda una creencia sobre el castor. Si el doctor Yáñez trae sombrero de castor blanco, Machuca, dice el satírico, lo aventaja, pues tiene «de castor hasta las bragas». El caso es que en una oposición Machuca alegó como mérito el hecho de ser virgen, lo que provoca las burlas de Caviedes[28]. Por ser doncel bien puede decirse que tiene bragas de castor, ya que, como era creencia común, este animal «Cuando se ve perseguido de los cazadores, alcanzando por natural distinto le persiguen por los testículos, que son a propósito para ciertos remedios en medicina, se los corta, y con esto escapa la vida» (Covarrubias). Metafóricamente Machuca es un capón.

Significativa resulta también la mezcla de apodos con que comienza el poema 36, a un médico que receta bebidas frías, y que se identifica con sierras heladas de España y del Perú[29]:

[27] Ver Caballero, 1985.

[28] «Habiéndose opuesto el doctor Machuca a la cátedra de venenos, alegó en la lección que era doncel, y se le hicieron estas décimas».

[29] La cordillera de los Lípez está en Potosí; *Pariacaca* es el nombre del nevado más alto e importante de la región de Huarochirí.

El bachiller Cordillera,
licenciado Guadarrama,
doctor Puna de los Lípez
y médico Pariacaca...

Muchas metáforas, agudezas de semejanza o juegos de ingenio se basan en elementos del ámbito indiano, como animales o plantas: un médico corcovado es un quirquincho o armadillo (poema 12, v. 5), otro es doctor canoa (23, v. 81); Avendaño es un camote rollizo (27, v. 107), Bermejo una planta de yuca (27, v. 109), don Lorenzo el indio un choclo (27, v. 111), doña Elvira una papaya (27, v. 123), etc.

En el vejamen al zambo Pedro de Utrilla el mozo, jugando con su color de tez, se le identifica con una tumba arará[30] (16, v. 37; etnia de negros); un «perro de ayuda Chunchanga» (16, v. 25; región del valle de Pisco); cóndor (16, v. 29); gallinazo (16, v. 34); y acumula otras ingeniosas alusiones a tribus de origen africano, como los cambangala o los popó y congos, mezclándolas con latinismos eclesiásticos del oficio de difuntos:

Cambangala parce mihi,
o popó requiem eternam,
requiescat in pace congo...

Este poema 16, enormemente denso de referencias indianas (súmense a las citadas *cocobolo, cimarrón, mandinga, Hospital de los indios de Lima, Pisco,* etc.) no oculta sin embargo su estructura tradicional de vejamen o serie de apodos, frecuente en la obra de Caviedes.

Dos poemas, entre muchos ejemplos posibles, que confirman los mecanismos de adaptación de fórmulas, temas y estructuras al ámbito peruano son los núms. 83 y 94.

El primero se dirige a una vieja alcahueta del Cuzco, revendedora de dos hijas mestizas, y comienza:

Una mestiza consejos
estaba dando a sus hijas,
que hay de mestizas consejos
como el consejo de Indias.

---

[30] No «tumba rara» como lee Cáceres. Ver la nota de Cabanillas a este verso en su citada tesis doctoral inédita.

La fórmula de consejos de la alcahueta a las pupilas, estableciendo la lista de los clientes beneficiosos y los vitandos, la toma Caviedes de la poesía quevediana[31]. Poco más que los primeros versos sitúan el texto en el mundo de Indias. Más elementos proliferan en el segundo poema contra los caballeros chanflones[32] (metáfora tomada igualmente a Quevedo), que describe las estrategias de los embusteros para exhibir apariencias nobiliarias: nombrar al *virrey* con afectaciones familiares, tratar de que el *mulato* que toma las listas de los caballeros en ciertas celebraciones ponga al chanflón en primer lugar, sobornar a cocheros ajenos con *tamales* para que lo paseen como si el coche fuera suyo, si viene de España presumir de linaje, ofrecer su ayuda al virrey si atacan enemigos, etc. Como se ve, el marco histórico y social es plenamente criollo, como lo es la clasificación de las prostitutas que se desgrana en el poema 129, en forma de pregón de Cupido a los «amadores del Rímac», donde se repasan las españolas, mestizas, cuarteronas, mulatas, negras e indias, cada una con su tarifa. Pero la inspiración de este poema es otra vez quevediana[33], fundamentalmente el opúsculo *Tasa de las hermanitas del pecar*.

El vocabulario correspondiente al sistema léxico de la colonia podría aumentarse mucho con términos —a menudo de sustrato quechua— como *mataliste, guácharo, concho, chasqui, caracha, corcuncho, boquinete, chichería*, etc., que junto a otros han puesto de relieve los estudiosos como rasgo característico de esa lengua popular criolla a que me he referido antes. Pero conviene hacer también algunas reflexiones sobre los registros lingüísticos y el vocabulario indiano que se integra en estos poemas satíricos.

La dimensión americana de Caviedes no necesita para afirmarse de los entusiasmos agresivos de Ballón o Moraña. En ocasiones tales obsesiones «criollistas» provocan análisis defectuosos de los poemas o malas fijaciones textuales que hacen a su vez imposible la comprensión[34].

---

[31] Ver Arellano, 1984, 2003.

[32] La moneda chanflona era la moneda falsa, recortada para quitarle parte del metal.

[33] Hay unos cuantos estudios sobre la influencia de Quevedo en el limeño: ver Bellini, 1967, 1974; Sepúlveda, 1996, y el citado de Lasarte, 2004.

[34] Recojo algunas líneas de Arellano, 2007, que me parecen vigentes para lo que ahora comento.

El pasaje relativo a la curación que hace el médico Utrilla de las bubas sifilíticas de una prostituta (núm. 39, vv. 29-32) aparece de manera diferente en las distintas ediciones:

> Aunque se alabe la ninfa
> que de los amantes chascos
> no llegó allí el perro muerto,
> el vivo sí le ha llegado (Reedy, p. 79).

Reedy recoge las variantes «amantes chatas», «amantes chatos», y «amantes chacos». Para Cáceres la lectura buena es «amantes chacos», lo que explica[35] apelando al registro criollo:

> Chacos. Del quechua *chaku*, 'caza'. Parece ser voz muy antigua usada en Perú y Bolivia, y extendida posteriormente en América meridional. Tanto Malaret como Morínigo explican que el chaco era un antiguo género de montería con ojeo, de los antiguos indios, usado también por los españoles, que consistía en cercar el campo mediante un número considerable de batidores, cerrándose luego para no dejar escapar la presa.

Para García Abrines[36] debe leerse *chatos*, por alusión a los amantes negros, con los que no ha tenido acceso carnal logrado con engaño.

Todas las explicaciones yerran y la única lectura aceptable es la que trae Reedy, que hay que interpretar en todo el contexto: Utrilla es un médico zambo, es decir 'negro', llamado burlescamente *perro*, según insulto codificado en el Siglo de Oro[37]. Este Utrilla es un perro vivo que ha llegado a la dama, la cual se vanagloria de no haber permitido que se le acercaran los *perros muertos*, expresión asociada con los *amantes chascos* 'amantes estafadores' (pareja de sustantivos, recategorizado el segundo como adjetivo, del tipo del «clérigo cerbatana» quevediano); *perro muerto* es frase que significaba el engaño hecho a una prostituta a la que no pagaban sus servicios[38]. No hay término que-

---

[35] Cáceres, *Obra completa*, pp. 345-46 y cita en Cáceres, 1974, pp. 26-27.

[36] *Diente del Parnaso*, p. 212, n. 20.

[37] Correas: «Perros llamamos a los moros y esclavos porque no tienen quien les salve el alma, y mueren como perros». En el romance de Quevedo «Boda de negros» se los califica de *perros* y *perrengues*, término este último que Cáceres considera peruanismo.

[38] Según Correas, *dar perro muerto* «dícese en la corte cuando engañan a una dama dándola a entender que uno es un gran señor». Correas es poco preciso: a

chua ni motivo americano en este caso. Tampoco lo hay en la referencia a Velasco como símbolo de antigüedad o vejez («Casose con una vieja / más antigua que Velasco», núm. 32, vv. 13-14) que García Abrines identifica con el virrey Luis de Velasco, que vivió 83 años. Pero Caviedes no menciona aquí a ningún virrey, sino que alude a la antigüedad proverbial de los Velascos, apellido que anda junto a los Quirós en coplillas como la variante:

> Antes que a la voz de Dios
> valles hubiera y peñascos,
> ya Quirós era Quirós
> y los Velascos, Velascos.

Ni, desde luego, llamar *puercos* a los poetas[39] procede, como afirma García Abrines, de relacionar puerco con *poto*, siendo este vocablo tomado del mapuche 'ano'. Nada de mapuche aquí, sino el motivo proverbial de la suciedad de los poetas[40].

Habrá, pues, que delimitar cuidadosamente las connotaciones y matices, sin empeñarse en que todo el repertorio de valores semánticos de Caviedes sea exclusivamente el criollo americano; o mejor dicho, aceptando la complejidad de componentes de ese criollismo, en el que se integran series expresivas igualmente vigentes en el sistema general de la literatura española del Siglo de Oro.

Trabajos como los de Cáceres[41] sobre las voces y giros o modismos y proverbios del habla colonial peruana registrados en las obras de Caviedes, adolecen de un defecto capital en este sentido al insistir en una supuesta condición criolla inexistente como cualidad diferencial: *a*

---

juzgar por los textos de la época significa 'irse con una prostituta y no pagarle'. Los testimonios abundan: solo en Quevedo (no cito todas las ocurrencias): *Un Heráclito cristiano*, núms. 211, v. 12; 288, vv. 19-22; *Poesía original*, núms. 609, vv. 13-14: «que al no pagar, los necios, los salvajes / siendo paloma, le llamaron perro»; 633, vv. 27-30; 679, v. 48; 680, vv. 55-56; 681, vv. 21-24; 682, v. 197; 738, vv. 103-4; 744, vv. 39, 45-48 y 67-68; 793, v. 33.

[39] *Poesías sueltas*, ed. García Abrines, p. 233. Poema «Excelentísimo conde».

[40] Ver Quevedo, *Buscón*, p. 166: «mandamos que no se pasen coplas de Aragón a Castilla, ni de Italia a España, so pena de andar bien vestido el poeta que tal hiciese, y si reincidiese, de andar limpio una hora»; *Poesía original*, núm. 640, vv. 239-40: «que un poeta / jura de no ser limpio ni pulido»; etc.

[41] Cáceres, 1974, 1984.

más moros más ganancia, del dicho al hecho hay mucho trecho, en boca cerrada no entran moscas, las verdades amargan, mucho ruido y pocas nueces... y prácticamente la mayoría de los refranes que anota, pertenecen al registro proverbial de la lengua española, y habrá que estudiar su función expresiva y sus modificaciones ingeniosas en Caviedes, olvidándose en estos casos de su calidad «criolla». En el primero de los trabajos de Cáceres citados se da como peruanismo la forma *avucastro*, que «no existe en el Diccionario de la Lengua». Pero sí se registra en el *Tesoro* de Covarrubias («decimos avucastro por alguno que es enfadoso y pesado»). Considera peruanismos algunos derivados como *agibada* («traza agibada», de *giba*), *barberismo* (de *barbero*), o *chanflón*, que Caviedes toma de Quevedo; o el adjetivo *melisendra*, tomado del personaje romanceril; etc.

La cuestión de la lengua popular criolla que plantea, entre otros, Ballón, merece algunos comentarios más. Los elementos indianos y la jerga de indios aparecen en dos modalidades dentro de la poesía de Caviedes: insertados en el discurso exagemático de la voz emisora general, como parte de sus materiales básicos, o en forma de discursos directos puestos en boca de personajes satirizados, en los cuales la jerga es un elemento más de caracterización grotesca. Pues bien: cuando Caviedes explota de manera más consciente este registro le confiere a menudo cualidades ridiculizadoras, lo cual está muy lejos de la valoración que Ballón le atribuye. Baste recordar poemas como el núm. 41, en el que don Lorenzo, médico indio, habla en una jerga burlesca que presenta rasgos quechuizantes (vv. 144 y ss.):

> por testigo presentó
> al buen don Lorenzo, el indio,
> tan natural doctor que
> nació llorando aforismos.
> [...]
> Y siéndole preguntado
> si conocía a los dichos
> contragentes, dijo que...
> (mas diré como lo dijo):
> Qui conocía a otro y a uno,
> qui son moy siñores míos,
> il tuerto y el siñor Guasquis,
> hijo de la doña Ilviro.
> Y qui sabi qui il totor
> porqui il tuirto traíba un nicro

> y so mola, con pirdón
> de vosté. Así como digo
> oltimamenti, el fulano
> qui iba con Llanos, so amigo,
> con sos colos en un mula,
> en las ancas en el sillo,
>   con pirdón de ostí otra vez
> dije mola, siñor mío...

En el 19 hay un caso semejante en boca del mismo don Lorenzo. Este tipo de usos constituye al indio en personaje objeto de burla, lo mismo que sucede con negros, zambos, mulatos y mestizos. Remito solo a los poemas 10 (burla de médico indio), 16 (vejamen al zambo Pedro de Utrilla), 57, 58, 74 (burla de mulatos), 83 (vieja alcahueta mestiza), 99 (otra sátira a los mulatos), 128 (sátira a las negras burlándose de la afición de una persona grave a las mujeres de esa raza), 129 y 134 (burlas de mestizos, mulatos, negros, indios), etc. No puede decirse que Caviedes reivindique el papel social y la dignidad de los mencionados estratos sociales y étnicos formantes de la sociedad criolla. Más bien se evidencia su conservadurismo ideológico.

¿Dónde aparece la rebeldía subversiva del poeta? En ningún lado. Todo lo contrario. Examinando algunos poemas clave en los que critica funcionamientos viciosos de la sociedad coetánea (núms. 93 y ss.) se hallarán significativas restricciones en la sátira, que limitan notablemente la posible virulencia de la crítica.

Cuando reseña los hipócritas (núm. 93) se apresura a precisar (vv. 165 y ss.):

> No es mi intento hablar de los estados
> de la Iglesia aprobados,
> ni de justos, que en ellos considero
> alta virtud, mas sí del embustero
> que con fiera malicia
> nos vende por virtud lo que es codicia.

Y de la sátira de los chanflones (núm. 94, vv. 181 y ss.) excluye los caballeros verdaderos de Lima:

> Aqueste caballero que aquí pinto
> es de los verdaderos muy distinto,

que de uno y otro clima
son el lustre de Lima...

También salva en la burla de los doctos de chafalonía (núm. 95,
vv. 99 y ss.) a quienes obtienen las cátedras por méritos sobrados. Los
únicos que no admiten excepción exculpatoria son los médicos idiotas (núm. 96, vv. 93 y ss.):

A los médicos no los satisfago
si cualquiera es aciago,
y a todos por idiotas los condeno
porque ninguno hay bueno...

No se rastrean ataques a los representantes históricos o a las autoridades de la metropólis. Escribe Caviedes elogios a los virreyes (núm.
162, elogio al Conde de la Monclova; 167, epitafio al Duque de la
Palata; 168, 169, 170, al muelle que hizo Monclova en el Callao), y
recuerda los modelos heróicos —que deberían ser ejemplo de los modernos limeños—, como Bernardo del Carpio, el Cid, el Gran Capitán,
Leiva, marqueses del Vasto y de Pescara, el Duque de Alba, Hernán
Cortés, y otros (núm. 94, vv. 137 y ss.)

Todos los elementos glosados permiten, creo, asegurar el criollismo
de Caviedes si se le da al mismo un alcance temático y costumbrista,
pero no se advierte ni una militancia rebelde ni mucho menos una actitud revolucionaria. Si se tiene en cuenta que la sátira por definición
ataca a los vicios y defectos, la crítica es ineludible, pero nada en la obra
de Caviedes permite trazar una historia de subversión en orden a un
supuesto objetivo identitario enfrentado al sistema colonial.

Como escribía a propósito de parecidas cuestiones en la sátira de
Rosas de Oquendo[42], también la de Caviedes constituye, en suma, «un
ejemplo de adaptación de los modelos satíricos a un nuevo entorno
y a una sociedad peculiar, la indiana, cuyo ambiente social y motivos
locales permean su desarrollo, pero no modifica sustancialmente esos
modelos, que responden a las fórmulas genéricas vigentes, en cuanto
a las perspectivas del locutor y sus máscaras, y en cuanto a las estructuras discursivas».

[42] Arellano, 2007.

Bibliografía

Arellano, I., *Poesía satírico burlesca de Quevedo*, Pamplona, Eunsa, 1984. Reedición Madrid/Frankfurt, Iberoamericana/Vervuert, 2003.

— «El ingenio satírico de Rosas de Oquendo», en *Herencia cultural de España en América*, ed. T. Barrera, Sevilla, Universidad de Sevilla, 2007, pp. 11-26.

Ballón Aguirre, E., «Censuras coloniales peruanas», *Lexis*, 22.1, 1998, pp. 11-33.

Barrera, T., «La *Fábula burlesca de Júpiter e Ío*, de Juan del Valle y Caviedes», *Anales de literatura hispanoamericana*, 8, 1979, pp. 15-28.

Bellini, G., «Quevedo in America Juan del Valle Caviedes», *Studi di Letteratura Ispanoamericana*, 1, 1967, pp. 129-45.

— *Quevedo in America*, Milano, Cisalpina-Goliardica, 1974.

Caballero Wangüemert, M., «*Diente del Parnaso*, simbiosis de lo personal y lo tópico en la lírica hispanoamericana del barroco», en *III Jornadas de Andalucía y América*, II, Sevilla, Universidad de Sevilla, 1985, pp. 191-212.

Cáceres, M. L., *Voces y giros del habla colonial peruana registrados en los códices de la obra de Juan del Valle y Caviedes*, Arequipa, Imprenta Editorial El Sol, 1974.

— «Proverbios y modismos del habla colonial peruana (s. XVII) registrados en los códices de la obra de Juan del Valle y Caviedes», en *Actas del VII Congreso de la ALFAL*, Santo Domingo, Alfal, 1984, pp. 415-437.

Cisneros, J., «Estudio crítico», en Valle y Caviedes, J. del, *Obra completa*, ed. y estudios de M. L. Cáceres, L. J. Cisneros y G. Lohmann Villena, Lima, Banco de Crédito del Perú, 1990.

Correas, G., *Vocabulario de refranes y frases proverbiales*, ed. digital de R. Zafra, Kassel, Reichenberger, 2000.

Costigan, L. H., «Colonial Literatura and Social Reality in Brazil and the Vicaroyalty of Peru: The Satirical Poetry of Gregorio de Matos and Juan del Valle Caviedes», en *Coded Encounters. Writing, Gender and Ethnicity in Colonial Latin America*, ed. F. J. Ceballos-Candau, J. A. Cole, N. M. Scott y N. Suárez-Araúz, Amherts, University of Massachusetts Press, 1994, pp. 87-100.

— «Relendo o *Diente del Parnaso* de Juan del Valle y Caviedes: una contribuição para o estudo do intelectual criollo», *Revista de Estudios Hispánicos*, Río Piedras, 19, 1992a, pp. 211-220.

— «Historiografia, discurso e contra-discurso na colonia: Gregorio Matos e Juan del Valle Caviedes», *Hispania*, 75, 1992b, pp. 508-515.

Covarrubias, S. de, *Tesoro de la lengua castellana o española*, ed. integral e ilustrada de I. Arellano y R. Zafra, Madrid/Frankfurt, Iberoamericana/Vervuert, 2006.

Dolle, V., «¿Añoranza de la metrópoli o expresión de una conciencia criolla? *El Bernardo o Victoria de Roncesvalles* de Bernardo de Balbuena», en *La formación de la cultura virreinal. II. El siglo XVII*, ed. K. Kohut y S. V. Rose, Madrid/Frankfurt, Iberoamericana/Vervuert, 2004, pp. 473-503.

GARCÍA ABRINES, L. «Prólogo», en Valle y Caviedes, J. del, *Diente del Parnaso*, ed. L. García Abrines, Jaén, Diputación Provincial, 1993.

JOHNSON, J. G., *Satire in Colonial Spanish America*, Austin, University of Texas Press, 1993.

LASARTE, P., «Algunas reflexiones en torno a una relación literaria: Juan del Valle y Caviedes y Francisco de Quevedo», en *La formación de la cultura virreinal. II. El Siglo XVII*, ed. K. Kohut y S. V. Rose, Madrid/Frankfurt, Iberoamericana/Vervuert, 2004, pp. 135-149.

— «Entre criollos y chapetones: hacia la Lima colonial de Juan del Valle y Caviedes», en *Morada de la palabra: homenaje a Luce y Mercedes López-Baralt*, Río Piedras, Universidad de Puerto Rico, 2002, pp. 941-947.

LAVALLÉ, N., «Americanidad exaltada/hispanidad exacerbada: contradicción y ambigüedades en el discurso criollo del siglo XVII peruano», en *Sobre el Perú: Homenaje a José Agustín de la Puente Candamo*, ed. M. Guerra Martinière, O. Holguín Callo y C. Gutiérrez Muñoz, Lima, Pontificia Universidad Católica del Perú, 2002, pp. 727-742.

LOHMANN VILLENA, G., «Dos documentos inéditos sobre don Juan del Valle Caviedes», *Revista histórica*, Lima, 11, 1937, pp. 277-283.

LORENTE MEDINA, A., «Algunas precisiones sobre la vida y obra de D. Juan del Valle y Caviedes», *Quaderni Ibero-Americani*, 60-70, 1991, pp. 279-292.

— «La parodia en los preliminares de la obra poética de don Juan del Valle y Caviedes», *Anales de literatura hispanoamericana*, 21, 1992, pp. 297-307.

— «Caviedes y su mundo limeño», *Anales de literatura hispanoamericana*, 28, 1999, pp. 847-865.

MORAÑA, M., «Barroco y conciencia criolla en Hispanoamérica», *Revista de crítica literaria latinoamericana*, 28, 1988, pp. 229-251.

QUEVEDO, F. de, *El Buscón*, ed. F. Cabo, Barcelona, Crítica, 1993.

— *Poesía original*, ed. J. M. Blecua, Barcelona, Planeta, 1981.

— *Un Heráclito cristiano, Canta sola a Lisi y otros poemas*, ed. I. Arellano y L. Schwartz, Barcelona, Crítica, 1998.

REEDY, D., «Prólogo», en Valle y Caviedes, J. del, *Obra completa*, ed. D. R. Reedy, Caracas, Ayacucho, 1984.

SEPÚLVEDA, J., «Aspectos estilísticos de la influencia de Francisco de Quevedo sobre Juan del Valle y Caviedes», en *Italia, Iberia y el Nuevo Mundo. Miguel Ángel Asturias, Actas del Congreso Internacional*, Milano, Bulzoni, 1996, pp. 117-135.

VALLE Y CAVIEDES, J. del, *Obra completa*, ed. D. R. Reedy, Caracas, Ayacucho, 1984.

— *Obra completa*, ed. y estudios de M. L. Cáceres, L. J. Cisneros y G. Lohmann Villena, Lima, Banco de Crédito del Perú, 1990.

— *Poesías sueltas y bailes*, ed. L. García Abrines, Jaén, Diputación Provincial, 1994.

— *Diente del Parnaso*, ed. L. García Abrines, Jaén, Diputación Provincial, 1993.

VIDAL, H., *Socio historia de la literatura hispanoamericana: tres lecturas orgánicas*, Minneapolis, Institute for the Study of Ideologie and Literature, 1985.

TRAVESÍAS DE UN DISCURSO: ISLARIOS, ATLÁNTIDAS Y OTROS PRINCIPIOS

Gema Areta Marigó
Universidad de Sevilla

La serie enunciativa que proponemos reproduce el agrupamiento de las obras de Alonso de Santa Cruz (Sevilla 1505-Madrid 1567) y Diego Andrés Rocha (Sevilla 1615?-Lima?), para destacar una formación discursiva específica y analizar el esquema de correspondencia entre varias series temporales.

Entendemos nuestra secuencia como un correlato determinado por un contexto (en nuestro caso el descubrimiento y la conquista de América) que Michel Foucault define como «el conjunto de los elementos de situación o de lenguaje que motivan una formulación y determinan su sentido»[1]. Nuestro enunciado ordena esa compleja trama de formulaciones atendiendo no tanto a las reglas de construcción y transformación de un determinado sistema formal (Renacimiento, Barroco), sino a la posible regularidad o repetición de una serie de signos con una existencia específica. Siguiendo a Foucault intentaremos reflejar además (según interese en cada caso) los cuatro dominios de la función enunciativa: formación de los objetos, formación de las posiciones subjetivas, formación de los conceptos, formación de las posiciones estratégicas[2].

La geografía insular hunde sus raíces en el pensamiento griego con un evidente protagonismo en la *Odisea* y el principio de una literatura

---

[1] Foucault, 2006, p. 163.
[2] Foucault, 2006, p. 196.

de periplos con los lugares comunes del género insular. Después vendrán Hesíodo, Herodoto, Jenofonte, Calímaco de Cirene, Apolonio de Rodas y Dionisio Periegeta quien adopta la teoría vigente en la Antigüedad de la tierra como una isla, repetida por Estrabón en su *Geografía* con la concepción insular del orbe habitado junto a un listado insular extenso (islas de los bienaventurados, islas de los lotófagos, isla de las mujeres, isla de los hombres, la isla Atlántida como una isla-continente que pone en relación con las modificaciones geológicas, islas del estaño etc.). Entre los escritores griegos más sobresalientes en monografías insulares destaca Diodoro de Sicilia (con su *Biblioteca Histórica,* cuyo libro V ha sido considerado el primer islario de la literatura clásica) y Claudio Ptolomeo quien redactara en su *Guía geográfica* el manual más importante de la geografía antigua. Las condiciones estratégico-políticas de la insularidad, su fundación mítica, la relación con la vida de dioses o héroes, o sus habituales noticias fantasiosas, extraordinarias y exóticas son rasgos habituales en estos autores.

La literatura latina contribuye de manera decisiva a la historia del motivo insular con un tipo de obras cuya pretensión principal es realizar un compendio enciclopédico del saber. Plinio con su *Historia Natural,* cuyos libros geográficos (III-VI) enumeran cientos de islas, se convierte en un modelo que tendrá en Isidoro de Sevilla y el libro XIV de las *Etimologías* titulado «De insulis» el eslabón decisivo entre el saber grecolatino y la Edad Media[3]. Incansables generaciones de viajeros medievales que pusieron por escrito sus andanzas, junto con las embajadas anunciando llegadas a lugares remotos, o las peregrinaciones a Tierra Santa y las Cruzadas, fueron enriqueciendo un corpus ampliado con las obras de los sabios árabes, científicos medievales, las enseñanzas de la Biblia, de los Padres de la Iglesia...terminando por constituir a finales de la Edad Media una fuente de saber inagotable donde se podían encontrar todo tipo de teorías y convicciones sobre Cosmografía, Geografía, Astrología, Cronología, Teología o Historia.

Junto a una tradición heredada la obra extensa de Alonso de Santa Cruz (Sevilla 1505-Madrid 1567) es testimonio de la gran transformación cosmográfica que supuso el descubrimiento de las Indias Occidentales por parte del almirante don Cristóbal Colón, quien bus-

---

[3] Ver Montesdeoca, 2000, pp. XI-XXX.

cando la legendaria isla de Cipango se aseguraba el acceso a las costas de Asia que había descrito Marco Polo[4]. El *ISLARIO GENERAL DE TODAS LAS ISLAS DEL MUNDO dirigido a la Sacra, Cesárea, Regia Majestad del Rey don Phelippe nuestro Señor por Alonso de Santa Cruz su Cosmógrafo Mayor*[5], considerada por la crítica como la obra cumbre de su autor[6], fue una obra de encargo comenzada hacia 1539 por orden del Emperador y terminada y corregida hacia 1560 durante el reinado de Felipe II. Pertenece al género de los islarios humanistas —iniciado por el florentino Doménico Silvestri con *De insulis et earum proprietatibus* (1385-1406)— dependiente de la gran tradición literaria insular en el enciclopedismo grecolatino.

Tanto la escritura del *Islario* de Santa Cruz, uno de los primeros escritos «en romance castellano»[7], como el resto de la obra de nuestro autor es producto de una primera etapa formativa (1505-1535) con dos espacios complementarios, Sevilla y América, y una segunda

---

[4] Ya las capitulaciones de Santa Fe de 17 de abril de 1492 firmadas por los Reyes Católicos recogen en la primera cláusula el reconocimiento del grado de Almirante al dicho don Cristóbal Colón «en todas aquellas islas y tierras firmes que por su mano o industria se descubrirán o ganarán en las dichas mares Océanas». Aunque en su primer viaje el Almirante creyó que la costa norte de Cuba, explorada por él en el mes de noviembre y los cinco primeros días de diciembre, pertenecía a la tierra firme oriental, el 4 de enero, cuando avistó *Monte Christi*, quedó convencido de que en La Española se encontraba Cipango, rectificando y afirmando su naturaleza insular. A su regreso, Colón dice haber descubierto seis islas (San Salvador, Santa María de la Concepción, Fernandina, Isabela, Juana y La Española) pero ninguna tierra firme.

[5] Éste es el título rectificado del manuscrito base de la Biblioteca Nacional de Madrid, el texto fue plagiado sustituyéndose en la portada al autor (apareciendo en su lugar Andrés García Céspedes) y en las páginas interiores, intitulación y prólogo, al monarca cambiando el número ordinal (Felipe III en vez de Felipe II).

[6] El *Islario* junto con su *Memorial sobre descubrimientos en el Nuevo Mundo* constituyen las partes fundamentales del proyecto mayor de escribir una «General Historia y Geografía» nunca completadas. A estos dos fundamentales textos geográficos hay que sumar una extensa obra cartográfica, la construcción de instrumentos para la navegación, escritos sobre cosmografía (como el *Astronómico Real* y el *Libro de las Longitudes*), obras de carácter histórico (como la *Crónica de los Reyes Católicos* o la dedicada a Carlos V) y otros escritos de interés político y económico.

[7] Sólo le es anterior el *Espejo de Navegantes* (Sevilla, 1537) de Alonso de Chaves, aunque es más bien un tratado sobre cosmografía práctica.

etapa (1535-1567) donde realiza la proyección científica y técnica de sus saberes.

Su familia y Sevilla serán la «primera escuela y maestros de Alonso de Santa Cruz»[8] según Mariano Cuesta Domingo, con un «padre funcionario y negociante, con aficiones a la cosmología y enclavado en el núcleo medular de la empresa indiana en el tiempo más interesante, con residencia en el centro neurálgico de los descubrimientos y exploraciones de la colonización, los Reales Alcázares, aunque también tenía una vivienda de su propiedad en la céntrica y castiza calle de Sierpe»[9]. Pero creemos más fundamental en la formación discursiva del *Islario* su participación en la expedición de Sebastián Caboto (1526-1530) en el descubrimiento del río de la Plata, como veedor designado por los armadores con una serie de cargos relevantes[10], como corresponde a la condición de hijo de uno de los mayores inversores de aquella expedición, en la que él mismo también participaba con algún capital.

Como es sabido la expedición cambia el destino capitulado cuando al llegar a las costas de Brasil (voluntariamente o por impericia) Caboto recibe los primeros relatos fantásticos de navegantes portugueses y de los sobrevivientes españoles de anteriores expediciones (sobre todo la de 1515 de Juan Díaz de Solís, y la realizada por uno de sus náufragos Alejo García en 1524 con una segunda expedición que cruzando el Paraguay y el Chaco llegó a los confines del Perú, atesorando una enorme riqueza en metales preciosos) que hablaban de la existencia del imperio de «El Rey Blanco» con ciudades de incomparable riqueza y esplendor o de la Sierra de la Plata llena de perlas preciosas[11].

---

[8] Cuesta, 2004, p. 9.

[9] Cuesta, 2004, p. 9.

[10] Fue veedor en la «Santa María del Espinar» y tras la muerte de Gonzalo Núñez de Balboa, en Paraguay, actuó como tesorero real en la «Trinidad» (1529) probablemente elegido por el propio Caboto.

[11] En su *Islario* ofrece Alonso de Santa Cruz una abundante información sobre aquel viaje «yendo a tomar el estrecho de Magallanes para pasar a las islas de los Malucos, el año de mil y quinientos y veintiséis», durante el cual van recorriendo distintas islas de la costa de Brasil como aquella «a la cual pusimos nombre Santa Catalina [...]. A la parte de oriente tiene algunos puertos, aunque no tan seguros como los que tiene al occidente, donde estuvimos surtos, a cuya entrada perdimos una nao la mayor y mejor que llevábamos, en un isleo que está a

Dicha experiencia pudo haber determinado la estructura del *Islario* (según se recoge en el manuscrito de la Biblioteca Nacional[12]) al incluir tras los prolegómenos (una carta al rey Felipe II, un prólogo, un breve tratado sobre astronomía náutica titulada «Breve introducción de Sphera» que incluye 14 dibujos) un atlas compuesto por 8 cartas a doble página (las tres primeras relativas al Nuevo Mundo[13]) para terminar con las cuatro partes escritas que contienen el conjunto de mapas considerado un tesoro cartográfico incomparable (23 en la primera, 49 en la segunda, 17 en la tercera y 15 en la cuarta). La misma preeminencia existencial del atlas[14] se mantiene en la parte escrita, con

la boca de la canal, lleno de bajos, donde se perdió todo casi cuanto en ella iba. Que fue causa no sólo la detención en este puerto más de lo que pensábamos, mas aun de tomar acuerdo de mudar el viaje que llevábamos, que era a las islas de los Malucos, así por la falta de los bastimentos que allí se perdieron, como porque la gente de aquella nao se había de repartir en las otras, que no se sufría e ir al río que comúnmente se llama de la Plata, movidos por información de dos cristianos que aquí hallamos, que habían quedado de la armada de Juan Diez de Solís, que se había perdido en el río doce años había, que nos hicieron ciertos de lo que después no hallamos, que era abundar la tierra de mucho oro y plata y bastimentos. Y acordamos de hacer una galera para fin de la conquista del río, y en esto gastamos tiempo de tres meses» (*Islario de Santa Cruz*, pp. 519, 522-523).

[12] Siendo este manuscrito de la Biblioteca Nacional de Madrid el único completo en texto y cartografía (portada, dedicatoria, carta, prólogo, *Breve introducción de Sphera,* el atlas con las ocho cartas dobles y el texto dividido en cuatro partes, con sus respectivos mapas) la edición de Mariano Cuesta Domingo lo ha cotejado y complementado con los manuscritos parciales de Besançon, Austria, Sevilla, los mapas de Estocolmo, Upsala y el Atlas de El Escorial. En casi todos los manuscritos parciales aparecen reiteradamente las partes tercera y cuarta relativas a Extremo Oriente y al Nuevo Mundo.

[13] América Central, América del Sur, y la tercera representando el Atlántico Norte y las costas septentrionales de Norteamérica, las Islas Canarias y Azores hasta las tierras continentales de Labrador. En la primera tabla donde se encuentran las islas Bahamas, pequeñas y grandes Antillas y península de Yucatán con el istmo centroamericano, la región septentrional sudamericana y la meridional del subcontinente norteamericano, aparece la ciudad de México-Tenochtitlan dentro de un círculo, como una ciudad insular que será tratada como tal en uno de los mapas posteriores. Las otras cinco tablas están dedicadas al Viejo Mundo.

[14] La edición de Mariano Cuesta Domingo ha reproducido el atlas y los mapas que ilustran la parte escrita en un volumen distinto con el título de *Cartografía de Santa Cruz.* Los dos volúmenes *Islario de Santa Cruz* y *Cartografía de Santa Cruz* están reunidos en un estuche que lleva el título general de *Islario y Cartografía de Santa Cruz.*

sus respectivas ilustraciones, con una descripción de «todas las islas del mundo» cuya última y cuarta parte termina precisamente con las «Islas junto a la costa de Brasil», «Islas junto a las provincias de San Vicente y Cananea y Río de la Plata» y «Tierra o isla al mediodía del estrecho de Magallanes».

En la carta y el prólogo Alonso de Santa Cruz ofrece información esencial sobre las últimas causas de su texto: en la carta cuando tras un extenso panegírico a un monarca deseoso de emprender mayores trabajos «en aumento de la fe cristiana, y para tener más clara y particular noticia de aquello [...] me ha mandado que para ello era bueno abrir y enseñar el camino, demostrándole por figuras pintadas y escritas todas las islas que hasta hoy son conocidas y descubiertas, con las distancias y derrotas por do sean caminar para ellas, y las historias que de cada una de ellas se pudiesen hallar con sus antigüedades. Y para la tierra firme, la traza de toda ella con la historia general y particular de cada provincia [...]. Dispúseme pues con la ayuda de Dios y favor de Vuestra Majestad a compilar en este libro todas las islas del Mundo». Trabajo que Alonso de Santa Cruz califica de «grande dificultad y prolija», para el cual ha utilizado todo lo escrito por antiguos y modernos «añadiendo las islas del Mar Océano Occidental que en dicha de Vuestra Majestad y sus católicos abuelos han sido descubiertas», junto al trabajo y no menor molestia de «habérmelo Vuestra Majestad mandado poner en romance castellano, y fin de aprovechar más con él a estos sus reinos de España. Obra por cierto nunca vista y, por tanto, más dificultosa de sacar a la luz»[15]. Y en el prólogo aclarando la constante mutación de lo insular, y el carácter no absoluto del término isla («que no se nos represente que todo el continente antiguo, en cuanto está cercado de agua del mar, no lo pudiésemos entender por una isla muy grande y el nuevamente ahora descubierto por otra»), para finalizar defendiendo la «gran utilidad y provecho público» de su historia, «lectura sabrosa y muy deleitosa» tanto para los que desean salir de España como para los de dentro curiosos de «los estados y diversas naciones de gentes y gobierno de muchas islas y reyes que en ellas antigua y modernamente reinan y han reinado»[16].

---

[15] *Islario de Santa Cruz*, p. 168.
[16] *Islario de Santa Cruz*, pp. 174 y 175.

Creemos sin embargo reconocer en la formación del objeto llamado *Islario* (con férreos antecedentes en la tradición grecolatina y en el impacto cosmográfico del descubrimiento de América), dependiente además de algunas de las formulaciones subjetivas aclaradas (la herencia paterna, la participación en la expedición de Caboto, el ser una obra de encargo...), una determinante posición estratégica relacionada antes con el diferente material presentado a la inspección por ambos, que con el nombramiento de Alonso de Santa Cruz como contino de la Casa Real (precisamente cuando iba a participar en la expedición de Alonso Camargo) y su condena al trabajo de gabinete. Según se recoge en el «Borrador y apuntaciones para el prólogo del libro intitulado Islario general que escribió Alonso de Santa Cruz»:

> He servido a Su Majestad en el descubrimiento del río de la Plata y en toda aquella tierra hasta la provincia de Charcas, en la tierra del Perú, donde fue por capitán general Sebastián Caboto, y yo fui por capitán de una nao y por tesorero de Su Majestad. En el cual descubrimiento estuvimos en la tierra cinco años, con muchas guerras y hambres y demasiados trabajos; y después de salidos del río nos convino peregrinar, por las corrientes del mar y por necesidad que teníamos, a la isla Española y al Nombre de Dios y a la Veracruz, provincia de la Nueva España, do venimos a pasar la canal de Bahamas que fuimos los primeros que vinieron a pasar la dicha canal para venir a España.
>
> Después de esto yo me di a saber las ciencias de Astrología y Cosmografía por donde permitió mi buena dicha que yo viniese a la Corte y que platicase estas ciencias al Emperador don Carlos, de gloriosa memoria, y le sirviese de maestro más de diez años sin haber de él, salvo un partido miserable para mi sustentamiento. Y así determiné venir por mandado de Su Majestad a Valladolid, donde he estado más de siete años, donde traje muchas cartas de Geografía y libros de Astrología y Cosmografía y Filosofía, que había hecho estando en Sevilla con algún reposo; todo lo cual vio Vuestra Señoría y me pareció haberle dado algún contento[17].

De 1535 es una orden expedida por el Consejo de Indias a uno de sus miembros para que reuniera al Piloto Mayor y a los maestros de hacer cartas e instrumentos náuticos para examinar el material pre-

---

[17] Ver Cuesta, 2004, p. 11.

sentado por Alonso de Santa Cruz. Desde entonces nuestro autor parece entrar en una frenética producción que coincide con los habituales trámites informativos y de inspección del propio Caboto[18] a su regreso, muy complicados al ser procesado por el Consejo de Indias con los cargos de desobediencia y abuso de autoridad por sus actos arbitrarios y la muerte de sus oficiales, siendo condenado en 1531 al exilio en África, estando ausente el emperador en Alemania. A su regreso en 1532 Carlos V anulará este exilio mientras Caboto le presenta la descripción de la región del Plata y una nueva propuesta de viaje a «Tarsis, Ofir, Catay y Cipango».

El *Islario* acompañará a nuestro autor prácticamente a lo largo de toda una vida, corrigiéndolo y completando sus contenidos, como el propio padrón real de la Casa de Contratación, convirtiéndose así en el diario de toda una vida de servicio a la Corona.

La obra de Diego Andrés Rocha *El tratado único y singular del origen de los indios occidentales del Pirú, México, Santa Fe y Chile* (Lima, 1681) forma parte de ese corpus cronístico donde se realiza el nacimiento de la antropología como ideología colonial. Como antecedentes en el siglo anterior la *Historia General y Natural de las Indias* (1535) de Gonzalo Fernández de Oviedo, la *Historia General de las Indias* (1552) de Francisco López de Gómara, la obra indigenista de Bartolomé de las Casas (sobre todo su *Apologética Historia* y *De unico vocationis modo omnium gentium ad veram religionem*) y la de los considerados grandes creadores de la antropología cultural: fray Bernardino de Sahagún, fray Toribio de Benavente, fray Jerónimo de Mendieta y fray Diego de Landa... *De Procuranda Indorum salute* (escrito entre 1575 y 1576) y La *Historia Natural y Moral de las Indias* (Sevilla, 1590) del jesuita José de Acosta muestran el evolucionado carácter científico alcanzado por la misionología[19], una nueva Filosofía de la Historia que parte de la constatación, en el «proemio al lector» de la *Historia Natural*, de que «el mundo nuevo ya no es nuevo sino viejo», diferente análi-

---

[18] Sebastián Caboto siendo desde 1518 Piloto Mayor ostentaba un cargo que tenía entre sus competencias el examen de los pilotos que iban a realizar la comunicación y transporte con ultramar, además de fabricar la cartografía oficial para las travesías e incorporar los nuevos descubrimientos, el llamado padrón real.

[19] Aunque el movimiento de la Contrarreforma católica a mediados del siglo XVI supuso fundamentalmente una respuesta defensiva fue también un criticismo que dejaría la puerta abierta a paralelas revisiones.

sis valorativo de una realidad cultural ahora dependiente del «libre albedrío, que son los hechos y costumbres de los hombres».

El debate en España (o a propósito de España) sobre el Nuevo Mundo, sus indios, sus lenguas y sus orígenes ocupó un lugar esencial en la historiografía americana de Carlos V y Felipe II. Giuliano Gliozzi en la «Introducción» y «Conclusión» de su magnífica monografía *Adán y el nuevo mundo* (1977) señala que la representación del «salvaje» en la cultura europea es un discurso determinado por una específica posición histórica, referente cultural que se debe no a una idea abstracta sino a una ideología históricamente determinada. Este discurso ideológico nace de la *relación material* que el europeo ha ido teniendo con el «salvaje» *real*, es decir de la diversa configuración histórico-social del *informe colonial*. Siendo la historia colonial un momento de la historia europea, esa ideología colonial es al mismo tiempo un elemento de la lucha ideológico-cultural europea. Recordará además Gliozzi que el primer elemento de conceptualización, y el más constante, de la reflexión europea sobre los habitantes de América fue el problema del origen, cuya multiplicidad y disparidad de respuestas provocaría un debate ideológicamente determinado, primero por la diversidad nacional de los autores, después por una clara polarización entre los que defienden un sistema feudal frente a los intereses materiales de la naciente burguesía. A la diversidad de métodos y aspiraciones de los diversos grupos sociales presentes en la colonización hay que sumar el efectivo progreso de las formulaciones teóricas: el único argumento de las autoridades bíblicas en el siglo XV, frente a un aparato conceptual más extenso en el XVI cuando se está intentando resolver racionalmente el problema del trayecto de los primeros americanos. En el XVI y XVII la emergencia de la iniciativa burguesa en el campo colonial liberará la imagen del salvaje de las deformaciones del derecho sacro, genealogía bíblica, maldición profética, permitiendo que emerjan aspectos más mundanos y cercanos a la vida del indígena americano como su capacidad productiva, su interés en el cambio, su forma de gobierno etc., aunque esta apertura estará siempre limitada por la superioridad de quien la impone.

Entre las principales formulaciones teóricas sobre el origen de la población americana Gliozzi destaca las siguientes: 1) como herencia de Adán, 2) los indios como hebreos, 3) de la estirpe de Cam, 4) el oro de Ofir, 5) la Atlántida, y 6) la antigua navegación cartaginesa[20]. Ese primer capítulo se inicia con el cronista oficial de Carlos V Gonzalo Fernández de Oviedo quien, como respuesta a los Pleitos Colombinos (1508-1563), elaborara una primera genealogía de la población americana aportada dentro de su explicación acerca de las Antillas como Hespérides, y su pertenencia de pleno derecho a la Corona española por herencia del antiguo monarca español Hespero (descendiente de Túbal, hijo de Jafet). Mientras la Corona española intentará conseguir una mayor independencia jurídica desde la segunda bula de Alejandro VI «Inter caetera» (4 de mayo de 1493)[21], la donación pontificia empezará a ser discutida por otras potencias, junto a los privilegios reivindicativos en tierras americanas de los conquistadores.

La discutida legitimidad de la «donación» papal por las monarquías rivales de Francia e Inglaterra condicionó que, a partir de la tesis de Oviedo, en la historiografía de Carlos V el derecho jurídico que España tenía sobre el Nuevo Mundo fuese sustituido por un derecho sacro y hereditario desde Hespero, decimotercero descendiente de Túbal, hijo de Jafet. Al mismo tiempo contra la validez de la donación papal a España surgieron varias interpretaciones que ponían en duda, una vez más, nuestra posición dominante: la propiedad correspondía al primer ocupante, quizás un primer poblamiento europeo de la época pre-cristiana; y la asimilación europeísta América-Atlántida alejada de la matriz bíblico-cristiana. Paradójicamente estas nuevas teorías serán también utilizadas por España demostrando poseer una mayor antigüedad en este derecho natural y civil sobre la primera ocupación, o convirtiendo a la Atlántida en tierra de tránsito de los primitivos españoles hacia América.

Una de las fuentes principales de Rocha será la obra del dominico fray Gregorio García *Origen de los Indios de el Nuevo Mundo e Indias Occidentales* (1607), principal defensor de esa primera hipótesis de Oviedo sobre el poblamiento americano, y el primero en sostener también en un texto publicado en España[22] la teoría judeogenética del

[20] Gliozzi, 1977. La introducción y conclusiones ocupan las páginas 1-12 y 623-626 respectivamente.

[21] Bula que tenía como única limitación en la concesión de los privilegios sobre las islas y tierra firme descubiertas y por descubrir «que por otro Rey cristiano no fuesen actualmente poseídas».

[22] Sería el teólogo e insigne hebraísta parisino Gilbert Génébrard quien la expusiera por primera vez en su *Chronographia* (1580) y José de Acosta el primero

Nuevo Mundo[23] (basada en el mito de las diez tribus perdidas[24] de Israel tiene que ver con un apócrifo bíblico del IV libro de *Esdras*, capítulo XIII, donde se recoge que las diez tribus atravesaron el río, marcharon al exilio y se fueron a vivir a un «lugar extremadamente alejado donde ningún ser humano había vivido jamás»). Su obra establece un inmediato diálogo crítico contra José de Acosta y su *Historia Natural y Moral de las Indias* quien en el siglo XVI había rechazado esta misma tesis argumentando la base apócrifa e inauténtica de la fuente

en criticar «la opinión de Génébrard». De 1540 es un manuscrito firmado por el Doctor Roldán (encontrado por Lewis Hanke en la Biblioteca Provincial y Universitaria de Sevilla, ms. Vol. 333) donde se propone demostrar «que los indios de la India, isla y tierra firme del mar océano, que dependen actualmente del poder de la Corona de este reino de Castilla, son hebreos de la gente de las diez tribus de Israel». Además de en Esdras se apoya en la autoridad «del profeta Oseas en el capítulo IV donde dice que los hijos de Israel son como la arena del mar, que no se puede contar», profecía que para Roldán se adaptaba perfectamente a la gente americana (ver Gliozzi, p. 50).

[23] La emergencia de esta teoría guarda estrecha relación con la política colonial de la Corona al ser una respuesta a la polémica lascasiana victoriosamente asociada a las *Leyes Nuevas* de 1542 contra los conquistadores, con la disposición radical y significativa de abolición de la encomienda. La tesis judeogenética (el origen hebreo de los americanos) es una teoría que se opone netamente (bajo la forma indirecta y aparentemente neutral de la exégesis bíblica) al espíritu de las *Leyes Nuevas* obstaculizando su concreta aplicación a la realidad colonial del Nuevo Mundo: negando que la destrucción de los indios fuese un obstáculo para su conversión (los indios como hebreos muestran esa obstinación a vivir en pecado, a no abandonar sus creencias y opiniones), e impidiendo que la Corona pudiera revindicar para los hebreos del Nuevo Mundo su condición de vasallos libres, como alternativa al sistema de la encomienda, debido al Edicto de expulsión. Es también una tesis que refuerza la relación del descubrimiento de América con la Reconquista, presente en Cristóbal Colón con una clara asociación entre el año de la conquista de Granada y la expulsión de los judíos.

[24] Según el Génesis, Abraham (descendiente de Sem) engendró a Isaac y éste a Jacob (o Israel), que tuvo doce hijos, los patriarcas de donde provienen las doce tribus de Israel. Las doce tribus se agruparon en dos reinos: Judá (esencialmente la tribu de Judá y parte de la de Leví, que no tenía tierras) e Israel (todas las demás). Tras la muerte de Salomón el país fue dividió en dos reinos: el del norte, Israel y el del sur, Judá. El Reino de Israel fue invadido por los asirios (722 a. C.) y su pueblo disperso (las Diez Tribus Perdidas); el de Judá fue conquistado por los babilonios, que destruyeron el templo y exiliaron su población a Babilonia. En el Génesis, diez son las generaciones prediluvianas (de Adán a Noé) y diez las posdiluvianas (de Noé a Abraham).

bíblica, la incongruencia geográfica de su interpretación, y las imposibles afinidades en el carácter (no muestran interés por el dinero), las costumbres (no tienen escritura) o las prácticas religiosas.

Además de neutralizar las objeciones de Acosta, Gregorio García aportará nuevos elementos caracterizadores a la teoría judeogenética, transformándola de manera significativa y adaptándola a las nuevas exigencias del mundo colonial americano. Como ha demostrado Gliozzi en su argumentación de la tesis judeogenética García mantiene la tradición cinquecentesca de defensa del punto de vista de los conquistadores (que remite a las Leyes de Burgos de 1513 y su definición del indio desde la ociosidad e idolatría, defendiendo sobre esta base el sistema de encomienda), aunque destaca también su actitud conciliadora al defender con empeño paritario la tesis judeogenética y aquella que hace a los indios descendientes de los antiguos españoles (que interesaba de modo particular a la Corona), en un intento por conseguir la benevolencia real frente a las múltiples exigencias de los colonos[25].

La obra de Diego Andrés Rocha parte, como su mismo autor declara al principio del primer capítulo, de la «Grande y porfiada disputa (que) han tenido los historiadores e intérpretes de las letras divinas y humanas sobre descubrir el origen de estos indios occidentales, y hallar el modo y camino por donde vinieron a esta región Antártica, ocupando este reino de Perú y el de Méjico»[26]. Por lo tanto su obra depende de ese debate teórico que Antonello Gerbi llamó *La disputa del Nuevo Mundo*[27] que desde Colón cruza política colonial y derecho, teología y filosofía, geografía y antropología, historiografía con etnología, prehistoria y paleontología, historia de las ideas, genealogía bíblica etc., y que a finales del siglo XVII posee una densa historia crítica que incluye la visión apocalíptica de Bartolomé de Las Casas, un cambiante aparato legislativo, el habitual enfrentamiento entre el derecho internacional frente a los derechos de la Corona española o la extraordinaria complejidad alcanzada por el sistema colonial. Como catedrático de Derecho Romano de la Universidad de San Marcos y Oidor de la Audiencia de Lima Rocha[28] posee no sólo la preparación

---

[25] Gliozzi, 1977, p. 87.
[26] Rocha, *El origen de los indios*, p. 49.
[27] Primera edición italiana de 1955, en español por FCE en 1982.
[28] Los biógrafos destacan el origen madrileño de sus padres, el traslado de la familia a Indias en el primer tercio del siglo XVII, su posible nacimiento en Sevilla,

letrada suficiente sino amplios conocimientos sobre la sociedad a la que pertenece, donde los enfrentamientos con los intereses de la Corona eran ya una constante. En este apartado habría que destacar las habituales transgresiones de los propios ministros de la Audiencia que debiendo aislarse la sociedad civil para una mejor administración de la justicia, libre de intereses personales, familiares o de grupo, muestran una absoluta integración social[29]; y sus habituales enfrentamientos contra el poder eclesiástico en la lucha por el control de la sociedad colonial.

En el listado teórico realizado en el capítulo I Rocha, después de recordar someramente tres primeros posibles orígenes (ocupación cartaginesa, fenicia, china y tártara), se detiene en esa cuarta opinión de «grandes varones, que han (dicho) alucinados, que estos indios tienen su origen y descienden de la gente atlántica»[30], tesis apoyada en la certeza de la historia referida por Platón. La quinta es sobre el linaje de Ofir, y la sexta sobre los escitas. De los diálogos de Platón *Timeo* y *Critias* nace la leyenda sobre el imperio de los Atlantes, imperio soberano de una isla mayor, Basilea, rodeada por otras (isla sagrada en cuyo centro se elevaba el templo de Poseidón donde se reunían los diez reyes, residía el tribunal supremo y los jueces resolvían los liti-

---

el nombramiento del padre en 1634 como Catedrático de Vísperas de la Universidad de San Marcos de Lima, la misma universidad donde Diego obtiene la cátedra de Derecho Romano. Su carrera profesional incluye los cargos de abogado fiscal en la Real Chancillería de Quito, pasando a la Audiencia de Charcas, Fiscal de la Real Academia de lo criminal de Lima, Alcalde de Corte en dicha ciudad, del Consejo del Rey y finalmente Oidor de la Audiencia de Lima en 1666.

[29] En la *Recopilación de leyes de los reinos de las Indias* (1680) se recogen de manera ordenada muchas de las normas en torno a este punto, en el título XVI del libro II de dicho cuerpo legal aparecen numerosas disposiciones conducentes a conseguir una suerte de aislamiento de los ministros de las Audiencias: los ministros de las Audiencias tenían prohibido contraer nupcias en el distrito comprendido por el tribunal que integraban y la prohibición también alcanzaba a sus hijos; igualmente, estaba prohibido que hicieran visitas a personas del lugar, y que asistieran a bodas o a entierros, salvo en casos muy especiales; no podían recibir dinero prestado, ni regalos; cuando un oidor emprendía una visita de la tierra no podía ir acompañado de su mujer ni de sus parientes; estaban impedidos de tener casas, o huertas, o chacras; no podían actuar como padrinos en ceremonias religiosas.

[30] Rocha, *El origen de los indios*, p. 56.

gios), situada delante de las columnas de Hércules, su invasión de
Europa, Asia Menor, Siria y todos los estados griegos a excepción de
una Atenas que defendió heroicamente su libertad, y su trágica des-
aparición debido a terribles terremotos y grandes inundaciones, convirtiéndose el mar que la cubrió en un fondo limoso difícil e
infranqueable para los navegantes. Si como recuerda Pierre Vidal-
Naquet[31] pocos fueron los sucesores de Platón que utilizaron el mito
de la Atlántida, sería en la segunda mitad del siglo IV cuando con la
transformación del imperio grecorromano en imperio cristiano em-
pezaron los intentos de conciliación de las autoridades bíblicas con la
filosofía griega. Fue Cosmas Indicopleustes quien en su *Topografía cristiana*, escrita entre el 547 y 549, al realizar en el último libro XII un
comentario sobre el diluvio bíblico recuerda el indiscutible acuerdo
entre la Atlántida de Platón y las divinas escrituras, de este modo como
resume Dimitri Merejkovsky «el mundo antediluviano no es otra cosa
que la Atlántida y los diez reyes atlantes son las diez generaciones de
Adán hasta Noé. La Atlántida era el paraíso terrestre; de allí es de donde salió Adán, es de allí también de donde partió Noé para cruzar en
el arca las aguas del diluvio»[32].

La presencia de América permitió redescubrir el mito de la
Atlántida, y aunque todas las utopías del Renacimiento están relacionadas con el descubrimiento del Nuevo Mundo, ninguna tan acertada como la *Nueva Atlántida*[33] de Francis Bacon (1561-1626), publicada

---

[31] Vidal-Naquet, 2006, pp. 35-58. En su opinión el relato platónico es un pas-
tiche de la historia que recuerda la influencia de Tucídides o de Herodoto. Entre
los que utilizaron el mito de la Atlántida se encuentran Diodoro de Sicilia, Plinio
el Viejo y Plutarco.

[32] Merejkovsky, 1944, p. 56.

[33] «El título *Nueva Atlántida* es muy ilustrativo. Tenemos, nada menos, la réplica a la versión perdida de la Atlántida del *Timeo*, réplica americana a la versión
europea. La Atlántida se perdió por la inundación de sus grandes ríos y no, como
refiere Platón, por una conflagración geológica. Y el pueblo que se avanzó hasta
el Mediterráneo, y según la versión platónica, fue vencido por los atenienses, es
nada menos que el pueblo mexicano. Pero [...], según Bacon, las inundaciones
acabaron con la cultura americana, no quedando más que unos cuantos indios
montaraces de donde descienden los pueblos de América, lo que explica que sean
los más jóvenes de la tierra y, por consiguiente, los menos ingeniosos. Por eso su
sueño, deliberadamente, se escapa de América —país de la utopía— y busca la
Nueva Atlántida, pues que la vieja redescubierta no le satisface, más allá de los límites americanos, en una isla del Pacífico» (Imaz, 1982, p. 29).

póstumamente en 1627. Diego Andrés Rocha realiza en el capítulo II su réplica cristiana de la Atlántida al convertirla, siguiendo a Gregorio García, en espacio de tránsito afirmativo de la tesis de Oviedo: «Que estas Indias occidentales, después del diluvio universal, se comenzaron a poblar por los descendientes de Jafet, hijo de Noé; de Jafet, descendió Tubal, quien pobló a España [...] y sus descendientes la ocuparon y poblaron, y de ellos, como estaban vecinos a la isla Atlántida, vinieron poblando por ella y llegaron a tierra firme»[34]. La Atlántida se convierte además en razón poderosa de ese primer poblamiento («poco después de Túbal o en tiempos del rey Hespero»[35]) porque «aunque las costas de África, que están enfrente de España, por algunas partes están más vecinas a la América, tenía esto más España, que comenzaba la isla Atlántida desde Cádiz o Columnas de Hércules y que esta isla llegaba a la de Santo Domingo, isla Española, con que por aquí fue la primera entrada de españoles a estas Indias, poco después de Túbal, y aunque por Groenlandia pueda haber tierra continente o golfo breve, que se hiela, para pasar a esta América, fue mucho más fácil el paso por la isla Atlántida para la introducción de los españoles»[36].

Este segundo capítulo termina además con un compendio crítico sobre la realidad geográfica de las islas Hespéridas, que reciben su nombre de Hespero, «que fue el nono rey de España, después de Tubal [...] y reinando este Hespero, vinieron también muchos españoles y poblaron las islas de Barlovento, de Santo Domingo y de Cuba, que con razón se llaman las islas Españolas, por este origen, y creo que entonces duraba la isla Atlántida, y a este sentir se inclina el diligente historiador Gonzalo Fernández de Oviedo, en la 1° parte de la Historia de las Indias, lib. 2, cap. 3»[37]. Contra las Hespérides como islas de Barlovento presenta las opiniones del Abulense (islas Canarias), de Alonso de Santa Cruz (islas Azores) y del Padre Mariana (islas de Cabo Verde). Estos tres autores «de tanta autoridad, opuestos a nuestro sentir, y opuestos a que estas islas de América se fundasen por Hespero, rey de España, y quieren que las Hespéridas sean otras mucho más vecinas a España, sin embargo, se reconoce cuán distantes están todos

---

[34] Rocha, *El origen de los indios*, p. 66.
[35] Rocha, *El origen de los indios*, p. 106.
[36] Rocha, *El origen de los indios*, p. 112.
[37] Rocha, *El origen de los indios*, p. 117.

tres en señalar el verdadero sitio de las islas Hespéridas, y parece también con su venia que lo están en la verdadera inteligencia de este punto, y así se ha de tener por más probable que las islas Española y Cuba son las Hespéridas que mandó fundar Hespero, rey de los primitivos de España»[38].

Si el capítulo II está dedicado a explicar el origen de los indios a partir de los primitivos españoles, en el capítulo III se extiende en la tesis judeogenética: «Yo tengo por cierto que muchos indios occidentales descienden de las diez tribus que desterró Salmanasar, y que entraron poblando esta América por las costas de Méjico, por el reino de Anian; pero tenía ya esta América desde el tiempo de Túbal y de Hespero y de los cartagineses mucha gente que vinieron poblando la parte del Norte, saliendo todos de España, como se dijo arriba»[39]. Siendo como explica Rocha «el paso a estas Indias» un tema extensamente tratado por muchos autores, «me ha gastado mucho tiempo de lectura y contemplación»[40] llegará a decir, le dedicará la segunda sección de este capítulo, después de haber explicado pormenorizadamente en la primera las múltiples semejanzas entre indios y hebreos. Para encontrar el lugar por donde entraron las diez tribus perdidas Rocha parte del profeta Esdras, su relato sobre el éxodo hasta Arzaret, que nuestro autor ubica en la parte más oriental de la Tartaria. El camino desde Arzaret hasta América para Rocha se realizó a través de Asia por el estrecho de Anian, para llegar a México. Sin embargo Rocha repasa también las otras dos partes del mundo (además de Asia) por donde pudieron haber pasado las tribus. Por Europa con dos posibles rutas, la Atlántida (rechazada porque «su transmigración fue mucho después de haberse tragado el mar la isla Atlántida y sucedió su fuga en el año 3195 de la Creación del mundo, antes del nacimiento de Nuestro Salvador»[41]) y por Groenlandia (fría y excesivamente lejos). Tampoco acepta la venida a través de África, muy alejada del lugar de destierro en la Persia, y sin posibilidad de acceso fácil.

La Atlántida como espacio de tránsito le permite además ordenar temporalmente las teorías, primero los españoles hace «más de tres mil

---

[38] Rocha, *El origen de los indios*, p. 118.
[39] Rocha, *El origen de los indios*, p. 122.
[40] Rocha, *El origen de los indios*, p. 190.
[41] Rocha, *El origen de los indios*, p. 191.

y quinientos años, cuando no se había anegado la isla Atlántida»[42], y
en segundo lugar las diez tribus, aunque también pudieron venir por
ella los cartaginenses «pues estaban enfrente de ella y muy vecinos a
Cádiz, de donde comenzaba esta isla, y más cuando España, antes que
se anegase dicha isla y se hiciese el mar Mediterráneo, era contigua
con África y Cartago»[43].

Después de establecer en un listado 71 paralelismos entre lugares
del mundo antiguo con los del mundo nuevo (sección cuarta, capítulo III), el tratado de Rocha termina en el capítulo IV donde explica
la disputa que tuvo lugar en 1659 ante el Papa Alejandro VII acerca
de si los privilegios de culto concedidos a España en los anteriores
papados debían extenderse a las Indias Occidentales, debate recogido
según Rocha «en la prefacción de la misma bula, de 15 de noviembre de 1659, y después de las dudas se pone la decisión del Sumo
Pontífice, comprendiendo a estas Indias en los privilegios de España
y aprobando los fundamentos alegados por estas Indias»[44]. Si como explica Rocha también él entonces, como el fiscal, «tuve por ligeros los
fundamentos de los que habían discurrido que los indios eran originarios de España, y también juzgué antiguamente lo mismo de la opinión que los hacía descendientes de los israelitas»[45], su obra construye
ahora una serie de verdades indiscutibles, «principios elementales que
no se podrán negar»[46].

Con una estructura extraordinariamente parecida al *Lazarillo de
Tormes* Rocha ha realizado para llegar hasta aquí una serie de formulaciones cuyo relato era la arquitectura de una demostración, un juego de
réplicas originado sobre todo por la indecisión del fiscal apostólico sobre «si el origen de los indios era de España»[47]. Comentará entonces las
principales «dudas» contenidas en los alegatos para «que no puedan descender los indios de los primitivos españoles, ni de las tribus»[48]. A pe-

---

[42] Rocha, *El origen de los indios*, p. 207.
[43] Rocha, *El origen de los indios*, p. 107. Con respecto a la cronología de los
cartagineses en los tiempos de su señorío en España ofrece dos fechas: más de 2300
(p. 131) o cuando vino Hanon con ellos en tiempo de dos mil años (p. 207).
[44] Rocha, *El origen de los indios*, 209.
[45] Rocha, *El origen de los indios*, p. 210.
[46] Rocha, *El origen de los indios*, p. 210.
[47] Rocha, *El origen de los indios*, p. 210.
[48] Rocha, *El origen de los indios*, pp. 211-212. Las «dudas» que Rocha intentará rectificar son las siguientes: los primeros pobladores de esta América vinieron

sar de volver a recordar la entrada de los españoles por la América Meridional con mil quinientos años de diferencia con respecto a las diez tribus por la América Septentrional[49], y la facilidad de la llegada de los españoles por la existencia de la Atlántida[50], Rocha sentencia y disuelve una a una las dudas que envolvían un origen único y singular. Origen que con Rocha pasaría de la justificación religiosa a la jurídica: aquella que defendiendo la naturaleza española de los indios «debían juntamente gozar de los privilegios concedidos a España [...]. Mayormente, cuando los indios por el derecho de su reversión habían vuelto y estaban poseídos por su rey Católico»[51].

Quizás sea este «derecho de reversión» uno de los principales catalizadores de la historiografía americana, de su efecto multiplicador, del entrecruzamiento de sus discursos, y sus transferencias de métodos y técnicas con la filología.

BIBLIOGRAFÍA

CUESTA DOMINGO, M., «Alonso de Santa Cruz, cartógrafo y fabricante de instrumentos náuticos de la Casa de Contratación», *Revista Complutense de Historia de América*, 30, 2004, pp. 7-40.

FOUCAULT, M., *La arqueología del saber*, Madrid, Siglo XXI, 2006.

GERBI, A., *La disputa del Nuovo Mondo. Storia di una polemica 1750-1900*, Milano/Napoli, Ricciardi, 1955.

GLIOZZI, G., *Adamo e il nuovo mondo. La nascita dell'antropologia come ideología colonial: dalle genealogie bibliche alle teorie razziali (1500-1700)*, Firenze, La Nuova Italia Editrice, 1977.

IMAZ, E., «Topo y utopía», en *Utopías del Renacimiento*, México, FCE, 1982, pp. 7-35.

por el Asia y no por España; los indios son de color pardo y no blanco como los primitivos españoles o las tribus; no tienen barbas ni escritura; son idólatras, lo que contradice el lugar de Esdras, que explicaba que las tribus huyeron de los gentiles por guardar sus ceremonias; las tribus y sus hijos, los Tultecas, no pudieron llegar a México porque según Esdras fueron a un lugar deshabitado y allí había antes gigantes, los Tultecas perecieron, y por último se desconoce cómo pudieron pasar tantas especies de animales (fieros y silvestres) y aves.

[49] Rocha, *El origen de los indios*, pp. 219-220.
[50] Rocha, *El origen de los indios*, p. 211.
[51] Rocha, *El origen de los indios*, p. 209.

Islario de Santa Cruz, ed. M. Cuesta Domingo, Madrid, Real Sociedad Geográfica, 2003.

MEREJKOVSKY, D., *Atlántida-Europa*, Buenos Aires, Nova, 1944.

MONTESDEOCA MEDINA, J. M., «Del enciclopedismo grecolatino a los islarios humanistas», en *Los islarios de la época del humanismo: el «de insulis» de Domenico Silvestri*, La Laguna, Universidad de La Laguna, 2000, pp. XI-LXXVII.

ROCHA, D. A., *El origen de los indios*, ed. J. Alcina Franch, Madrid, Historia 16, 1988.

VIDAL-NAQUET, P., *La Atlántida. Pequeña historia de un mito platónico*, Madrid, Akal, 2006.

ANTONIO DE VIEDMA EN LAS EXPLORACIONES DE LA COSTA PATAGÓNICA

Trinidad Barrera
Universidad de Sevilla

Antonio de Viedma y Berdejo, Rebolledo y Fajardo (1737- ?), natural de Jaén, tiene registrado su expediente de pruebas de caballero de la orden de Carlos III en el Archivo Histórico Nacional con fecha de 1792 (expediente 602). Allí figura como Comisario y Superintendente que fue de los nuevos Establecimientos de la Costa patagónica y al que se le nombra caballero supernumerario. Es, sin dudas, uno de los más importantes hombres en relación con estas tierras.

La Patagonia, ese territorio mítico-literario, lleva unida su historia, en más de una ocasión, a la del estrecho de Magallanes. En pos de esas aventuras y desde el costado chileno, Juan Ladrillero, natural de Moguer, escribió un fascinante relato de su expedición (1557-1559) que ha sido poco conocida y siempre tratada muy someramente pese a conservarse la relación escrita por él mismo, *Derrotero y viaje de Juan Ladrillero al estrecho de Magallanes* (1557). Un interesante documento que ha circulado sólo en copias manuscritas que se conservan en diversos archivos de España y en algunas bibliotecas públicas. Raro ha sido el escritor que ha disfrutado de ella y sólo por citas la han conocido numerosos compiladores de viajes[1]. Los más notables exploradores de la región austral jamás hacen referencia a su predecesor Ladrillero; e incluso el famoso Pedro Sarmiento de Gamboa, con-

---

[1] Diego Dávalos en su *Miscelánea Austral* (1602) lo cita a propósito de la existencia de gigantes en el sur, «donde el piloto Ladrillero afirmó haberlos visto».

temporáneo de aquel, guarda silencio sobre los vastos descubrimientos llevados a cabo sólo veinte años antes. No es éste el momento de tratar la *Relación* del onubense, pero sí tal vez la ocasión de señalar que la ruta de viajeros australes arroja desde entonces un *corpus* interesantísimo y en él se inscriben los testimonios escritos por otro andaluz, Antonio de Viedma, que pisa por primera vez las costas patagónicas el 7 de enero de 1779.

Si hemos de hacer caso a los documentos, son dos hermanos la saga de los Viedma en tierras australes, aunque según De Angelis en 1778 pasaron a América tres individuos con igual apellido Viedma, Andrés, Antonio y Francisco «para ponerse al frente de los nuevos establecimientos que debían fundarse en el sud de esta provincia»[2]. Cuenta que el primero de ellos, durante un tiempo, estuvo como superintendente en la Bahía de San Julián, y que enloqueció y vino a sucederle su hermano Antonio que ocupaba entonces el cargo de tesorero[3]. No hay más rastro del tal Andrés, sin embargo sí de Francisco.

De Antonio sabemos que llegó como acompañante de su hermano Francisco y cuando éste debió dejar la península Valdés, quedó a cargo de la pionera misión en territorio patagónico. Navegó por toda la costa de Santa Cruz y fundó una colonia en puerto San Julián: Floridablanca. Al mismo tiempo, fue realizando diversas expediciones al interior del continente llegando hasta el pie de la cordillera andina en busca del nacimiento del río Santa Cruz. De esa aventura ha quedado un *Diario de un viaje a la costa de la Patagonia, para reconocer los puntos en donde establecer poblaciones con una descripción de la naturaleza de los terrenos, de sus producciones y habitantes; desde el puerto de Santa Elena hasta la boca del Estrecho de Magallanes* cuya primera edición se hizo en Buenos Aires en 1837 a cargo de Pedro de Angelis[4]. Pocas han sido las reediciones, una de las más recientes es de 2007, en

---

[2] De Angelis, *Colección de obras y documentos…*, p. VII.

[3] No hemos encontrado mayores datos de Andrés pero sí de su hermano Francisco que terminó, después de dejar la administración de Río Negro, como intendente de la provincia de Cochabamba. Curiosa y casualmente aparece un tal Andrés de Viedma como mayordomo de artillería de la expedición de Pedro Sarmiento de Gamboa en 1584. Muy aventureramente se cuentan estas exploraciones en el libro de Morales, 2006.

[4] Hemos utilizado la edición digital de la Biblioteca Virtual Cervantes. http://www.cervantesvirtual.com/FichaObra.html?portal=0&Ref=8804. Edición

Ediciones Continente, Buenos Aires, que bajo el título *Diarios de navegación* recoge los textos de Viedma y del gallego Basilio Villarino, piloto de la Real Armada, autor por su parte de un *Diario de reconocimiento que hizo del Río Negro en la costa oriental de Patagonia el año de 1782*. ¿Pero qué atractivo tuvieron aquellas tierras del confín del mundo?

VIAJES A LA TIERRA DEL FUEGO Y A LA PATAGONIA

Quizás haya que remontarse a 1501, cuando Américo Vespucci llegó hasta 50° de latitud Sur, en Puerto San Julián, Patagonia; aunque fue en 1520 cuando Fernando de Magallanes descubrió el estrecho, paso del Atlántico hacia el Mar del Sur, que llamó Pacífico. Los hechos relatados por Antonio Pigafetta hablaban de fuegos y humos misteriosos sin que vieran a ningún ser humano. En 1526 se publicó en Sevilla un mapa gracias a Juan Vespucci, sobrino de Américo, que había heredado de éste mapas e instrumentos náuticos. A partir de aquí van desgranándose expediciones, en 1525, 1532, 1534 e incluso en 1535 Diego de Almagro bajó hacia el sur en busca del Dorado, atravesó la cordillera de los Andes, se encontró con indios mapuches y regresó al Perú diciendo que no había oro en el sur pero sí indios belicosos. Tras la expedición del obispo de Plasencia, una de cuyas embarcaciones hibernó en el canal Beagle, en 1541 Pedro de Valdivia se atrevió a emprender la conquista del territorio recorrido por Almagro y saliendo del Cusco él y sus hombres fundaron la ciudad de Santiago del Nuevo Extremo y allí se establecieron resistiendo a los mapuches; más tarde, en 1549, avanzan hacia el sur, donde vivían los araucanos, fundando las ciudades de La Serena, Concepción, Valdivia, Angol y varios fuertes. En 1553 muere en una emboscada de Lautaro. Todos estos son episodios muy conocidos relatados en *La Araucana* de Alonso de Ercilla.

Aunque Francisco de Ulloa y Francisco de Villagra avanzan hacia el sur, en 1553 y 1557 respectivamente, habrá que esperar a Juan Ladrillero y Francisco Cortés Ojeda para que, con el permiso de García

realizada a partir de la *Colección de obras y documentos relativos a la Historia antigua y moderna de las provincias del Río de la Plata, tomo VI*. Edición de Pedro de Angelis, 1837.

Hurtado de Mendoza, se lanzaran a encontrar el acceso a Chile por el sur. Años más tarde tendría lugar la guerra de Arauco y algunos años después la incursión del pirata inglés Francis Drake, hasta llegar a 1579-1583, cuando tienen lugar las expediciones de Pedro Sarmiento de Gamboa, que salió de El Callao con dos navíos armados por el virrey del Perú. Sarmiento de Gamboa hizo un reconocimiento de la parte occidental del estrecho magallánico y el primer intento de poblar el extremo sur, encontrándose con indios por la zona.

Muchos serán los intentos que le sucedan a Gamboa a lo largo del XVII por parte de piratas ingles, holandeses, franceses, desde Thomas Cavendish, que dio nombre a Puerto Deseado, hasta los filibusteros Cook y Eaton, a los que habría que sumar, en el siglo XVIII, a los expedicionarios científicos, entre los cuales sobresalen Louis Antoine de Bougainville y James Cook, cada uno de los cuales llegó a realizar tres viajes; justamente el tercer viaje de Cook, del cual no regresaría, tendría lugar cinco años antes de 1780, fecha en la que la corona española comanda la expedición que aquí se va a tratar.

Cuenta De Angelis que la Corona española mostró durante siglos un desinterés por aquel territorio, empezando por el descubrimiento magallánico, según sus palabras, la Corte de Madrid «trató a los patagones con el desprecio que le inspiraba su estado salvaje»[5]. Quizás también contribuyera a este abandono el fracaso de las colonias de Sarmiento de Gamboa, atribuido al mal clima y a la posibilidad de evitar el estrecho por el cabo de Hornos. Lo cierto es que España le había dado la espalda a la Patagonia, habiendo quedado sus costas a merced de otras potencias extranjeras, sobre todo de Inglaterra, que codiciaba tanto la riqueza de su fauna marina (ballenas y lobos marinos de los que se obtenían grasa y aceite) como el estratégico paso del estrecho.

LA POLÍTICA BORBÓNICA Y LA PATAGONIA

La subida al trono español de la dinastía borbónica significó lo que muchos autores han calificado como el redescubrimiento de América. Nada hubiera sucedido sin el cambio político que experimenta España a partir de la llegada de los Borbones, que establecen una nueva rela-

5 De Angelis, *Colección de obras y documentos…*, p. I.

ción de la Corona con Hispanoamérica. Gracias a este giro, en 1776, se había decidido crear el Virreinato del Río de la Plata e iniciar el avance hacia lo que hasta entonces se consideraba una región sin relevancia. Su política contempló un plan de ocupación de la costa patagónica.

Hasta 1779 habían fracasado todos los intentos de articular enclaves permanentes en el sur. La ferocidad del clima, las enormes distancias que sólo se podían barrer por mar, o el temor a los enfrentamientos con los indios, fueron causas concurrentes que pusieron fin a empresas anteriores iniciadas en Chile y en Buenos Aires. Es a partir de ese año cuando comienza a prosperar la idea de establecer una presencia de la Corona en la Patagonia con la fundación de San José en Península Valdés y del fuerte y población Nuestra Señora del Carmen en el río Negro:

> En Carmen de Patagones, fundada en 1779 en la desembocadura del río Negro en la Patagonia, un puñado de colonos vivieron en cuevas durante una generación antes de que el gobierno cumpliera su promesa de construirles alojamientos. El gobierno, incapaz de colonizar de manera efectiva sus propiedades más remotas, envió soldados y convictos a construir fuertes en ellas[6].

Para España toda la Patagonia atlántica, desde el área de debajo del río Negro hasta el estrecho de Magallanes, pertenecía a su jurisdicción política, pero apenas se habían interesado por abordar esta costa tan inhóspita y árida. Y efectivamente así se demuestra en los textos de Viedma, dichas tierras estaban habitadas por varias naciones de indios bárbaros pero algunos patagones tuvieron contacto con los españoles a través del fuerte Nuestra Señora del Carmen, Puerto Deseado u otros puntos costeros.

El año clave es 1778 y en la Real Cédula que dicta Carlos III: «Con el fin de que los ingleses [...] no piensen establecerse en la bahía San Julián o sobre la misma costa para la pesca de ballenas en aquellos mares [...] ha resuelto S. M. que se den órdenes reservadas y bien precisas al virrey de Buenos Aires y también al intendente de la Real Hacienda que [...] con toda prontitud disponga hacer un formal es-

---

[6] Weber, 2007, p. 305.

tablecimiento y población en dicha bahía de San Julián». Para acometer tal empresa el rey designa a Juan de la Piedra como superintendente de los establecimientos patagónicos y a Antonio de Viedma como contador y tesorero de los mismos. La misión original que debían llevar a cabo se centraba en la ocupación de dos sitios estratégicos: Bahía Sin Fondo y Bahía San Julián. Según el plan acordado debían dar una pormenorizada descripción del territorio, de su clima y de los indios que lo habitaban. En San Julián, además, debían establecer un fuerte:

> Desde la década de 1770 hasta la de 1790, los fuertes, ya fueran nuevos, remodelados o relocalizados, se convirtieron en una institución clave en muchos lugares en los que la frontera española chocaba con las tierras de los indios independientes [...] En 1778, por ejemplo, Gálvez ordenó la ocupación de varios puntos clave de la costa de la Patagonia. El ministro y sus consejeros esperaban que tales fuertes sirvieran como cabezas de playa desde los cuales poder expandirse hacia un interior que sólo conocían vagamente, llevar a los patagones a la órbita española y adelantarse a los ingleses[7].

LA EXPLORACIÓN DE ANTONIO DE VIEDMA

El 3 de enero de 1780 Antonio de Viedma inició su segundo viaje a la Patagonia con destino a San Julián. El primero, ocurrido un año antes, lo había reunido con su hermano en la fundación del Fuerte San José, en Península Valdés, cuya administración heredaría cuando Villarino descubriera el río Negro y Francisco de Viedma decidiera abandonar aquel campamento para fundar el Fuerte y Población Nuestra Señora del Carmen.

Tras la partida del fundador, en San José el escorbuto ya había enfermado a doce hombres y la situación comenzaba a hacerse insostenible. La cantidad de enfermos ascendía, a fines de junio de 1779, a más de cuarenta personas. Antonio de Viedma debía decidir, en consecuencia, si continuaba manteniendo la presencia de España sobre las costas del Chubut o abandonar San José con los enfermos y los pocos hombres que habían logrado escapar de la desdicha. Para ello

---

[7] Weber, 2007, p. 254.

convoca a una junta y por unanimidad todos le aconsejan retirarse de la península.Viedma, no convencido de tomar esta determinación, decide ganar tiempo. Ordena cargar el paquebote con los elementos más valiosos que se habían desembarcado en el lugar y el 7 de julio un fuerte viento del noreste produce severos daños en la timonera de la embarcación, lo que demora cualquier intento de partida. Al advertir las energías que habían aplicado sus hombres en todos estos preparativos, considera que no debe de ser de gravedad el escorbuto, pues «si estuvieran enfermos, no estarían para fatigarse» y anticipa que les pedirá a los cirujanos un diagnóstico antes de decidir el abandono del lugar.

El informe dictaminó que ochenta y nueve personas estaban sanas y treinta y siete enfermas. La gente, que seguramente advertía la intención de Viedma de mantener la posición, comienza a manifestar abiertamente su deseo de volver cuanto antes a Montevideo. No tenía mucho sentido continuar dilatando una decisión que en cualquier momento desataría la sublevación de su gente, así que Viedma finalmente resolvió marcharse para dar cuenta a las autoridades de la situación del asentamiento. El 1 de agosto de 1779 Antonio de Viedma puso en marcha el paquebote «Santa Teresa». En la península quedaba un grupo reducido de fieles. El fuerte San José se mantuvo durante treinta años, hasta el 7 de agosto de 1810, cuando fue atacado por los tehuelches y arrasado por completo. Viedma informó al virrey tras su regreso de la dimensión del puerto y concluye con la misma apreciación que desde un primer momento había tenido su hermano Francisco. «Como nacido y criado que soy en Andalucía, creo que esta tierra salitrosa es estéril» y además la considera culpable de la enfermedad que azotó a sus hombres, atribuida al agua de los pozos de donde bebían que estaban inmediatos al mar.

El 13 de enero de 1780, por orden del virrey Vértiz, y provisto de tres embarcaciones, Antonio de Viedma viaja nuevamente para reconocer el territorio de la costa patagónica, teniendo como fin último la fundación de la colonia de la bahía de San Julián, el tema de su diario. Desde allí se dedicó a explorar el territorio y a describirlo. Así pues los textos de Viedma, recogidos por Angelis, son dos: el *Diario* y la *Descripción de la Costa meridional del Sur, llamada vulgarmente Patagónica; relación de sus terrenos, producciones, brutos, aves y peces; indios que la habitan, su religión, costumbres, vestidos y trato; desde el puerto de Santa Elena en 44° hasta el de la Virgen en 52, y boca del Estrecho de*

Magallanes (Refiérese cuanto en dicha costa y tierra caminó y reconoció por sí D. Antonio de Viedma en el tiempo de su destino en aquellos establecimientos, y su particular comisión en el de San Julián, con las demás noticias que pudo adquirir de los indios). Ambos textos están indisolublemente unidos.

El Diario se inicia el 3 de enero de 1780 y se extiende hasta la anotación de mayo de 1783 que dice: «El día 5 de este mes entramos en el puerto de Maldonado, habiendo estado en la boca del Río de la Plata 11 días. El día 7, a las 4 de la mañana, salimos con viento E, y a las 11 del día dimos fondo en el puerto de Montevideo»[8]. Termina así un periplo de casi tres años al que pone fin cuando el 13 de abril embarca en el bergantín «Nuestra Sra. de Belén» y el 16 abandona la bahía de San Julián, «con viento fresco del SE», tras haber entregado el mando al capitán Félix Iriarte.

La anotación del inicio de la expedición da cuenta exacta de las naves que van, quiénes las mandan y sus provisiones:

> llevando de transporte las tres embarcaciones los individuos que se expresarán en el día de su embarco, víveres para un año, agua para tres meses, herramientas, pertrechos, efectos y útiles para un establecimiento provisional y ocho mulas mansas para los transportes de tierra[9].

Hasta el 20 de febrero las notas se limitan a indicar las condiciones climáticas, vientos, tormentas, estado de la mar, así como las coordenadas de navegación, la forma verbal que se repite insistentemente en los comienzos de las notas es «amaneció», de tal o cual manera, «aturbonado», «claro», «bonancible», «con viento». El día 20 de febrero baja Viedma por vez primera a tierra acompañado de unos cuantos hombres «con el fin de buscar agua», aprovecha la ocasión para dar alguna observación sobre el terreno, concluyendo que es de «mediana calidad». El día 25 vuelve a tierra: «Caminé más de dos leguas para adentro. Vi muchas liebres, guanacos y avestruces, y sólo un venado. La tierra por partes quemada, como de uno a dos años, y al anochecer me volví a bordo»[10]. Al día siguiente llegan al Puerto de San Gregorio y de nuevo la exploración del territorio y su juicio de valor:

---

[8] Viedma, ed. De Angelis, p. 61.
[9] Viedma, ed. De Angelis, p. 3.
[10] Viedma, ed. De Angelis, p. 17.

A la tarde saltamos; fuimos algunos a tierra, recorrimos la playa, entramos la tierra adentro, subimos a los cerros, que todos los inmediatos son de piedra, sin pastos ni leña, sino infinidad de espinos menudos, y no se halla agua dulce. Subimos por último a lo alto del Cabo de Matas, desde donde descubrimos el puerto, y corría la costa del Golfo de San Jorge con muchas islas, y también se descubrían algunas ensenadas o puertos: concluidos estos reconocimientos, nos restituimos a bordo a la noche. El terreno de San Gregorio es áspero, y su tierra de mala calidad, y árida. En las cañadas se encuentra alguna leña de espinillo buena para cocinar, y no se halla señal de que por allí habiten indios[11].

La tropa no bajará de las embarcaciones hasta el día 28 y será a partir de entonces cuando comience la exploración real del territorio:

A las 6 de la mañana marché yo por tierra con don Bernardo Stafford, don José Miranda, cinco soldados y un marinero; llevamos las únicas dos mulas que se hallaban en estado de caminar, y en ellas dos barriles de mano llenos de agua, y víveres para quince días. Caminábamos lo largo de la costa del golfo con mucho trabajo, por los muchos cerros de piedra seca que hubimos de subir y bajar. Desde ellos veíamos las islas y ensenadas de la costa, y a las 12 del día, habiendo andado como cuatro leguas, hicimos alto en la playa de un puerto, que se le nombró el *Manso*, por estar sus aguas muertas[12].

Poca satisfacción le da lo que ve y así dice:

El terreno de estas 6 leguas todo es peñascoso; en ninguna parte hallamos agua dulce, ni más leña que alguna de espinillo en las cañadas. Vimos guanacos, liebres y perdices; hizo este día mucho calor; nos bebimos los dos barriles de agua que iban por tierra. Con este motivo, y reflexionando que, aunque contábamos con la de la lancha, podría acabarse al tercer día entre todos, y nos tendríamos que volver luego sin apariencias de hallarla, determiné siguiese la lancha hasta adonde le alcanzase la suya, y regresásemos nosotros al Puerto de San Gregorio[13].

---

[11] Viedma, ed. De Angelis, p. 18.
[12] Viedma, ed. De Angelis, p. 19.
[13] Viedma, ed. De Angelis, p. 19.

El día 3 de marzo decide poner en marcha las tres embarcaciones hacia San Julián pero las condiciones atmosféricas no le son favorables para iniciar la navegación hasta el 18, no sin antes lamentarse del mal fondo que tenía el puerto de San Gregorio. El día 26 saltan a tierra y al día siguiente divisan tolderías de indios, es la primera vez que ven indios desde el embarque, un día después aparece a verles un indio, en calidad de «embajador»:

A las 8 de la mañana llegó a la playa un indio en una mula. Envié con el bote a Goycochea para traerlo a bordo. Luego que llegó a tierra lo conoció, y también a la mula. Ésta se la había dado el mismo Goycochea al cacique, cuando vino por sal. Vino a bordo el indio, se le dio de comer, le regalé abalorios, y dijo por señas que el cacique Julián le enviaba a saber, si eran de Goycochea los carros que por el agua habían pasado, (así denominan las embarcaciones). Dio a entender que tenían cerca la toldería, y que dentro de dos días vendría el cacique a verme, que le tuviese prevenidos muchos de aquellos abalorios[14].

El 30 de marzo se produce en encuentro con los dos caciques que se van a convertir en protagonistas a partir de entonces, especialmente el segundo de los dos:

A las 8 de la mañana se presentaron en la playa como unos 200 indios de ambos sexos, los más de ellos a caballo. Envié a Goycochea para que, si estaba allí el cacique Julián, lo acompañase a bordo. Efectivamente volvió con los dos caciques Julián Grande y Julián Gordo, sus mujeres e hijos: aquel es el que llevó Zapiola a Buenos Aires. Los regalé con abalorios, y les hice dar de comer. Todo les parecía poco, particularmente el que estuvo en Buenos Aires, a quien se le conocía la malicia que allí adquirió. El otro manifestó más natural bondad, como también su familia. Les pregunté por señas, ¿adónde había agua para beber? Y dijeron que la habría cerca de sus tolderías. Goycochea pidió a Julián Gordo caballo para ir allá. Dio a entender que en pasando dos noches, se lo traería. Fui yo a tierra con los caciques, quienes y sus familias, se manifestaron muy gustosos. A los que habían quedado en la playa, se les llevó un caldero de harina para que comiesen. Todos ellos no tenían más armas que las bolas y lazos. El engrudo de la harina no les agradaba, por lo cual se les repartió una galleta a cada uno y quedaron muy contentos[15].

---

[14] Viedma, ed. De Angelis, p. 24.
[15] Viedma, ed. De Angelis, p. 25.

El encuentro remite al intercambio habitual desde los comienzos de la conquista, las armas que tienen: bolas y lazos, instrumentos para la ganadería, son las que heredaría el gaucho. «Tenerlos contentos a todos y ganarles la voluntad» se convierte en objetivo primero de Viedma, que desplegará toda su diplomacia en este menester. A partir de entonces el contacto entre razas va a ser habitual y Viedma no desaprovecha la ocasión para informar sobre estas tribus, su ausencia de armas, a excepción de «una especie de puñal en forma de corazón» que utilizaban para descarnar las reses y la calidad de la tierra así como si se dispone en ella de agua dulce (no en balde el escorbuto que había diezmado a sus hombres en la anterior expedición estaría en su mente). El intercambio de provisiones o menesteres es lo normal aunque comentarios como éste ponen a prueba la prudencia de Viedma:

> Los indios marcharon para sus toldos, y nosotros fuimos a bordo, llevando a Julián Gordo, a quien regalé una olla de fierro, y un recado de montar que me pidió. Me ofreció prestarme caballos siempre que quisiera pasear, pero no quería darlos sino a cambio de sables y cuchillos, lo que, pudiendo sernos perjudicial, preferimos no admitir el cambio, y sí la oferta[16].

Por la calidad del terreno, la bondad del clima y del puerto, decide establecer allí una población. En la anotación del 4 de abril da precisiones antropológicas:

> Todos estos indios visten de cueros de guanacos y zorrillos; tienen algunos ponchos y algunos abalorios. El pelo se lo suben a lo alto de la cabeza, y se lo sujetan con una cinta. Las mujeres van muy cubiertas, se sujetan el cuero hasta el pescuezo con una especie de aguja de fierro o de madera; en la cabeza se hacen dos trenzas; son todas de estatura regular, pero muy gordas. Los hombres pasan de dos varas de alto, la cara grande, buen semblante, el cuerpo grueso, bien proporcionados, el color blanco, aunque muy tostados del sol y vientos[17].

---

[16] Viedma, ed. De Angelis, p. 27.
[17] Viedma, ed. De Angelis, p. 28.

La convivencia del grupo con los indios parece pacífica y hasta idílica, diríamos, pues ante cualquier contratiempo, unos a otros se corrigen:

> Al amanecer llegaron los de la lancha y bote con la sal, y dijeron que el cacique Julián Grande (éste es el que estuvo en Buenos Aires), les había salido al encuentro con su gente, quitándoles los sacos, sin permitirles traer la sal; y que al ponerse el sol llegó Julián Gordo (el otro cacique), y riñendo a aquel su acción, dijo a la gente se embarcase y me trajesen cuanta sal quisiesen, que yo era su amigo. A las 9 del día se presentaron los indios en la playa. Los caciques vinieron a bordo, donde acaricié y regalé al uno, y reñí al otro: éste quedó como atemorizado, y el otro muy contento me dio a entender le quería mal, porque era un hablador. (Día 10) A las 8 bajaron a la playa los indios. Envié la lancha, y vino en ella Julián Gordo y su familia, a quienes di de comer, acaricié y regalé; y se fueron a la tarde muy gustosos, habiéndome dicho Julián, que su hermano había dado de palos a Julián Grande, porque había detenido y estorbado a los que fueron por la sal, no siendo él cacique; pues sólo le habían permitido mandase como tal, porque habiendo estado en Buenos Aires nos conocería; y que, avergonzado de esto, se había huido de la toldería aquella noche con su *sonuna* (así llaman a su mujer), y que allí no había otro cacique que Julián Gordo[18].

Poco después Viedma decide poner rumbo al río de Santa Cruz (12 de abril) con la ayuda del cacique indio Julián, con el que a lo largo de todo el relato va estrechando amistad hasta el punto de que, meses después, el indio, en más de una ocasión, se va a cazar por varios días y deja a los españoles al cuidado de su toldería con toda su familia, instalada frente al campamento español, unas treinta personas a las que Viedma atenderá incluso en la alimentación, y al regreso del cacique dice en su diario que los indios «quedaron muy contentos del trato que a su gente habíamos dado en su ausencia». Viedma navegará por la costa de Santa Cruz hasta que el invierno le obligue a detenerse en Puerto Deseado. Los últimos días de mayo hace balance de lo recorrido y dice:

> Nota.- Los cuatro puertos en que hemos dado fondo se han reconocido con la mayor exactitud.

---

[18] Viedma, ed. De Angelis, p. 29.

Por tierra queda expresado en este diario cuanto he visto en toda la costa que hemos corrido desde una hasta tres leguas que me he internado, sin haber hallado más aguas que los manantiales aquí señalados. El terreno de los cuatro puertos es bueno, pero para sementera es mejor el de San Julián que el de los otros tres. Su temperamento guarda estaciones proporcionadas. Su frío y el de Puerto Deseado, los gradúo como el de la costa de Cantabria en España. Si las lluvias se proporcionan a tiempos oportunos de invierno y primavera, no dudo fructifiquen todas las semillas.

Para acabar de reconocer todo este golfo de San Jorge, se necesita una chalupa, que saliendo en el verano de Puerto Deseado, corra toda la cos ta hasta adonde llegaron los pilotos con la lancha; porque a vista de los bajos y restingas que encontraron a la banda del N, no debe arriesgarse en la del S ningún bergantín, sin sondarla antes y ver si hay en ella algún canal, río, etc.

Estando mi comisión en este estado, y el presente diario formalizado como hasta aquí se ha visto, lo dirigí al excelentísimo señor virrey de Buenos Aires, con relación de los efectos que son necesarios; quedándome entretanto en Puerto Deseado, hasta que Su Excelencia determine si se ha de efectuar el establecimiento en la Bahía de San Julián; y en qué punto, si en la playa o junto a los pozos[19].

El escorbuto, como en su expedición anterior, no tarda en aparecer y a comienzos de junio la plaga comienza a hacer estragos con el consiguiente malestar entre la tropa, que se tradujo incluso en la colocación de pasquines contra él. Con el temor de una sublevación, en vistas de la situación, en agosto, decide mandar a los enfermos en el bergantín *Carmen*, con el práctico Goycochea acompañado de un informe de lo ocurrido para el virrey de Buenos Aires. El 12 de noviembre le llega la respuesta del virrey, mandándole que hiciera un establecimiento en San Julián que inicia de inmediato. A partir de entonces vuelven a salir los indios en su diario, siempre manifestando una completa armonía, los indios les daban carne de guanaco y ellos bizcocho, tabaco y «otras frioleras». Incluso el cacique Julián le informa de otras tribus o le presenta a otros caciques, es decir, comienza a ejercer un papel intermediario entre ambas culturas, por el camino de la persuasión y el buen trato.

[19] Viedma, ed. De Angelis, p. 36.

Las obras del fuerte llevan buen ritmo, el 28 de enero de 1781 se
funda la nueva colonia («se bendijo el lugar y la capilla») y a principios de febrero ya había comenzado el tercer cuartel. Se construyeron
también un horno, un rancho y una herrería, pero la gente comienza a morir, sobre todo las mujeres de los pobladores, entre otras cosas
el clima está siendo muy duro y la falta de alimentos una realidad.
En este *interim* muere una india de sobreparto y Viedma aprovecha
la ocasión para informarnos de los ritos funerarios de esa tribu, un breve inciso en la cadena de fallecimientos que padece el grupo; su gente
sigue enfermando y muriendo hasta que él mismo enferma. Pasan los
meses y en octubre de 1781 pide licencia al virrey para trasladarse a su
casa de Buenos Aires y allí curarse pero la respuesta no llega hasta junio
del año siguiente y al tener sólo una embarcación no quiere partir hasta que no llegue otra de refuerzo, por no dejar el puesto desabastecido.
En esos meses de espera va hasta el nacimiento del río Santa Cruz, encontrándose con un terreno fértil, abundante en pasto, leña y caza, rica
en aves diversas, gaviotas, avutardas, patos, gallinetas, etc., llegando incluso al pie de la cordillera andina, para volver a San Julián a comienzos de
diciembre. En febrero de 1782 manda al virrey un plano e informe del
reconocimiento llevado a cabo en el río de Santa Cruz y como muestra algunas semillas y trigo del que se estaba dando en la nueva población, pero el fin de la expedición está próximo. A principios de enero
de 1783 los víveres que debían llegar de Buenos Aires no llegaron, la situación se hace tan crítica que anota en su diario:

> Este mes, por causa de no haber venido embarcación de Buenos Aires
> como nos debíamos prometer, pues nuestros víveres se debían suponer con-
> sumidos en todo el anterior setiembre, y se nos debían enviar para subsis-
> tir desde octubre, mandé a los indios se retirasen del establecimiento,
> haciéndoles ver que no tenía ya nada que poderles dar por entonces; y ellos
> lo ejecutaron sin violencia ni disgustos situándose a unas 6 leguas, desde
> adonde de cuando en cuando nos socorrían con carne de guanaco[20].

Verdaderamente la situación con los indios roza el ideal[21], pero las
penurias aún se agravan en febrero: «Los víveres ya no eran más que

[20] Viedma, ed. De Angelis, p. 59.
[21] También su hermano Francisco era partidario del bueno y justo trato con
los indios, haciendo del comercio y la amistad los pilares fundamentales de la relación con ellos.

harina apolillada, grasa rancia y arroz». En marzo la situación sigue igual y entonces decide enviar una carta a su hermano Francisco, comisario superintendente del Río Negro. Finalmente llegan los víveres, con lo que decide marchar a Buenos Aires «y usar así de la licencia que me estaba concedida»[22].

Según la documentación que hemos manejado dicho diario y descripción vienen acompañadas de un glosario de voces, diferente al publicado por Pigafetta que creemos muy interesante para el conocimiento de la lengua de aquellas tierras[23].

Termina de este modo la aventura comenzada tres años antes, donde la figura de Antonio de Viedma queda cubierta de todas las condiciones heroicas al uso: es prudente, cortés, pacífico, justo, razonador, valiente, resignado, esforzado, anteponiendo el deber a sus intereses personales, resiste junto a su gente y no las abandona nunca al peligro aún a riesgo de su vida.

En el Archivo General de Indias, levantados por pilotos de la expedición del mando del superintendente interino Antonio de Viedma, se encuentran planos de los siguientes sitios: Puerto Deseado, Puerto de San Gregorio, parte septentrional del Golfo de San Jorge, Puerto de San Julián, Puerto de Santa Elena y Cala de San Sebastián así como de la nueva población de Floridablanca, es decir un itinerario completo de lo narrado en su *Diario*.

El texto es ameno, está bien escrito y cumple la misión informativa de la expedición, lo cual no es óbice para que lo acompañe la *Descripción* más detallada del terreno y sus habitantes que, según los moldes establecidos, comienza con el territorio para pasar luego a sus habitantes. El terreno fondeado reúne los siguientes puntos: Puerto de Santa Elena, Puerto de San Gregorio, Golfo de San José, Puerto Deseado y Puerto San Julián hasta llegar al cabo de las Vírgenes. Dicha *Descripción* viene fechada en Buenos Aires, 10 de diciembre de 1783, y en sus páginas se alude al tiempo vivido en aquellos parajes cuando dice: «lo experimentamos cuando estuvimos en él los tres años que

---

[22] Viedma, ed. De Angelis, p. 60.
[23] Si hemos de hacer caso a De Angelis este «Catálogo de algunas voces que ha sido posible oír y entender a los indios patagones que frecuentan las inmediaciones de la bahía San Julián» fue comunicado al virrey de Buenos Aires por D. Antonio de Viedma en carta de «8 de febrero de 1713», fecha sin duda equivocada, posiblemente sea 1783.

duró el establecimiento desde 1781 hasta 1784», lo que habría que
matizar, ya que la expedición va de 1780 a mayo de 1783, aunque es
muy posible que esté tomando como punto de referencia el tiempo
de duración del fuerte[24].

En su *Descripción*,Viedma informa pormenorizadamente de los indios de la zona, con alusiones a leyendas arraigadas sobre estas tribus[25],
como cuando aventura explicaciones y dice: «usar las ropas del cuello
a los pies habrá contribuido a que algunos viajeros los tengan por gigantes», al tiempo que avisa sobre la pureza de estos indios que «jamás han tratado españoles hasta ahora». Como se dice en el título,
«religión, costumbres, vestidos y trato» son los principales elementos
de referencia en su relación y es muy preciso al acotar expresamente
el área de asentamiento:

> El número de indios que se hallan aquí establecidos, serán hasta 4000
> personas: ocupan el terreno de la costa que queda señalado. No pueden
> salir de él, impidiéndoselo por el E la mar, por el N el Río Negro e in-
> dios pampas de Buenos Aires, y por el O y S la Cordillera, imposible de
> pasar aquí por su altura, y por hallarse en todo tiempo cubierta de nie-
> ve, sin que se verifique la habitan en estos parajes ni aun las aves[26].

Su valoración final, acorde con lo expresado en el *Diario*, es alta-
mente positiva:

> Generalmente tienen estos indios índole muy dulce e inocente, y me
> tomaron tanto afecto y trataron con tanta sencillez, principalmente el ca-
> cique de San Julián, que si hubiéramos tenido caballos bastantes, pienso
> no quedaría un palmo de aquellos terrenos que no pudiese registrar en
> su compañía[27].

Su postura es la usual en la mayoría de los funcionarios progresistas
de las últimas décadas del siglo XVIII, «era mejor comerciar con los indios que combatirlos», como apunta Weber. Regalos y agasajos forman
parte también de una política de acercamiento, hasta el punto que «a

---

[24] No deja de ser paradójico que feche su escrito con anterioridad; más bien
puede ser un error del transcriptor.
[25] Ver *La disputa del Nuevo Mundo* de A. Gerbi.
[26] Viedma, ed. De Angelis, p. 79.
[27] Viedma, ed. De Angelis, p. 81.

finales del siglo XVIII los obsequios y muestras de hospitalidad para con los indios independientes representaban un gasto cada vez mayor para España»[28]. Todo el intercambio de regalos tenía un ceremonial prefijado y en general «los regalos y los agasajos eran gestos obligatorios para mantener las alianzas y la amistad entre las sociedades nativas, si bien los españoles, como los indios, procuraban mantener la ficción de que se les brindaba de forma voluntaria»[29]. No olvidemos que aunque el virrey Vértiz se vio obligado a hacer una propuesta de paz con los indios pampas tras la amenaza de ataque británico a Montevideo, no sería hasta 1790 cuando se firmara un tratado de paz verdadera.

La visión de Viedma se adelanta en cierto modo a la reflejada en la expedición de Malaspina, que descubriría en los patagones lo mismo que Viedma vio y anotó, que eran gente pacífica, generosa y afable. Ambos ven en estos indios una etapa de desarrollo cercana al hombre natural. Como el italiano, Viedma recoge en el diario y descripción sus observaciones puntuales y precisas acerca de las costumbres de estos indios, con el espíritu científico que caracterizó el siglo XVIII.

La empresa colonizadora de Antonio de Viedma resultó ser la de mayor permanencia de la época colonial en tierra de Santa Cruz. Si bien se iniciaron prácticas agrícolas, éstas no lograron el autoabastecimiento de la colonia, por lo que resultaba muy costoso para el Virreinato sostener a esta población. Viedma ordenó el traslado de parte de la población a Río Negro, y sólo quedaron sesenta personas. En agosto de 1783 una orden real del virrey Vértiz dispuso el total abandono de la población de San Julián, que sólo tuvo efecto el 16 de enero de 1784. No se olvide que «los críticos argumentaban que construir fuertes para mantener lugares escasamente poblados consumía valiosos recursos del tesoro y no servía para mucho»[30]. Así lo había anunciado también Malaspina. Levantaron todo lo que pudieron y lo demás fue destruido con un incendio para evitar que sirviera a otros.

Termina así una extraordinaria aventura que, pese a darse en el siglo XVIII, conserva elementos genuinos de los primeros momentos de la conquista mundonovista que enlazan y cuadran a la perfección con la política que la corona borbónica se había trazado en estas tierras.

---

[28] Weber, 2007, p. 281.
[29] Weber, 2007, p. 285.
[30] Weber, 2007, pp. 305-306.

BIBLIOGRAFÍA

BERNABÉU ALBERT, S., *La aventura de lo imposible. Expediciones marítimas españolas*, Barcelona, Lundwerg editores, 2000.

MALASPINA, A., *Viaje político-científico alrededor el mundo por las corbetas Descubierta y Atrevida al mando de los capitanes de navío D. Alejandro Malaspina y don José de Bustamante y Guerra desde 1789-1794*, ed. P. de Novo, Madrid, Imprenta de la Viuda e Hijos de Abienzo, 1885.

MORALES, E., *Exploradores y piratas en la América del Sur*, Sevilla, Renacimiento, 2006.

VIEDMA, A. de, «Diario de un viaje a la costa de Patagonia para reconocer los puntos donde establecer poblaciones», en *Colección de obras y documentos relativos a la Historia antigua y moderna de las provincias del Río de la Plata por Pedro de Angelis*, tomo VI, Buenos Aires, Imprenta del Estado, 1837, en <http://www.cervantesvirtual.com/FichaObra.html?portal=0&Ref=8804>.

VIEDMA, A. de y VILLARINO, B., *Diarios de navegación*, Buenos Aires, Continente, 2007.

WEBER, D. J., *Bárbaros. Los españoles y sus salvajes en la era de la Ilustración*, Barcelona, Crítica, 2007.

UNA *DEFENSA DE DAMAS* (1603) EN LA ACADEMIA ANTÁRTICA. DIEGO DÁVALOS Y EL DEBATE SOBRE EL MATRIMONIO

Beatriz Barrera
Universidad de Sevilla

De cómo el caballero petrarquista Diego Dávalos y Figueroa, natural de Écija, pasó al Alto Perú y casó con la dama Francisca de Briviesca y Arellano, viuda de Juan Remón

Diego Dávalos y Figueroa (Écija, c.1552) nació en el seno de una familia ilustre, en la que se reunían nobleza de armas y de letras. Tal entorno debió impulsar una temprana vocación heroica, truncada por un incidente desafortunado e irrevocablemente desviada hacia el otro camino de méritos que también tenía destinado el joven: los versos[1]. Se habría visto envuelto en las complicaciones galantes de algún ca-

---

[1] De todo esto y de más cosas se habla en la *Miscelánea Austral*. Para una biografía extensa de Diego Dávalos remitimos a la reconstrucción contextualizada que realizó Alicia de Colombí–Monguió (hasta la fecha la más industriosa conocedora del poeta y su entorno) a partir de los datos autobiográficos que aparecen en su obra (Colombí, 1985). El apreciable esfuerzo lector de la investigadora produce una narración coherente, deliciosa y casi siempre verosímil pero no contamos con apenas documentos que nos proporcionen garantía de autenticidad histórica de unos relatos que muy bien pudieran ser una elaboración literaria. Entendemos que, históricas o no, las peripecias contenidas en la *Miscelánea* retratan a Dávalos por su elección de un modelo cultural: el caballero de gusto cortesano y corte petrarquista.

ballero amigo, y del asunto derivarían irreparables daños. Por esa razón tal vez o probablemente por motivos menos novelescos, hubo de partir hacia el Nuevo Mundo. Antes de pasar al Perú, apenas habría podido despedirse, brevemente y para siempre, de su primer amor: Briselda, para la que había empezado a componer poemas.

El nombre de Briselda para una amada perdida en el tiempo y la distancia nos deja entrever en el amante un antiguo carácter caballeresco. El fin de su historia anuncia el reemplazo del código medieval del amor cortés por una vida nueva, representada por la amada definitiva Cilena, apodo más moderno cuyo simbolismo (la elocuencia) nos explica el propio autor; nombre para nosotros cargado de reminiscencias pastoriles, en el que resuena la Cilene arcádica de Lope de Vega, por ejemplo. La vemos aún más cerca de la Cilenia cervantina que dialoga con Selanio en las *Semanas del jardín*[2], y podíamos preguntarnos cómo se relaciona con la alusión que hay en el *Viaje del Parnaso*, IV (1614) a un «Cilenio» ultramarino detrás del cual estaría el incógnito perulero que habría proporcionado a Miguel de Cervantes cuantiosos datos sobre los poetas antárticos[3].

Dávalos llegó a la Ciudad de los Reyes en el 1574. Desde allí marchó al Alto Perú para afincarse por unos quince años en Los Charcas, en la comarca de la legendaria villa de Potosí. Aunque declarará en la dedicatoria de la *Miscelánea* que su profesión son «las armas y caballos» («que en servicio del Rey nuestro señor y de vuestra Excelencia [el virrey Velasco] con tanta costa sustento»[4]), su nueva vida se sostiene en la economía minera de la zona, si bien parece que, como es un lugar común entre los emigrados andaluces a la comarca en esa época, las posibilidades empresariales del lugar no satisfacen sus amplias expectativas de riquezas, y la nostalgia de su patria de origen le hace difícil enraizar en la de ahora, de agreste paisaje[5].

---

[2] Ver Eisenberg, 1988 y Madrigal, 2004.
[3] Cheesman, 1951, p. 326.
[4] Dávalos, *Miscelánea*, p. 5.
[5] Del asentamiento de Dávalos en Los Charcas y de su actividad administrativa y minera sí tenemos constancia documental. Además de Barnadas / Loza, 1995, ver AGI, Indiferente General, legajo 858. Se trata de una carta que dirige en 1588, en calidad de teniente de corregidor de Las Salinas, al presidente de la audiencia de Charcas. Fue publicada como inédita por Guillermo Lohmann Villena, 1955.

La ciudad de Nuestra Señora de la Paz era a finales del siglo XVI residencia de gentes muy nobles y de altos linajes, muchos de ellos riquísimos encomenderos. En esa sociedad de privilegiados habían tenido un papel destacado en tiempos recientes el poderoso capitán Juan Remón (personaje épico favorecido por la fortuna, inmortal por *La Araucana*, corregidor casi vitalicio de la localidad) y su entonces joven y elegante esposa: Francisca de Briviesca (hermosa, talentosa, cultísima, procedente de la corte española misma, donde había servido a la reina)[6]. Poseedora de un extraordinario refinamiento que incluía dotes poéticas, debió de ser una mujer muy consciente de su propio valor y nada fácil para la convivencia matrimonial en un universo a la medida del varón, más aún de un varón tal[7]. Fallecido el capitán en 1583, la mayor parte de sus cuantiosas riquezas pasaron a ser propiedad de la viuda.

Diego Dávalos y Francisca de Briviesca se casaron el 20 de noviembre de 1589 en La Paz[8].

De cómo sus coloquios inspiraron los de Delio y Cilena, publicados en un considerable volumen con dos partes: la Miscelánea Austral *(1602), en la estela de otros diálogos de amor y de tema misceláneo; y una* Defensa de damas *(1603)*

La Primera Parte de la *Miscelánea Austral* se imprimió por primera vez en Lima, en la casa de Antonio Ricardo, en 1602 y la segunda parte o *Defensa de Damas* en 1603[9].

---

[6] Debemos a Alicia de Colombí el trabajo «Francisca de Briviesca y Arellano: la primera mujer poeta de Perú», de 1986 (Colombí, 2003, pp. 65-81).

[7] Es lo que se deduciría del consejo dado a Juan Remón, en 1572, por el capellán del virrey Toledo, para que depositase a la dama en algún convento limeño, consejo que parece haber sido atendido por el marido y posteriormente deshecho por el propio virrey, tal vez en amores, a pesar de ser hombre muy casto, con tan excepcional señora. O eso es lo que nos lega la leyenda, porque no se tiene constancia documental de estos datos.

[8] Barnadas/Loza, 1995, p. 6.

[9] Para el estudio de la cuestión textual remitimos a la edición crítica elaborada por Nancy Everts, 1998, donde se detallan las ediciones conservadas de la obra y todo lo relacionado con el proceso de datación y establecimiento del tex-

El grueso volumen de la *Miscelánea* está dedicado al virrey Velasco. En un paraje ameno (identificado por Josep Barnadas como un trasunto de la hacienda de propiedad de los esposos llamada Mecapaca, en un valle aledaño a La Paz[10]), Delio y Cilena mantienen cuarenta y cuatro coloquios en los que se tratan, con toda erudición, muchos y diversos temas, relacionados tanto con el universo científico y cultural de su tiempo como con las tierras y gentes del Perú, sin quedar al margen un ensayo de autobiografía de Delio[11]. No obstante la dispersión temática que da título a la obra, se regresa una y otra vez a un interés constante y tema principal, que es el asunto del amor, de sus modos y cortesía, remitiendo la obra al neoplatonismo petrarquista[12].

La prioridad del asunto amoroso nos revela quizá uno de los motivos de la elección del coloquio como estructura, ya que la primera parte de la *Miscelánea* está sólidamente emparentada con una serie de textos que pertenecen al género de los diálogos de amor. No obstante, la forma dialógica se adaptaba igualmente bien al impulso didáctico y comunicativo que Dávalos quería dar a los otros contenidos de su obra. Además el diálogo misceláneo permitía con naturalidad ese fluir de asuntos sin relación entre sí que a él le interesaba registrar y transmitir. Pensamos de manera especial, aunque no sólo, en su experiencia como viajero: en sus observaciones sobre su nuevo país, en su curiosidad por las ruinas incaicas y la lengua de los Andes[13]. En su atención a todo cuanto era distinto en uno y otro polo. *Austral* y *Miscelánea* se titula esta obra al fin y al cabo, reclamando un lugar para la vasta y novedosa aportación al acervo humanista que supone un compendio de saberes transatlántico, mayor en el marco de la *translatio studii*[14] (¿y si la cultura, en su desplazamiento vertiginoso hacia oc-

---

to (pp. 16-26), además de la consideración de la *Defensa* como la segunda parte de la *Miscelánea,* asunto del que se había ocupado la crítica anterior al trabajo de Everts y que ella recoge. Por nuestra parte seguimos, junto con su texto y el de Cisneros (1955), los originales de la *Miscelánea* (1602) y de la *Defensa* (1603) conservados en la Biblioteca Nacional de Madrid, según el facsímil electrónico de Lorente, 2001.

[10] Barnadas/ Loza, 1995, p. 7.

[11] Recordamos que Diego Dávalos competía por merecer el nombre de Delio con su rival poético en la Academia antártica y tocayo Diego Mexía.

[12] Colombí, 1985, p. 98.

[13] Cerrón-Palomino, 2001; Lerner, 2005.

[14] Navarrete, 1997.

cidente, hubiera delegado la herencia, el testigo de los italianos en la academia limeña?).

Dávalos reconstruye una 'Toscana andaluza' en medio de esta sierra boliviana para enmarcar sus coloquios. El sentido de ciudadanía, de pertenencia a una 'república humanista' que trataron de adquirir o no perder los que vivían en estas tierras, las antárticas regiones, altera considerablemente los modelos a los que remiten[15]. Se fuerzan las señas de identidad de los humanistas: la erudición ha de ser aún más monumental, el saber aún más enciclopédico, y se insiste en la novedad de la aportación que de ninguna manera podían hacer los que quedaron en Europa: el conocimiento de la realidad americana[16].

Sin duda, Diego Dávalos se consideraba a sí mismo un poeta y no un cronista, por eso necesitaba un modelo literario que resultara aceptable y coherente con su calidad de académico antártico, una forma reconocida y prestigiosa con la que poder dar cauce a la exposición de su conocimiento del Perú imbricado en su erudición poética. Pedro Mexía con su *Silva de varia lección* (1540), Antonio de Torquemada, con su *Jardín de flores curiosas, en que se tratan algunas materias de humanidad, filosofía, teología y geografía, con otras curiosas y apacibles* (1570) o Luis Zapata de Chaves con su *Miscelánea. Silva de casos curiosos* (1592), entre otros, habían ido acuñando antes que él el sentido humanista de la miscelánea en su mera naturaleza: su vocación enciclopédica, de museo, que resultaba un molde perfecto para la sensibilidad moderna que se atreve a saber, aprende, atesora y enseña entreteniendo[17].

Las principales fuentes temáticas y formales de la primera parte de la *Miscelánea* han sido ampliamente identificadas y contrastadas, por Luis Jaime Cisneros (desde 1952) y Joseph G. Fucilla (1960) primero y por Alicia de Colombí (1985, 2003) después[18]. Cisneros (1955) y

[15] Colombí, 2000, pp. 79-80.

[16] Rössner, 2000.

[17] Dávalos consigue inscribirse en el canon indiano, justamente es la parte de su obra que trata de las cosas del Nuevo Mundo la que sirve como autoridad para obras del siglo XVII como la *Crónica Moralizada* de Antonio de la Calancha o el *Paraíso en el Nuevo Mundo* de Antonio de León Pinelo (Cisneros, cit. Everts, 1998, p. 28).

[18] Ellos han demostrado sobradamente que Dávalos tuvo un profundo conocimiento de Francesco Petrarca, cuyos versos imitó y tradujo con soltura, que también dominaba la poética de Diego García Rengifo (también conocido como Juan Díaz Rengifo), que Garcilaso de la Vega aparece como uno de sus poetas

Nancy C. Everts (1998) se ocuparon de las fuentes de la segunda parte en sus respectivos estudios críticos de la *Defensa de damas*.

Cisneros (1955) llamaba la atención sobre la presencia del *Laberinto de fortuna* de Juan de Mena en la *Defensa* y el hecho de que sean escasos los italianismos en la lengua de Dávalos. Las evidencias de tradición hispánica no dejan de ser lógicas y naturales en alguien que ha recibido formación en la España en esa época. Todas las alusiones a un universo bélico y la caracterización militar de las señoras presentadas como ejemplos (y afines al *topos* de la *virgo bellatrix*) tienen efectivamente «claros visos medievales y cierta predilección por fórmulas arcaicas»[19]; no desorientan sin embargo al poeta respecto de su eje principal: la sensibilidad y la retórica humanistas[20]. Es cierto que la *Defensa de damas* debe a la poesía épica muchos de sus rasgos. El poema está dividido en cantos, la octava real había sido la estrofa preferida de los épicos italianos; la descripción de las hazañas, el coraje y el poder, los parlamentos dramatizados de los personajes principales y la invocación a las musas son elementos que remiten igualmente al género heroico[21].

Que sepamos, nadie ha trabajado todavía sobre el parentesco de la *Miscelánea* y la *Defensa* con la novela sentimental, que pervivía en su tiempo como literatura de consumo. El tratamiento de las damas en este género[22], desde *El siervo libre de amor* (c. 1440) de Juan Rodríguez

---

más admirados. Dávalos resulta en todo ello conforme a la moda de su tiempo: sigue el *Libro de natura d'Amore* (1525) de Mario Equícola. También los *Dialoghi d'Amore* de León Hebreo y los de otros autores italianos, como *Il Cortegiano* de Baldassare di Castiglione; *Il Raverta,* de Giuseppe Betussi están presentes en Dávalos; y *lo Specchio di Scienze et Compendio delle cose,* de Oratio Rinaldi; *Le impresse Illustri con espositioni et discorsi,* de Jerónimo Ruscelli; y otras *Empresas,* las de Paolo Giovio (*Dialogo delle imprese militari e amorose,* 1555); las obras de Serafino Aquilano; las de Luigi Tansillo; el *Tractado de la Hermosura* (1586) de Maximiliano Calvi, etc. En otras lecturas menos confesables, las polianteas, encontró sin duda el ecijano cuanta erudición clásica y medieval necesitaba para autorizarse (para estas y otras fuentes de Dávalos ver Colombí, 2003, pp. 111-136).

[19] Cisneros, 1955, p. 116.

[20] Pensamos que algunos motivos, como el de las amazonas, podríamos leerlos en clave imperial (de nuevo en virtud de una *translatio studii,* que habría eslabonado mitos del mundo clásico con elementos ya americanos).

[21] Everts, 1998, p. 62. También detecta similitudes de estructura y técnica entre la *Defensa* de Dávalos y *La Araucana* de Alonso de Ercilla.

[22] Cortijo Ocaña, 2001, pp. 63-88 y 294-303 («Elementos clave de lo sentimental»).

del Padrón hasta la producción contemporánea a Dávalos, debió influir no poco en el desarrollo de la literatura de defensas de mujeres y en la divulgación de modelos femeninos, desde el ya mencionado de la doncella guerrera hasta el angelical de la *religio amoris* y el más reciente neoplatónico.

Del papel de las damas en el Humanismo: de cómo
ciertos tratados sobre instrucción femenina eran contes-
tados con diálogos y con otros catálogos de ejemplos

Entre los lugares comunes más consolidados en torno a la literatura medieval está su mayoritaria orientación misógina, sin embargo es pertinente recordar que ya en esos tiempos era contestada por una corriente de elogio de las mujeres, minoritaria, que persevera durante el siglo XV y desemboca en el Renacimiento, a la que Dávalos no parece haber sido ajeno[23].

Los aires renacentistas, con toda su apertura a la novedad, su aparente aprecio por lo femenino y su carga didáctica, no supusieron en realidad una vida mejor ni una oportunidad de desarrollo para las mu-

---

[23] Al explorar la tradición de catálogos de mujeres en la que se inscribe la *Defensa* de Dávalos, Everts (1998, pp. 52 y ss.) se sirve de una arqueología que parte de la repercusión que tuvo el *Roman de la Rose* durante toda la edad media y el largo debate conocido como la «Querelle des femmes» o «de la Rose». El libro *De claris mulieribus* (1362) de Giovanni Boccaccio, también autor de la famosa sátira contra las mujeres *Il Corbaccio* (1366), que inspirara al arcipreste de Talavera su *Corbacho* de 1438 ; *The legend of Good Women* de Geoffrey Chaucer (1386), compuesta como desagravio por la previa traducción por parte del autor del misógino *Roman de la Rose*; o *Le livre de la cité des dames* (1405) de Christine de Pisan son algunos de sus hitos más importantes. Otros autores han mencionado a Jaume Roig, a Francesch Eiximenis, a Bernat Metge como precursores de una actitud feminista en España. En el ámbito castellano, Diego de Valera emprendía su *Defensa de las virtuosas mujeres* en 1445, y poco después era aplaudido por *El triunfo de las donas* Juan Rodríguez de la Cámara (o del Padrón, el autor de la novela sentimental *Siervo libre de amor*); Enrique de Villena, Fernando de la Torre con su *Libro de veinte cartas y cuestiones* (1446), Álvaro de Luna con su *Libro de las virtuosas y claras mujeres* (1446), Alonso de Cartagena con su hoy perdido *Libro de las mujeres ilustres*, o Martín de Córdoba con su *Jardín de nobles doncellas* (escrita hacia 1468, impresa en 1500) se habían esmerado durante el siglo XV en rescatar a las damas de la infamia y mostrar su valor.

jeres. Más bien su acceso al cultivo de las ciencias y aun a las artes se limitó con más celo que antes[24]. Correspondió una vez más a los varones argumentar sobre la condición femenina. Parece darse una relación entre el anti-italianismo de algunos poetas (como Cristóbal de Castillejo) y su actitud declaradamente misógina (*Diálogo de las condiciones de las mujeres*, 1544) y parece cumplirse también la hipótesis complementaria: que los poetas de onda italianizante fueron más permeables no ya a una idealización platónica, amable y luminosa, positiva, de la mujer, sino a la pertinencia de considerarla un ser complementario en un nuevo modelo de relación amorosa no problemática, al que nos referiremos en seguida y que no deriva del petrarquismo literario, sino de la evolución de una estructura social: el matrimonio erasmista. Entre los académicos antárticos al menos, hay coincidencia en posturas de elogio de la condición femenina y en la plena aceptación del talento poético de las damas.

A medida que se aproxima el 1600 y no sólo en el ámbito hispánico, se agudiza la vigilancia y la prohibición sobre el saber de las mujeres, y podemos hablar de un auge de la misoginia en ese periodo[25], llegándose en época barroca a protestas femeninas muy notables[26].

En la España en que habían crecido Diego Dávalos y Francisca de Briviesca, las discusiones en torno a la educación de las mujeres y su función social ya formaban parte de una preocupación más amplia: la

---

[24] Lacarra, 1999; Morant, 2002, 2006; De la Pascua, 2006.

[25] Especialmente punzantes fueron las obras de Diego de Hermosilla *Diálogo de los pajes* (1573) y de Vicente Espinel *Sátira contra las damas de Sevilla* (1578). En el ámbito peruano remitimos al caso emblemático de misoginia de Mateo Rosas de Oquendo y su *Sátira a las cosas que pasan en el Perú, año de 1598*. Por otra parte, la resistencia de las mujeres de esos tiempos ante los intentos cada vez mayores de control sobre ellas queda ilustrada por el motín de las 'tapadas' de 1606 en Lima, cuando las mujeres prefirieron pagar multa como ordenaba el virrey (Marqués de Montesclaros) a renunciar a sus salidas anónimas.

[26] Son muestra de ello las de Lucrecia Marinelli (*La nobiltà e l'eccellenza delle donne co' difetti et mancamenti degli uomini*, 1601); Marie (le Jars) de Gournay (*Égalité entre les hommes et les femmes*, 1622; *Grief des dames*, 1626); Mary Astell (*A Serious Proposal to the Ladies, for the Advancement of Their True and Greatest Interest*, 1694; 1697) y en español las de Ana Caro, Marcia Belisarda, María de Zayas o Sor Juana Inés de la Cruz. Son fruto también de esas tensiones el *Diálogo en laude de las mujeres intitulado Ginaecepaenos* (1580) de Juan de Espinosa y el *Tratado en loor de las mujeres y de la castidad, honestidad, constancia, silencio y justicia* (1592) de Cristóbal de Acosta.

de definir el Estado moderno en todas sus instancias, así como su funcionamiento ideal.

Es preciso establecer una relación de continuidad entre los ejemplos virtuosos (modelos de comportamiento) de los tratados educativos femeninos, y los contenidos de los catálogos con que se construyen las defensas de las damas: se trata de un mismo *corpus* de referencias, aunque la simbología de cada elemento no siempre está fijada y se adapta sin problemas a las necesidades del autor: una misma mujer puede representar un vicio o una virtud según el sesgo dado a su mito o historia[27].

En este contexto cultural de prioridades organizativas y pragmáticas, la cuestión del matrimonio ocupaba un lugar central, siendo objeto de controversia si debía permanecer como institución de designación familiar o bien convertirse en una decisión personal, fruto de la libre elección. El matrimonio por amor aparece como una de las instancias de las libertades individuales, sin embargo hay que puntualizar que cualquier tratado amoroso de la época, por liberal que sea, establece los modos sentimentales dentro de unos límites sociales claramente definidos: sin simetría y sin calidad no hay posibilidad de amor; *ergo*, el matrimonio permanece como estructura conservadora de un orden[28]. La coyuntura produjo textos como las *Epístolas familiares* de Antonio de Guevara (1539), los exitosos *Coloquios matrimoniales* (1550) de Pedro de Luján o la *Saludable instrucción del estado del matrimonio* (1566), donde Vicente Mexía volvía a insistir en la necesidad de amor entre los cónyuges. La problemática mantuvo su vigencia durante todo el siglo XVI y alcanzó ampliamente al XVII.

---

[27] Entre las obras que marcaron las líneas fundamentales de la educación femenina del XVI estuvieron la *Instrucción de la mujer cristiana* (1528 en versión castellana) de Juan Luis Vives, su heredera *La perfecta casada* (1583) de Fray Luis de León, o la *Política de todos los estados de mujeres* (1599) de Juan de la Cerda.

[28] En el concilio de Trento (1545-1563) se trató el asunto, y las discusiones fueron seguidas con gran interés no solamente por eclesiásticos. La Iglesia reafirmaba la dignidad del matrimonio como sacramento instituido por Dios y al mismo tiempo definía su naturaleza y utilidad. El *Catecismo Tridentino* (1566) recoge y matiza las conclusiones, entre las cuales destaca la reafirmación del carácter indisoluble y definitivo del matrimonio entre adultos, siempre que haya respondido al mutuo consentimiento expresado en presencia de testigos. De la Pascua, 2006, pp. 295-297.

*De cómo Erasmo de Rotterdam había tenido gran
parte en esta empresa y Diego Dávalos expresaba su
parecer en la controversia sobre el amor y el matrimonio*

La participación femenina en los diálogos renacentistas fue por lo general escasa (de preferencia en el subgénero más didáctico) y asimétrica, desempeñando la mujer el papel de la persona instruida o que atiende a las razones del otro, con un protagonismo algo mayor en diálogos de amor. De forma llamativa serán autores vinculados al erasmismo (Juan Maldonado, Pedro de Luján) los que cultiven en sus coloquios el papel femenino hasta equiparar su importancia a la del interlocutor masculino[29].

En su *Apología del matrimonio* (1518)[30], Erasmo había establecido, con argumentos teológicos, jurídicos y racionales frente a los defensores del celibato y la virginidad, que el estado más perfecto que puede alcanzar la condición humana es el matrimonio: «si limitas tus ideales a la condición humana, no hay vida más segura, más tranquila, más sabrosa, más amable, más feliz, que la vida conyugal»[31].

Si bien la herencia de Tomás de Aquino y otros rígidos padres de la Iglesia respecto de la necesidad de sometimiento de la mujer al varón no termina de desaparecer, a partir del pensamiento erasmista y sus afines, éste adopta la forma de contrato sin violencia, conforme al alto grado de civilización de la sociedad en que se desarrolla. La consideración de la mujer por parte de Erasmo supuso una variación significativa de la imagen de lo femenino, dulcificando también al varón, proyectando así una posibilidad mucho más cívica de las relaciones entre los sexos, que muchas veces se escenifica en amables diálogos: seis de los *Coloquios familiares* compuestos por el de Rotterdam tienen lugar entre un hombre y una mujer, y no hay inconveniente en que la parte femenina venza el debate, si es menester.

---

[29] Gómez, 1988, pp. 25-26.

[30] Una versión en español de Juan de Molina, *Sermón breve en loor del matrimonio,* circuló ampliamente desde 1528, publicada como añadido al *Enquiridion o Manual del Caballero Cristiano.*

[31] Erasmo, *Apología*, p. 440. Para el holandés, la convivencia y la vida cotidiana no quedan excluidas de la experiencia amorosa, sino que se integran en un concepto amplio del ideal de familia junto con la sexualidad necesaria y la procreación.

En el que tiene lugar entre Pánfilo y María («Colloquio Proci et virginis», o «El galán y la dama», 1522)[32], que es precisamente uno de los que escenifican la controversia del matrimonio[33], además de insistirse en que el amor de la dama que se casa debe ser «verdadero e propio, no fingido, vano ni loco»[34] (aunque la coacción que sufre la doncella indica que la dramatización erasmista dista de ser eficaz), el galán especifica las «señales o agüeros» que le prometen «un matrimonio dichoso, alegre y perpetuo»[35] con su interlocutora. Son éstos: «linaje, y estado y hacienda no desigual», familias amigas y educación en la santa doctrina, que las costumbres de la muchacha cuadran mucho con el ingenio de él, y que han experimentado un proceso de conocimiento mutuo, entre otras cosas[36]. Declara el pretendiente que desea casarse «con una casta doncella para vivir en castidad con ella» toda su vida, entendiendo que el casamiento «más ha de ser ayuntamiento de las almas que de los cuerpos»[37]. Se descarta por vulgar la idea del matrimonio como atadura, y se entiende como resultado de la propia libertad. En el proyecto erasmista, las necesidades de la sociedad y el interés individual se hacen confluir en un estado civil en el que cada cónyuge tiene una función predeterminada por su género.

Los argumentos erasmistas no quedan lejos de la presentación que hace Diego Dávalos de su propio estado en el prólogo al lector de la *Miscelánea*, más bien pareciera imitarlos con satisfacción: muestra su orgullo por haber merecido por sí mismo el tesoro y gloria de poseer a su amada y amante esposa (pues «de más precio es la riqueza ganada, que la que se hereda»[38], añade con convicción cervantina). Su partido en la controversia sobre el matrimonio queda claramente expuesto en las palabras con que refiere su historia personal: «la sola voluntad

---

[32] Erasmo, *Coloquios*, pp. 199-218.

[33] El otro es «Mempsigamos», en el cual una amiga (Olalla) instruye a otra mal casada (Xantipe) sobre cómo ha de mantener su matrimonio a toda costa, y cómo en ello va la honra de una matrona, por haber sido revocado el divorcio por el mismo Jesucristo (Erasmo, *Coloquios*, pp.70-86).

[34] Erasmo, *Coloquios*, p. 211.

[35] Erasmo, *Coloquios*, p. 121.

[36] Erasmo, *Coloquios*, p. 210.

[37] Erasmo, *Coloquios*, p. 214. No olvidemos que el amor seguirá siendo concebido como un privilegio de personas educadas, no de rústicos cuyas pasiones se asientan en la mitad inferior del cuerpo, finalmente.

[38] Dávalos, *Miscelánea*, p. 39.

del cielo [...] se dignó a eslabonar este verdadero, y dulce vínculo; en cuya sujeción tan alegre y libre vivo»[39]. Resuena en su declaración la *Apología* de Erasmo, y los términos con que alude a la conformidad de su unión conyugal («en recíproco amor fundada, ilustrada de las demás igualdades, y partes necesarias para consumarla»[40]) son una repetición casi literal del discurso con que Pánfilo exponía a María las condiciones precisas para el «matrimonio dichoso, alegre y perpetuo» al que aspiraba con ella, o con otra como ella.

Resulta obvia la afinidad de Dávalos con la corriente del pensamiento humanista que se desinteresaba de los consejos de Juan Luis Vives para inscribirse en la estela menos religiosa y más liberal del erasmismo: las elecciones afectivas y un mismo *status* social en ambos cónyuges como fundamento de la institución matrimonial[41].

Concluyendo

La convicción de Dávalos proviene de una experiencia antes que del estudio de las autoridades. La nueva filosofía del matrimonio es para él un descubrimiento personal, casi empírico, que debe a su esposa, y que se ve impelido a llevar al lenguaje poético para prestigiarlo e instruir a sus lectores en una verdad moral. La lengua de cultura para Dávalos, como para muchos de sus contemporáneos, no es ya el latín ni es el castellano, sino la lengua poética. De esta forma, instalado en un incipiente «amor burgués», el poeta fascinado por su mujer, desde la libertad añadida de su ubicación geográfica, no duda en realizar su propósito, nuevo en estas latitudes dice, de poner en orden y proclamar en verso (después de haberlo hecho en diálogos) la dignidad natural femenina, a la que adeuda su estado de felicidad plena. Diego Dávalos afrontó, en el siglo XVII, quizá el mismo problema al que se enfrenta la escritura de mujeres hasta la edad contemporánea: la ca-

---

[39] Dávalos, *Miscelánea*, p. 39.
[40] Dávalos, *Miscelánea*, p. 39.
[41] Es conocido que Erasmo al recibir el tratado de Vives reprendió al autor por su dureza con las mujeres y su excesivo rigor. Discrepaban también los dos moralistas en el asunto de la sensualidad, que para Vives desviaba del camino de perfeccionamiento personal y para Erasmo contribuía a él, al hacer más grato el matrimonio.

rencia de un lenguaje de cultura previo donde estén presentes los elementos necesarios para decir lo que se quiere decir.

La falta de calidad literaria o el arcaísmo que los críticos han denunciado en la *Defensa de damas* puede deberse a la distancia insoslayable que iba desde la singular experiencia del amor y el matrimonio de Diego Dávalos hasta la inexistencia de referentes poéticos con los que Delio pudiera expresarse 'autorizadamente' sobre la verdadera motivación de su entusiasmo. La *Defensa* remite a un discurso discontinuo y sin terminar que rebate con ganas pero sin fuerza una sólida tradición misógina, teniendo como armas sus mismos elementos, que inundan reiteradamente los versos de corte heroico y lo reducen: vírgenes, reinas, santas mártires, matronas romanas, amazonas, mujeres fuertes y virtuosas de aquella misma manera; en ninguna de ellas habría podido reconocerse Francisca de Briviesca.

De cómo el triunfo del amor derivó en triunfo de la muerte. Epílogo

No obstante la impecable elaboración literaria que hace Dávalos de la perfecta armonía conyugal, algunos años más tarde de la publicación de estas obras, Francisca de Briviesca se divorciaría de él, contra la voluntad del poeta y contra los designios de la Santa Madre Iglesia. A finales de 1605 el matrimonio aún firmaba conjuntamente documentos, pero entre 1606 y 1614 debieron gestionarse judicialmente las desavenencias, puesto que en esta última fecha ya hay constancia de la separación de bienes y de la petición a Diego por parte de Francisca de que abandonara la morada común y tomara vivienda en alquiler. No se trató por lo tanto de ninguna disputa trivial ni pasajera[42].

Podemos leer el testamento que Dávalos redactó el primero de septiembre de 1615, en él reconocemos al enamorado de años, dolido, pero todavía pendiente de la que había sido su esposa y su Cilena, cuando en el último párrafo del texto, inmediatamente antes de la fórmula de revocación de testamentos anteriores, dice:

---

[42] Barnadas/Loza, 1995. El libro contiene transcripciones de documentos, la mayoría sobre la actividad económica de Dávalos y el expediente de su testamento.

Declaro, por descargo de mi conciencia, porque no se entienda que, ofendido de los pleitos que me puso la dicha mi mujer, la dejo de nombrar mi albacea y heredera, que no es por esto, antes bien la he tenido muy grande amor y deseado su vida como la mía, amándola y queriéndola siempre sin embargo de los dichos pleitos y si no la dejo por mi tal heredera es porque a la susodicha le queda toda su renta y ser institución pía la que tengo hecha al dicho colegio [de los jesuitas]; y el no nombrarla por albacea es por estar impedida con sus enfermedades, y con todo espero y confío en su mucha cristiandad que ha de hacer bien por mi alma socorriéndola con sufragios y misas, como yo lo hiciera, sin acordarse de enojos ni pesadumbres pasadas[43].

Se sabe que Francisca de Briviesca vivía aún el día de Nochebuena de ese año, sin embargo el 9 de enero de 1616, dos semanas más tarde, aparece mencionada en determinados documentos como difunta. La última versión del testamento de Dávalos es la que entregó cosido y cerrado con siete sellos y su escudo de armas la víspera de su muerte al escribano público de La Paz. El poeta falleció el 25 de febrero de 1616.

BIBLIOGRAFÍA

BARNADAS, J. M. y Loza, C. B., *El poeta Diego Dávalos y Figueroa y su contexto colonial en Charcas: aporte documental (1591-1569)*, Sucre/Cochabamba, Historia Boliviana/Proyecto Rescate cultural, 1995.

BATAILLON, M., *Erasmo y España: estudios sobre la historia espiritual del siglo XVI*, México, Fondo de Cultura Económica, 1996.

CERRÓN-PALOMINO, R., «La temprana andinización del castellano: Testimonio de Dávalos y Figueroa (1602)», en *II Congreso Internacional de la lengua española. El español en la sociedad de la información*, Valladolid, 2001, versión electrónica disponible en el Centro Virtual Cervantes.

CHEESMAN JIMÉNEZ, J., «La información de Cervantes sobre los poetas del Perú», *Boletín del Instituto Riva Agüero*, 1, 1951, pp. 325-340.

CISNEROS, L. J., «Dávalos y Figueroa, hombre de la Contrarreforma», *Mercurio Peruano*, 34, 310-321, 1953, pp. 20-25.

— «Castiglione y la *Defensa de Damas*», *Mercurio Peruano*, 34, 310-321, 1953, pp. 540-543.

---

[43] Barnadas/Loza, 1995, p. 48.

— *Estudio y edición de «La defensa de damas»*, Sobretiro de la Revista *Fénix*, 9, 1955.

COLOMBÍ-MONGUIÓ, A., *Petrarquismo peruano: Diego Dávalos y Figueroa y la poesía de la «Miscelánea Austral»*, London, Tamesis Books, 1985.

— «Erudición humanista en saber omnicomprensivo e identidad colonial», en Kohut, K. y Rose, S. (eds.), *La formación de la cultura virreinal. I. La etapa inicial*, Madrid/Frankfurt, Iberoamericana/Vervuert, 2000, pp. 75-91.

— *Del Exe Antiguo a Nuestro Nuevo Polo: Una década de lírica virreinal (Charcas, 1602-1612)*, Ann Arbor, Michigan, CELACP/Latinoamericana Editores, 2003.

CORTIJO OCAÑA, A., *La evolución genérica de la ficción sentimental de los siglos XV y XVI: género literario y contexto social*, London, Tamesis Books, 2001.

DÁVALOS Y FIGUEROA, D. de, *Primera Parte de la Miscelánea Austral de Don Diego D'Avalos y Figueroa, en varios coloquios. Interlocutores, Delio y Cilena. Con la Defensa de Damas*, Lima, Antonio Ricardo, 1602.

— *Defensa de Damas de Don Diego Dávalos y Figueroa, en octava rima, dividida en seis cantos, donde se alega con memorables historias. Y donde florecen algunas sentencias, refutando las que algunos filósofos decretaron contra las mujeres, y probando ser falsas, con casos verdaderos, en diversos tiempos sucedidos*, Lima, Antonio Ricardo, 1603.

DE LA PASCUA, M. J., «Las relaciones familiares. Historias de amor y conflicto», en Morant, 2006, pp. 287-315.

EISENBERG, D., *Las «Semanas del jardín» de Miguel de Cervantes*, Salamanca, Diputación Provincial, 1988.

ERASMO DE ROTTERDAM, D., *Apología del matrimonio*, en *Obras escogidas*, ed. L. Riber, Madrid, Aguilar, 1956, pp. 428-443.

— *Coloquios familiares. Edición de Alonso Ruiz de Virués*, ed. A. Herrán y M. Santos, Barcelona, Anthropos, 2005.

EVERTS, N. C., «Diego Dávalos y Figueroa's *Defensa de damas*, a New World catalog of women (critical study and edition)», Tesis, Universidad de Kentucky, 1998.

GÓMEZ, J., *El diálogo en el Renacimiento español*, Madrid, Cátedra, 1988.

LACARRA, M. E., «Representaciones femeninas en la poesía cortesana y en la narrativa sentimental del siglo XV», en *Breve historia feminista de la literatura española. II. La mujer en la literatura española*, ed. I. M. Zavala, Barcelona, Anthropos, 1999, pp. 159-175.

LERNER, I., «Saberes viajeros: las misceláneas y el Nuevo Mundo», en *La maravilla escrita. Antonio de Torquemada y el Siglo de Oro*, coord. J. J. Alonso Perandones, J. Matas Caballero, J. M. Trabado Cabado, León, Universidad de León, 2005, pp. 15-32.

LOHMANN VILLENA, G., «Una carta inédita de Diego Dávalos y Figueroa», *Revista de la Universidad Católica del Perú*, 15, 1, 1955, pp. 129-131.

MADRIGAL, J. L., «Algunas reflexiones en torno a la atribución cervantina del *Diálogo entre Cilenia y Selanio sobre la vida en el campo*», *Cervantes: Bulletin of the Cervantes Society of America*, 24, 1, 2004, pp. 217-252.

MORANT I., *Discursos de la vida buena. Matrimonio, Mujer y Sexualidad en la Literatura Humanista*, Madrid, Cátedra, 2002.

— «Hombres y mujeres en el discurso de los moralistas. Funciones y relaciones», en Morant, I. (dir.); Ortega, M., Lavrin, A., Pérez Cantó, P (coords.), *Historia de las mujeres en España y América Latina (El mundo moderno)*, vol. II, Madrid, Cátedra, 2006, pp. 27-61.

NAVARRETE, I., *Los huérfanos de Petrarca. Poesía y teoría en la España renacentista*, Madrid, Gredos, 1997.

RALLO GRUSS, A., *La escritura dialéctica. Estudios sobre el diálogo renacentista*, Málaga, Universidad de Málaga, 1996.

RÖSSNER, M., «"La nieve de aquella sierra ofende a la flaqueza de mi vista" o la perfección humanista frente al "abismo andino": Dávalos de Figueroa y su *Miscelánea Austral*», en Kohut, K. y Rose, S. (eds.), *La formación de la cultura virreinal. I. La etapa inicial*, Madrid/Frankfurt, Iberoamericana/Vervuert, 2000, pp. 93-102.

SOBREVILLA, D., «El inicio de la estética filosófica en el Perú. La belleza y el arte de la poesía en Dávalos y Figueroa y la Poetisa Anónima», en Kohut, K. y Rose, S. (eds.), *La formación de la cultura virreinal. I. La etapa inicial*, Frankfurt/Madrid, Vervuert/Iberoamericana, 2000, pp. 59-73.

Textos clásicos de poesía virreinal, ed. A. Lorente, Madrid, Colección Clásicos Tavera, 2001 (CD-Rom).

IMÁGENES DE LIMA, TESTIMONIOS DE LA PRESENCIA CULTURAL ESPAÑOLA EN EL VIRREINATO DEL PERÚ EN EL SIGLO XVIII

Martha Barriga Tello
UNMSM de Lima, Perú

Para un acercamiento a la imagen de Lima en el siglo XVIII, expondremos algunos testimonios de españoles que vivieron o visitaron la ciudad aunque, como se observará, podrían corresponder a cualquier momento de la presencia española en el Perú. Se compararán las apreciaciones de la *Discrición general del Reino / del Pirú, em particular de Lima* de Pedro León Portocarrero, un comerciante judío portugués que casó con la nieta de un médico, ex Rector de la Universidad de San Marcos, por la que adquirió casa conocida en Lima. León Portocarrero es un hábil descriptor, de juicios precisos, que narra sus experiencias en el Perú, particularmente de Lima, entre 1605 y 1615, precisamente el momento en el que se consolidaba el régimen virreinal. Alrededor de 150 años después, el primer testimonio del siglo XVIII: *Descripción en diálogo de la ciudad de Lima entre un peruano práctico y un bisoño chapetón. (Compendio histórico, geográfico, genealógico y político del Reino del Perú. División por mayor de la América Meridional. Con sucinta descripción de la ciudad de Lima y sus nacionales)* pertenece al Coronel de Milicias Gregorio de Cangas, funcionario del gobierno del virrey Manuel de Amat y Juniet, que transmitió el espíritu y costumbres de Lima y su gente cuando residía en Madrid. La obra completa fue encontrada inédita en Sevilla a mediados del siglo XX y posteriormente, se halló una copia en el Archivo Especial de Límites del Ministerio de Relaciones Exteriores del Perú, que se publicó en 1997.

El segundo texto, *Epítome cronológico o idea general del Perú (en que se hace clara y sucinta descripción de este imperio, del origen de su monarquía, su descubrimiento y conquista por los españoles y sus virreyes con los más memorables sucesos acaecidos hasta el presente año de 1776, ilustrándose con una breve exacta descripción de Lima y otras noticias curiosas del estado del Reino)*, se atribuye al mestizo peruano José Eusebio Llano Zapata (Lima, 1721-Cádiz, 1780), residente en España desde 1751[1] y considerado un destacado representante de la ilustración criolla limeña, racional, científica y cristiana. Escribió *Memorias Histórico-físicas-apologéticas de la América meridional* entre otras obras. Igualmente es importante para este estudio su *Carta o diario que escribe don José Eusebio Llano y Zapata a su más venerado amigo y docto correspondiente el doctor don Ignacio Quiroga y Daza, canónigo de la santa Iglesia de Quito, en que con la mayor verdad y crítica más segura le da cuenta de todo lo acaecido en esta capital del Perú desde el viernes 28 de octubre, cuando experimentó su mayor ruina...*(1748)[2], a propósito del terremoto del 28 de octubre de 1746, que fue reimpresa el mismo año en Madrid y que amplió en *Observación diaria crítico-histórico-metodológica* (1748). Un tercero pertenece a Esteban de Terralla y Landa (¿?-Lima, 1792), un poeta español con residencia previa en México que, bajo el seudónimo de Simón Ayanque, escribió *Lima por dentro y por fuera*. Se caracteriza por estar formulado en verso y por su estilo satírico y es particularmente interesante porque revela la paridad de problemas y soluciones que podían encontrarse en las dos sedes de corte virreinal americana. Inicialmente publicado en Madrid en 1798, en 1854 fue reeditado en París con dibujos del pintor peruano Ignacio Merino. Su descripción de Lima está referida constantemente a la Nueva España. Alberto Tauro del Pino refiere que, en la sesión de Cabildo Metropolitano del 1 de enero de 1799, fue presentada una moción para requisar los ejemplares que estaban circulando, y que algunos fueron quemados en «una especie de acto de fe durante una función de teatro», lo que corroboró la pertinencia de su percepción del espíritu limeño. Terralla también fue autor de *Lamento métrico general-Llanto funesto y gemido triste por la muerte de Carlos III* (1790); *Alegría universal-Lima festiva y encomio poético*, en loor del virrey Gil de Taboada y Lemus (1790); *El sol en el mediodía-Año feliz y júbilo particular* en elogio de la corona-

---

[1] Llano Zapata, *Memorias*, pp. 8 y 9.
[2] Pérez-Mallaína, 2001, pp. 394-395.

ción de Carlos IV (1790). Publicó *Vida de muchos o Una semana bien empleada por un currutaco de Lima* (1791). Dejó inéditos: *Juicio sin juicio que a muchos sacará de juicio si acaso hubiere juicio hasta el día del juicio; Azote de mentecatos y bolonios;* y *Convocatoria métrico festiva* para la corrida de toros del 26 de enero de 1791.

El último texto es del botánico Hipólito Ruiz (Burgos, 1754-Madrid, 1816), encargado de dirigir una expedición científica por encargo del gobierno español con la colaboración de José Pavón. El documento fue encontrado en los archivos del Botanical Department British Museum of Natural History de Londres y era el resultado del viaje al Perú entre 1777 y el 1 de abril de 1788[3]. Todos ellos permitirán apreciar la focalización del eventual testigo, así como recoger aspectos de la Lima virreinal en gran parte tributarios de las costumbres hispanas pero, igualmente, devenidas en singulares en las nuevas tierras.

UNA ACTITUD

A inicios del siglo XVII ya se había configurado Lima como una «gran ciudad». Un puente sobre el río Rímac distinguía la zona española del barrio de indios, llamado de San Lázaro; otra zona de indios, hacia el Este, era el Cercado, llamado así por estar separado por un muro de adobe con puertas que se cerraban cada noche. Allí las casas tenían huertas y jardines y los jesuitas conducían un colegio. La zona central de la ciudad era la plaza mayor, lugar de fiestas y celebraciones, tanto como centro político y próspero lugar comercial. Según los testimonios, la capital virreinal se mostraba dinámica, bien surtida de alimentos y mercaderías provenientes de todo el mundo; en la que se convocaban opíparos y frecuentes banquetes; cocheros negros, adecuadamente vestidos, conducían las ricas carrozas jaladas por caballos y mulas, que recorrían el diseño ajedrezado de sus bien delineadas calles; las edificaciones civiles eran agradables al exterior y bien adornadas al interior, en competencia con los impresionantes edificios religiosos; las servían multitud de sirvientes tan elegantes y engalanados como sus patrones. Una ciudad cuyos habitantes, «la gente blan-

[3] Harth-Terré, 1948.

ca», los criollos, «Todos son ricos y poderosos, todos gastan como príncipes...»[4] y fueron calificados de hermosas y gallardas las mujeres; galanes y bizarros los hombres, la mayoría, según León Portocarrero, pendiente de sus orígenes trasatlánticos y preciándose de ficticia, o escasamente atisbada, aristocracia

> de que descienden de grande nobleza y que son hidalgos de solar conocido. Es tanta su locura, que el que en España fue pobre oficial, en pasando del polo ártico al antártico luego le crecen los pensamientos y le parece que merece por su linaje juntarse con los mejores de la tierra. Y por esta razón y locura que en sí conciben dan muchos en perdidos, sin se querer sujetar al trabajo. Otros que les dice mejor la suerte vienen a alcanzar casamientos con que se hacen ricos. Y en se viendo con bienes de fortuna le[s] crecen mayores pensamientos y se toman títulos de caballero[5].

En correspondencia al alto nivel que pretendían para sí, los ciudadanos eran discretos, corteses, afables y bien criados; pero a la vez liberales, gastadores, embusteros, «pobres soberbios» y jactanciosos. Esta imagen se mantuvo casi inalterada durante el virreinato. Entre mediados del siglo XVI y del siglo XVIII, Lima fue una ciudad en constante auge. Signada por la apariencia, estuvo orientada por el afán consumista y derrochador; en ella era indispensable destacarse del común, acumular fortuna y aparentar prosperidad, sacrificando incluso el sustento diario. El vestido y el adorno fueron prioritarios a cualquier consideración. Establecerse y obtener un lugar relevante en el marco social, así como conseguir respeto y poder, marcaron la actitud de quienes decidieron hacer de América su nuevo hogar. Como León Portocarrero señaló, quienes se esforzaban lograban un diverso destino: «Por esto se dice quien va al Perú de cien no vuelve uno»[6] a España, a pesar de tener caudales suficientes: «los señores de Lima gozan un paraíso en este mundo»[7], pues en la Península no hubieran podido reproducir el tren de vida americano, sustentar la hidalguía, ni gozar de los múltiples beneficios:

---

[4] León Portocarrero, *Descripción*, p. 37.
[5] León Portocarrero, *Descripción*, p. 68
[6] León Portocarrero, *Descripción*, p. 54.
[7] León Portocarrero, *Descripción*, p. 39.

por estas causas no quieren los hombres volver a España, que el volver en habiendo dineros es cosa fácil. Siempre tienen en Lima muchas fiestas, grandes procesiones con muchas danzas y mucho estruendo de instrumentos, y con tantas invenciones que (en) España no hay ciudad donde hagan tantas cosas como en Lima, ni donde cuelguen las calles con más riquezas; toros y cañas se juegan todos los meses; comedias y músicas son ordinarias, (durante la) entrada de visorreyes se hunde la ciudad con fiestas y todos se empeñan por echar entonces galas; doctores que hacen las universidades...; paseos de caballeros y de mercaderes por las calles y al campo que todas las tardes campean todos a caballo; salidas a holgar al campo y por las huertas hay meriendas y banquetes...[8].

Incluso no siendo prósperos, como era el caso de los vagabundos, mayores posibilidades tenían de sobrevivir y, eventualmente, hacer fortuna en América. A inicios del siglo XVII era posible identificar a algunos que evitaban trabajar, o que nadie empleaba, por lo que se les encontraba vagando de un lugar a otro: León Portocarrero les reprochaba: «siempre andan con la cabeza baja... con los naipes en las manos... son grandísimos fulleros... Esta gente es mucha la que anda por el Perú»[9].

Todas las ventajas de una tierra pródiga, en la que el trabajo era responsabilidad de los naturales y los esclavos, lleva a que a los españoles en América se los tache de holgazanes y poco dispuestos a la acción. Años después, los testigos en el siglo XVIII censuraban que el máximo ejercicio fuera los alardes que realizaba en las calles y plaza mayor gente bisoña, que a lo mucho sabía tirar de un arcabuz, única ocasión para demostrar algo de capacidad guerrera pero, sobre todo, para lucir una deslumbrante vestimenta, tanto los ejecutantes como los espectadores. A los criollos, llamados «de pan y miel», por su gusto por los dulces[10], los califica de menos porque la única opción de sobrellevar su condición era para los varones el estudio, y para todos, la Iglesia; no les reconoce capacidad alguna:

Son poco aficionados al trabajo, son muy desvanecidos en esto de la hidalguía; y ansí se dan muchos al estudio y se hacen frailes y clérigos, y las criollas se meten monjas. Si la comunicación de las gentes que van de

---

[8] León Portocarrero, *Descripción*, p. 55.
[9] León Portocarrero, *Descripción*, p. 69.
[10] León Portocarrero, *Descripción*, p. 51.

España no tuvieran los criollos, se volverían de otra naturaleza y condición bárbara[11].

Para los que nacían en América la situación era compleja, no tenían la experiencia europea y debían resaltar los valores de la propia nación, a costa de la de su origen familiar. Terralla y Landa, refiriéndose a los criollos, ironizaba sobre el afán que mostraban por educarse y convertirse en abogados o sacerdotes, porque tanto afán tenía como consecuencia que,

La propiedad más laudable/ Que saca el niño en efecto,/ Es ser mortal enemigo/ De cualquier hombre europeo [...]
De forma que no exime / De aquel rencoroso afecto,/ Ni el mismo que le dio el ser, /Ni tampoco sus abuelos[12].

Esta actitud era claramente contradictoria con el afán por encontrar y mostrar rasgos de abolengo en los parientes peninsulares. Desde inicios del siglo XVII los testigos perciben que los nacidos en la tierra eran diferentes, sus aspiraciones otras y que no compartían las preocupaciones esenciales para sus padres. Esta diferencia tal vez se remitía a que, como señaló León Portocarrero en 1615:

En Lima y por todo el Perú viven y anda(n) gentes de todos los mejores lugares, ciudades y villas de España, y hay gentes de la nación portuguesa, hay gallegos, asturianos, vizcaínos, navarros, aragoneses, valencianos, de Murcia, franceses, italianos, alemanes, flamencos, griegos y raguceses, corsos, genoveses, mallorquines, canarios, ingleses, moriscos, gente de la India y de la China, y otras muchas mezclas y mixturas. Y como son diferentes en naciones lo son también en condición y voluntades...[13].

La acotación evidencia la variedad de procedencias del mestizaje en el proceso de consolidación de la administración española entre fines del siglo XVI e inicios del XVII, lo que se agudizó en la segunda mitad del XVIII, porque los sujetos se relacionaban con españoles e in-

---

[11] León Portocarrero, *Descripción*, p. 74.
[12] Terralla y Landa, *Lima por dentro*, p. 116.
[13] León Portocarrero, *Descripción*, p. 73.

dios en las ciudades y pueblos, entablaban compromisos económicos y matrimoniales, formaban familias, lo que lleva a identificar diversas opciones culturales que, con la española y la indígena, contribuyeron a formar la nación americana desde muy temprano. Aunque mayoritariamente en las zonas urbanas de la costa, en especial en Lima, la base fue hispana, resulta más sutil y matizada la identificación de procedencias y factores culturales en las zonas urbana y rural andinas, en las que con mayor frecuencia se asentaban los extranjeros. Hipólito Ruiz en 1788 hizo un adecuado enfoque cuando señaló: «Parece que por sí misma se demuestra la constitución de los habitantes, siendo tan diversos en castas, en complexiones, y en estados, y *tan unos en el manejo*»[14].

UNA CIUDAD, UN TEMPERAMENTO: LA CORTE DEL VIRREY AMAT

A mediados del siglo XVIII, etapa decisiva en la que se resquebrajaba la presencia hispana en el Perú, el coronel Gregorio de Cangas, que residió en el virreinato peruano probablemente alrededor de 1762 y 1776[15], señala en la introducción de su *Descripción* que, de regreso en España, le interesa ofrecer su experiencia, de signo distinto:

> ...para que conozcas los escollos... que no te encuentres con la infelicidad... sírvate de escarmiento el propio mío, pues de haber servido tres corregimientos, me hallo de regreso en esta corte, pobre, cansado de tanta peregrinación, lleno de empeños, con pocos amigos y menos conexiones...[16].

A pesar de su amarga queja, el testigo muestra una apreciación resignada e irónica de los habitantes de la capital virreinal; el aspecto y condición de la ciudad y sus habitantes coincide con la descripción de otros testigos: agradable, armoniosa y con servicio de agua adecuado; clima benévolo, variedad y riqueza de las especies comestibles

---

[14] Harth-Terré, 1948.

[15] Cangas, *Descripción*, pp.17,18,21. Cangas menciona conocer las fechas de varias reales cédulas: 17 de diciembre, 1759 y 14 de agosto de 1763; 21 de junio de 1772; 12 de noviembre de 1751 y 11 de noviembre de 1755.

[16] Cangas, *Descripción*, p. 2.

y exquisita gastronomía; pondera la belleza de sus templos, plazas, alamedas y fuentes; registra cincuenta títulos de Castilla y relevantes funcionarios criollos. Contabilizó tres mil carruajes de hechuras «algunas costosas y de visible idea»[17]. Se admiró de la riqueza de la vestimenta femenina, del uso de valiosas alhajas y apropiados tocados. Puntualizó la calidad y confección de los vestidos, zapatos y las distintas costumbres. En su tiempo Lima seguía siendo centro de un comercio activo, «por ser depósito y almacén de toda América Meridional»[18], el centro económico financiero de América del Sur, dinámica, competitiva, próspera y ambiciosa.

De la *Descripción* se desprende lo particular de la idiosincrasia local porque, si bien el virrey Amat «procuró desterrar las costumbres, que oscurecían las [prácticas] apreciables de la ciudad nunca pudo conseguirlo absolutamente en varias [que eran] inveteradas»[19], un problema que enfrentaron varios virreyes en temas como el vestido y otros, en los que los limeños se mantuvieron recalcitrantes. Tal el caso de la «tapada», que se afianzó en el siglo XVIII, «traje que no tendrá semejante en nación alguna, dando principio a él las damas cortesanas y siguiéndole las señoras»[20]. Esta opinión coincide con aquellas en las que observamos que, entre la propuesta de la normativa peninsular y su aceptación en el virreinato, existía correspondencia entre la distancia geográfica y la ideológica. En Lima se había ido estructurando un sistema de vida y de comprensión del entorno, que no siempre sintonizaba con el que emanaba de las leyes, a lo que se añadía la convicción de lo innecesario de cumplirlas, o hacerlas cumplir. Si se compara la descripción de León Portocarrero de inicios del siglo XVII, con la situación 150 años después, se observará que los criollos se habían situado convenientemente en la administración; se comportaban como sus abuelos, con liberalidad y libre pensamiento respecto a qué y cómo conducirse; habían desarrollado modos y usos que les eran propios, y que no cedían ante las restricciones que pretendió imponer la legislación. Incluso se advierte una respuesta competitiva en sentido inverso. El imaginario americano construyó, adecuó, modificó y evadió la normativa peninsular, elabora-

[17] Cangas, *Descripción*, p. 31.
[18] Cangas, *Descripción*, p. 63.
[19] Cangas, *Descripción*, p. 54.
[20] Harth-Terré, 1948.

da sobre la base de una realidad de proyecto diferente al que se experimentaba en su territorio. Lima se había construido bajo el modelo peninsular pero, en muchos asuntos, se desarrolló separada de su realidad de origen. Especialmente esto se observa en el Perú porque la distancia que lo separaba de Europa obligaba, y también propiciaba, tomar decisiones sobre aspectos que no podían esperar 60 o más días para definirse, y mucho menos para castigarse cuando se transgredía alguna ley. Esta coyuntura afectó a la realidad del Virreinato en todos los aspectos que pueden estudiarse, porque estaban engranados y dependieron significativamente unos de otros. El sujeto hispanoamericano fue otro y uno con su tradición, sin importar el lugar del cual provino, porque su entorno fue diferente, las dificultades, tanto como las facilidades y ventajas, conformaron una realidad que estuvo permanentemente en adaptación y afianzamiento.

La Ilustración

La narración de Hipólito Ruiz y José Pavón, resultado de su viaje a América del Sur entre 1777 y 1788, se produjo en un momento histórico distinto aunque no muy distante, en el que se separaron extensas zonas del dominio peruano, efecto que Lima pudo soportar con mucha dificultad y ninguna resignación. Una diferencia que resalta es la tendencia de pensamiento de sus autores. A diferencia de Gregorio Cangas, un hombre que formó parte de la corte afrancesada del virrey Amat, disfrutó del espíritu festivo de la ciudad y padeció, como otros muchos, los avatares de una fortuna esquiva, Ruiz y Pavón eran funcionarios ilustrados, de pensamiento práctico, en misión científica oficial.

En su recorrido estuvieron un tiempo en Lima, de la que alaban su buen diseño urbano de 209 manzanas, con 74 iglesias; 21 conventos; 13 monasterios; 4 beaterios; 12 hospitales y poblada de haciendas. El texto trasluce las inquietudes de orden y disciplina del pensamiento europeo expresadas en ácidas opiniones sobre las costumbres limeñas que diferían de las peninsulares. En esto debe advertirse que la referencia de los autores es un modelo idealizado a través de la norma ilustrada, antes que una experiencia directa con la vida cotidiana en España. El primer reproche se dirige al excesivo dispendio que se advertía en los actos oficiales, como el recibimiento de los nuevos virreyes y el consecuente descuido de las obras públicas indispensables. Lo curioso es que las decisiones en este sector eran responsabilidad de las autoridades españolas en el país, junto con el representante del funcionario entrante. Pero en el texto se las advierte «mimetizadas» con el carácter de los limeños, por lo que la crítica principal se orienta hacia los habitantes criollos. El recuento de las variadas combinaciones raciales es el sustento para afirmar que: «El agregado de muchas de ellas, que componen a manera de un monstruo físico, producen naturalmente en cierto modo un monstruo moral», con el que se contaminaba «el triste español» que nacía en el país, porque desarrollaba rápida y frecuentemente «gran calor en la sangre y en la imaginación, que son con el tiempo el inductivo y el cebo de pasiones muy vehementes». Además, era digno de lástima porque desarrollaba

> una cierta propensión a ser liviano, altivo, cobarde, doble, infiel, rapaz y de una gran dehabilidad para el ejercicio de estas pasiones...inseparable del atolondramiento, de la falta de palabra, de la cavilación, del desvanecimiento, y de aquella elación que hace al hombre contemplarse mejor que sus padres nacidos en Europa, y considerarse dignos de todas las honras y empleos aunque se palpe la ineptitud y engolfarse... En efecto este es en general el carácter de los Españoles naturales que llaman por otro nombre criollos, y aún el de muchos Europeos que allí se crean y entroncan...[21].

Aunque, por supuesto, también existían familias que se habían mantenido al margen, cultivando la «más exacta civilidad, decoro y virtud» en la educación de sus hijos. Esta opinión recuerda casi textualmente a las pragmáticas que anatematizaron como «monstruosidades del arte y descalabros del buen gusto» las diversas características del estilo artístico de la época, vinculándolas con la degradación moral de los usuarios.

LA DIVERSIÓN

La tendencia a la diversión que observaron los testigos ilustrados no fue invención limeña ni americana. El virrey Amat y Junient, como otros

---

[21] Harth-Terré, 1948.

antes que él, la apoyaron en concordancia con la experiencia en España. Como señaló Llano y Zapata, el virrey «desde los principios de su gobierno se dedicó con anhelo hacia el bien público de esta ciudad [Lima], diversión y desahogo de sus moradores, no le sirvió de estorbo la incesante tarea al despacho, en las providencias y ocupaciones expresadas...»[22]. Además de invertir en obras públicas, Amat hizo construir la «magnífica obra de la plaza firme de toros, en el sitio que llaman del Acho, con costo de más de 60.000 pesos para las dos corridas que se hacen todos los años coronándola una regia y grande galería donde el Virrey pueda ver distinguidamente con toda su familia y oficialidad». También se preocupó de dotar a la ciudad de un «teatro para el juego de gallos» y, como durante el terremoto de 1746 quedó en ruinas «el Real Coliseo, donde los días de fiesta y algunos de trabajo se representan públicamente comedias a la española»[23], decidió reconstruirlo «puesto hoy en tan bello orden y gusto, que así en decoraciones como música y representaciones imita en mucho a los de Madrid»[24]. La celebración era parte de la cultura hispana en América, fue auspiciada por las autoridades y también apoyada con entusiasmo y muy bien recibida por la cultura indígena, acostumbrada a dedicar fechas puntuales de su calendario a la misma actividad.

Para los testigos ilustrados avanzada la segunda mitad del siglo XVIII, la ostentación visible en los usos —vestimenta, fiestas, carruajes, personal de servicio, juego de apuestas, y diversiones como los toros, los gallos y las comedias— era lo más ofensivo de las costumbres limeñas, porque se interpretó como el encubrimiento de la pobreza que, como agravante, significaba el descuido en desarrollar actividades más productivas. De acuerdo a los testimonios, los limeños de todas las clases sociales habrían vivido de las apariencias, invirtiendo caudales en el ostentoso aparato exterior «en [las casas], en los templos, en los Coliseos y lugares públicos, no se ve más que gala, pompa...»[25], pero sacrificando y reduciendo al mínimo de supervivencia la alimentación privada. Esto habría fomentado el juego y el robo, también las casas de empeño y la liberalidad en las costumbres. En descargo de los opi-

---

[22] Llano Zapata, *Memorias*, p. 250.
[23] Llano Zapata, *Memorias*, nota 162.
[24] Llano Zapata, *Memorias*, 250.
[25] Harth-Terré, 1948.

nantes, se conoce que el descalabro económico de Lima a fines del siglo XVIII no fue asimilado de manera inmediata por la población anteriormente próspera, que intentó por todos los medios revertir la situación ahora desfavorable y mantener la apariencia de solvencia. Por ejemplo, referido a la fiesta taurina Hipólito Ruiz menciona que

> Todo esto se llama diversión a que es propensa toda la gente por temperamento y en fuerza de la ociosidad, languidez y *ansia de lucir donde la hay*. Así se ven de acompañados los teatros. A una función que se repite al año ocho o diez veces, sin embargo de no haber toreros, ni ser la plaza más que un rastro o carnicería, concurre tanta gente que las casas y las calles parecen desiertos y en el circo no se ve otra cosa que gala y profusión. Raro es el espectador, especialmente del bello sexo, que no haga *ropa nueva* para ir a los toros, y que sobre el gasto de esto y el asiento no empleen la *compra de muchos comestibles y golosinas* que con abundancia se venden en el contorno. *Jamás se cansan estas gentes, ni la intimidan las desgracias que no faltan...*[26].

Como se observa, no era solamente la costumbre de lo taurino y sus colaterales de ostentación lo que ocupaba el tiempo en la ciudad. También estaba el que se destinaba a otra diversión a la que la población era adicta, la comedia. El viajero ilustrado no olvida señalarlo:

> (Comedias) La farsa se verifica los domingos, fiestas y jueves y nunca deja de llenarse el teatro, especialmente en los años en que lo extraño del baile Italiano obligó a ensancharlos. Oí decir al actor italiano que pasó de México a Lima con su mujer y otros bailarines que *de cuantos países había recorrido no se le había ofrecido otro que tanto enriquecerse como en Lima*, porque aunque ésta es de menos caudal que otras ciudades para él había un gran tesoro en los genios de sus vecinos noveleros, ociosos y gastadores. Acaso se sentiría así porque vio que no se reparó a fin de acrecer el teatro, y en asignar al mismo actor cinco mil pesos anuales[27].

No se equivocó el observador en resaltar el permanente gusto limeño por la comedia. León Portocarrero señaló que hacia 1615 el Corral de Comedias ocupaba parte del terreno del proverbialmente

---

[26] Harth-Terré, 1948.
[27] Harth-Terré, 1948.

prestigioso y honorable convento dominico en Lima. En el siglo XVIII Esteban Terralla y Landa (Simón Ayanque), dedicó una sección completa, el Descanso XIII, al «*coliseo de comedias y sus impropiedades*»[28], con lo que queda poco por comentar: «Verás como es diferente / de nuestro coliseo, /que toda la compañía /se compone de europeos»[29]. El pensamiento ilustrado rechazó las, con frecuencia, peligrosas y subversivas representaciones, pero tampoco pudo negarles el valor como instrumento didáctico popular, una creencia que contribuyó a que no se prohibieran de manera absoluta. Por otra parte, el teatro tuvo mucha aceptación en la ciudad, especialmente entre las clases populares, en el marco del gusto por el espectáculo que caracterizó a la ciudad desde su fundación. Las obras más serias concitaron la atención del espectador educado y las más ligeras, la general. Los sainetes y entremeses y la música entusiasmaban al espectador tanto como la inventiva iconográfica, muchas veces exquisita y vistosa. La comedia tuvo el mismo rango que la lidia y fue un vehículo de crítica política e ideológica, especialmente en los momentos más difíciles del Virreinato, a pesar que la corona había prohibido los autos sacramentales, las comedias hagiográficas y las de magia[30].

Esta continua diversión y dispendio, sin olvidar las festividades religiosas y civiles que a su vez incorporaban espectáculos de toros y teatro, ofendió el sentido ilustrado de Ruiz y Pavón pues advierten tres razones como generadoras del mal. La primera es que los oficios y artes estaban en manos de las castas y, por lo tanto, los blancos se negaban a rebajarse a ejercerlos, lo que los conducía al ocio, la trampa y el juego. La segunda causa era la falta de empleo para las mujeres, por la importación indiscriminada de productos que había dejado sin mercado a costureras, tejedoras y bordadoras. La tercera era la especulación con los alimentos, especialmente el pescado. Una suerte de sistema por el que los comerciantes acaparaban productos para producir una falsa escasez, propiciando la actividad de los revendedores, que así lograban aumentar sus ganancias ante la absoluta indiferencia de las autoridades porque, como ocurría a inicios del XVII, eran las primeras comprometidas en el lucrativo comercio. La especulación se extendía

---

[28] Esteban Terralla, *Lima por dentro*, pp.138-144, en 31 estrofas y 124 versos.
[29] Esteban Terralla, *Lima por dentro*, p. 144.
[30] Vázquez Marín, 1996, pp. 883-889.

al papel, el hierro, la cera, el hilo, las sedas y otros productos. Aumentaron las importaciones, se redujo la recaudación y como consecuencia, se había extendido la costumbre de comprar al crédito. En resumen, una desalentadora descripción de observadores perspicaces.

LA APARIENCIA Y EL ENGAÑO

Contra algunos excesos en la apariencia ostentosa de los individuos en todo el territorio bajo la corona hispana, estuvo la preocupación por controlar el uso cotidiano del traje. En una Pragmática del 15 de noviembre de 1723, Felipe V encargó a los Obispos y Prelados que corrigieran «los excesos de las modas escandalosas en los trajes de las mujeres»[31]. Esta pragmática era muy específica porque prohibió que alguna persona, cualquiera fuera su condición, usase brocados, bordados de oro y plata, seda, cualquier tipo de guarniciones o piedras preciosas. Se comprenderá lo inaplicable de esta norma que contravenía la inveterada tendencia al lujo y la ostentación de los limeños. Iniciado el siglo XVII León Portocarrero opinó que las mujeres limeñas

> ...para todo tienen gracia. Visten gallarda y costosamente; todas generalmente visten seda y muy ricas telas y terciopelos de oro y plata fina. Tienen cadenas de oro grueso, mazos de perlas, sortijas, gargantillas y cintillos de diamantes, rubíes, esmeraldas y amatistas y otras piedras de valor y estima; tienen sillas de manos en que las llevan los negros cuando van a misa y a sus visitas [...] [los hombres] Todos generalmente traen buenos vestidos de seda y paños finos de Segovia y cuellos ricos con puntas costosas de Flandes. Todos calzan medias de seda...[32].

Pero el lujo y la ostentación no se concentraban en la población civil. Una Pragmática de Felipe V del 15 de noviembre de 1723 señala: «Se ruega, y encarga a los Obispos y Prelados, que con celo y discreción, procuren corregir los excesos de las modas escandalosas en los trajes de las mujeres, recurriendo, en caso necesario, al Consejo, al cual se manda que les dé todo el auxilio conveniente»[33]. ¡Cuál habría

---

[31] Saavedra, 2004, p. 287.
[32] León Portocarrero, *Descripción*, p. 39.
[33] Saavedra, 2004, p. 287.

sido la reacción de alguno de ellos si hubiese participado de la visita canónica a los monasterios de la ciudad de Lima realizada por su Arzobispo Don Diego Antonio de Parada en 1775! Eran famosos los lujos y excesos que las abadesas permitían a las incontrolables monjas. En el artículo tercero de su *Auto de Visita,* Parada ordenó que «ninguna [novicia] para tomar el hábito se adorne con perlas, diamantes, alhajas de oro, ni otros vestuarios»[34], que se añadían a los trajes de seda, encaje y brocado de la monja y su séquito. El tipo y calidad del vestido era un distintivo social que ninguna circunstancia pudo obstaculizar y, por consiguiente, también una pauta iconográfica que continuó controlada hasta el fin del virreinato.

Aunque en lo cotidiano español y americano la identificación de la apariencia externa del individuo con su posición social era decisiva, en cuanta ocasión pública o privada estuviese, esta fue problemática y ambigua en el virreinato peruano. Allí los amos competían por ofrecer a sus servidores indumentarias que realzaran su prestigio personal, debido a que el gesto connotaba desprendimiento y largueza. No se ocultaba que si el esclavo o el servidor estaban cubiertos de tanta riqueza, cuánta más correspondería al amo. Como anécdota y comprobación de las consecuencias de este trato, encontramos los testimonios de los viajeros del siglo XVIII cuando censuran que en Lima el traje no fuera un factor determinante de distinción social, tal como estaban acostumbrados ocurría en Europa, especialmente porque en la algarabía de las celebraciones algunos establecían vínculos «inconvenientes» con personas de inferior nivel social.

LA PIEDAD

Un aspecto como la religiosidad tradicional hispana no desapareció, a pesar de las aparentes liberalidades y quejas arzobispales sobre un presunto descreimiento. Mucho menos la menoscabó la legislación borbónica no obstante sus esfuerzos. Hubo ocasiones de necesidad extrema en las que una piedad renovada avivada por el decaimiento espiritual culpable, permitía que la Iglesia retomara su papel protector y se involucrara espectacularmente en las ceremonias

---

[34] Angulo, 1927, p. 111.

que conmovían a la población en sentido diverso. A propósito del terremoto del 28 de octubre de 1746 en Lima, Eugenio Llano Zapata
en carta a un amigo en Quito describe una procesión realizada el 2
de noviembre:

> En este día se dejaron ver... muchos sacerdotes descalzos, ceñidas sus
> sienes con espinas, sus cuellos oprimidos con sogas, sus pies sujetados con
> duras y pesadas cadenas... hubo sacerdote, prelado de cierta religión, que
> desnuda la espalda, mortificados sus ojos con duras puntas de fierro, ator
> mentada su boca con un pesado freno y encenizado el rostro, llevaba tras
> sí un religioso lego que, en voz de pregonero decía: «Esta es la justicia
> del Rey de los Cielos que manda ejecutar en este vil pecador» y, al ter
> minar estas palabras descargaba este ministro de la obediencia sobre las
> espaldas de su ejemplar prelado y venerable sacerdote, tan fuertes golpes,
> con lo crudo del cuero que, rompiéndole la carne, hacía verter la sangre
> de sus venas [...] Acompañaban estos piadosos ejercicios innumerables
> hombres y mujeres, sin que la más tierna doncella, ni el más tierno niño,
> cada uno más allá de la proporción de sus fuerzas, perdonase la mortifi
> cación y el castigo...[35].

En estas ocasiones los religiosos condujeron las acciones de arrepentimiento público que coincidían con lo demostrativo del gusto popular, pero en sentido opuesto. No faltó en ellas la teatralidad y el
dramatismo y, muy probablemente, estuvo implícita la competencia
entre las congregaciones por sobresalir. El celo por la auto ponderación se extendió a los momentos de luto familiar o a los de tragedia
colectiva, como estos desastres naturales que periódicamente azotaron
la ciudad, dejándola muchas veces en ruinas. Se ha remarcado la importancia que para el espíritu de confrontación de los limeños tuvo
el creerse objeto del castigo divino después del devastador terremoto
del 28 de octubre. Porque «En la Lima de 1746 esta competición por
ser el mayor pecador se mantenía plenamente vigente... [y en los religiosos flagelantes era] una clarísima muestra de falsa modestia y de
un interés *desmedido por aparentar grandeza aun en lo malo*»[36]. Una actitud que comprometió a todos «cuando traían los sacerdotes en sus
hombros la sagrada imagen de Cristo Crucificado... acompañándole el

---

[35] Pérez-Mallaína, 2001, pp. 394-395; Harth-Terré, 1946.
[36] Pérez-Mallaína, 2001, p. 403.

señor virrey, la Real Audiencia y Cabildo Secular, vestidos de negro todos; con sogas al cuello y encenizados»[37].

AUTONOMÍA Y FIDELIDAD

La competitividad de la población limeña marcó todos los aspectos de lo cotidiano, en especial las acciones que era posible hacer públicas. Por eso la autoridad religiosa logró escaso éxito en prohibir los excesos en las celebraciones particulares o generales, una práctica que ella misma transgredió porque, más importante que el derroche o el patetismo era preservar el prestigio y en este compromiso, que estuvo enmarcado en la ofensiva monárquica por ocupar los espacios públicos, así como por reforzar el respeto y la sumisión a su imagen, no hubo excepciones. El objetivo no era enmendar las costumbres, a pesar de que en algunos casos se hizo y fue indispensable, sino consolidar la presencia estatal en, y a través de, la Iglesia.

Llano Zapata desarrolló pormenorizadas descripciones de las fiestas más importantes de las que fue testigo, especialmente puede encontrarse opiniones puntuales en la carta o diario que escribió al canónigo de la catedral de Quito a propósito del terremoto del 28 de octubre de 1746, que se mencionó antes[38]. Su orgullo por la tierra se canalizó en sus *Memorias histórico, físicas, crítico, apologéticas de la América Meridional*, a través de las descripciones de los productos animales, vegetales y paisajísticos, así como por los que se comercializaban ya procesados, todos por los que se reconocía las bondades americanas. La riqueza y la belleza de la tierra fueron enarboladas por Llano Zapata con nada disimulado orgullo, exacto el término *apologéticas*, aunado a su interés científico ilustrado. Su postura es ejemplo de la del americano partícipe de la tradición hispana, pero reivindicador de la propia. Puede comprenderse su actitud en el contexto de su viaje a España y su búsqueda de reconocimiento, en similar marco por el que los testigos españoles del siglo XVI remarcaron las bondades de la tierra obtenida para la corona hispana: insistir en que tanto era la tierra como

---

[37] Pérez-Mallaína, 2001, p. 423.
[38] Ver Llano Zapata, *Memorias*, pp. 338-340, notas 161 y 162. Allí menciona que escribió dos diarios con sus informes sobre el sismo de 1746.

sus captores y/o de sus hijos, también fue un argumento en el proyecto científico ilustrado de su tiempo.

CONCLUSIONES

En 1866 el diplomático francés Léonce Angrand escribió una carta en respuesta a un amigo que le había preguntado por los «jardines encantados» que decían tenía Lima. En ella le decía:

> pues bien sé cuáles son las ideas que en general se tienen sobre este país tan celebrado pero en el fondo tan poco conocido, y sé por anticipado que hallaré muy desfavorable acogida, al decir lo que pienso de los *jardines encantados* con que se complacen en adornar la moderna capital del Imperio de los Incas.[...] El verdadero Perú es mucho más simple que todo eso, y no por ello menos atrayente, a mi modo de ver, pues posee todos los encantos de una originalidad sorprendente; pero de todos sus méritos, es éste el más difícil de hacer comprender a distancia [estos paseos de Lima son] tan diferentes de lo que le han dicho a usted, y sobre todo de lo que se ve en otras partes [...] toman del reino vegetal su elemento esencial y los más bellos motivos de su decoración [...] [pero] conserva[n] aquí todas esas intemperancias que la convierten en una fuente inagotable de deleites. Es en cierto modo el huésped preferido al que el amor bien inspirado del placer ha tenido la satisfacción de invitar a la luz de solemnidades populares [...] Un entendimiento tan primitivo y [...] después de todo finamente sensual, de la vida de las plantas sujeta a la de los hombres [...] respondía a la naturaleza de las sensaciones que debían dominar todo en un sitio tan admirable situado al pie de la cadena majestuosa de los Andes, frente a la inmensidad del océano. Como consecuencia, bajo el imperio de esta doble influencia, el arte se ha inspirado de un sentimiento exquisito de la sobriedad contenida [...] el pensamiento decorativo [...] la emoción inseparable de un espectáculo sublime de grandeza y de nobleza [...] un carácter de simplicidad grandiosa mezclada con una suerte de abandono pleno de encantos[39].

La impresión que dejó en Angrand su permanencia de varios años en Lima en la primera mitad del siglo XIX coincide con las de otros testigos. Un primer aspecto es que el recuerdo de la ciudad se magnifica-

---

[39] Angrand, 1972, pp. 163-165.

ba en la distancia, crecía en la remembranza, positiva o negativamente, según fuera la experiencia. Aunque los hubo, como Cangas, que a pesar de todo la añora. Otro es la percepción sobre la sencillez casual de la ciudad y sus costumbres, y a su liberalidad. Lima se había moldeado en el ejemplo español, pero su carácter estaba dado por un sentimiento y un pensamiento común, emanado de la conducta de sus habitantes porque, según Angrand, «a pesar de esta libertad que permiten las costumbres del país no cesa de reinar, en medio de estos placeres sin pretensiones, un sentimiento de elegancia natural que difunde, hasta en las relaciones más simples, un aire de desenvoltura y de urbanidad perfectos»[40]. Todos los testimonios que hemos comentado concuerdan en que la belleza y opulencia de la ciudad, tanto como su desembarazo y altivez o pedantería se concretaban sutilmente y era difícil explicarlos de manera precisa. Los testigos no logran aceptar o rechazar las costumbres de manera absoluta y definida debido a la tenue línea que separaba lo noble y apropiado, de lo que no lo era. Ciudad de ilusiones y desvaríos; de entretenimiento y diversión; de bullicio y recogimiento; de engaño y seriedad, siempre fascinó a los viajeros y atrapó a los inmigrantes quienes, como señaló León Portocarrero a inicios del siglo XVII, decidían establecerse en ella a pesar de tener oportunidades para regresar a Europa.

Los testimonios de época también evidencian que la influencia cultural española en el virreinato peruano fue profunda en lo formal y en lo espiritual; en lo grave y lo festivo; en el compromiso y la frivolidad. Entre sus habitantes supuso el orgullo por la tierra; su tendencia indesmayable por construir un mundo propio; por inaugurar formas nuevas y sorprendentes de celebración, de apariencia y de conducta social; la consolidación del espíritu de rebeldía; de libertad e independencia de pensamiento; su defensa inexcusable de su derecho a decidir y de mostrarse diferentes, sin que ello significara en absoluto un divorcio de la tradición. Desde entonces todo ello se concretó en el aspecto de la ciudad.

---

[40] Angrand, 1972, p. 168.

BIBLIOGRAFÍA

ÁLVAREZ BARRIENTOS, J. y J. CHECA BELTRÁN, *El siglo que llaman Ilustrado. Homenaje a Francisco Aguilar Piñal,* Madrid, Consejo Superior de Investigaciones Científicas, 1996.

ANGULO, D., «Un inédito valioso. Autobiografía del Ven. Padre Francisco del Castillo», *Revista del Archivo Nacional del Perú,* Tomo III, Entrega I, Lima, 1927, pp. 103-149.

AYANQUE, S. (seudónimo de Esteban Terralla y Landa), *Lima por dentro y por fuera,* París, Librería Española del A. Mezin, 1854. Nueva edición, corregida con esmero y adornada con láminas dibujadas por D. Ignacio Merino Director de la Academia Nacional de Lima.

CANGAS, G. de, *Compendio histórico, geográfico, genealógico y político del Reino del Perú. División por mayor de la América Meridional. Con sucinta descripción de la ciudad de Lima y sus nacionales. Varias noticias al desengaño de los pretendientes a los Corregimientos, y de los Curiosos que los apetecen en lo remoto de aquellos dominios. Monarquía de los Incas, y sede cronológica de los Virreyes.* Por el Coronel de Milicias Don Gregorio de Cangas, con residencia actual en esta Corte- Quien lo dedica al Excmo. Señor Don Manuel de Amat y Junient, escrita por un funcionario del gobierno de este virrey, se transmite el espíritu y costumbres de Lima y su gente entre 1762 y 1776, *Revista Histórica,* 14, Lima, 1941 (diciembre 1942), pp. 325-342.

— (atribuida), *Descripción en diálogo de la ciudad de Lima entre un peruano práctico y un bisoño chapetón,* ed. C. G. Vicente y J. L. Lenci, Lima, Fondo Editorial del Banco Central de Reserva del Perú, 1997.

HARTH-TERRÉ, E., «Lima en 1788», *El Comercio,* Lima, 28 de julio, 1948.

LEÓN PORTOCARRERO, P., *Descripción del virreinato del Perú,* Rosario, Universidad Nacional del Litoral, 1958.

LLANO ZAPATA, J. E., *Memorias histórico, físicas, crítico, apologéticas de la América Meridional,* ed. V. Peralta Ruiz, Lima, Universidad Nacional Mayor de San Marcos/Instituto Francés de Estudios Andinos/Pontificia Universidad Católica del Perú, 2005.

— *Carta o diario que escribe don José Eusebio Llano y Zapata a su más venerado amigo y docto correspondiente el doctor don Ignacio Quiroga y Daza, canónigo de la santa Iglesia de Quito, en que con la mayor verdad y crítica más segura le da cuenta de todo lo acaecido en esta capital del Perú desde el viernes 28 de octubre, cuando experimentó su mayor ruina...(1748),* en Pérez-Mallaína, 2001.

PÉREZ-MALLAÍNA BUENO, P. E., *Retrato de una ciudad en crisis. la sociedad limeña ante el movimiento sísmico de 1746,* Sevilla/Lima, Consejo Superior de Investigaciones Científicas, Escuela de Estudios Hispanoamericano/Instituto Riva-Agüero, 2001.

SAAVEDRA, P. y H. SOBRADO, *El siglo de las luces. Cultura y vida cotidiana*, Madrid, Editorial Síntesis, 2004.

TAURO DEL PINO, A., *Enciclopedia Ilustrada del Perú. Síntesis del conocimiento integral del Perú, desde sus orígenes hasta la actualidad*, Tomo 6, Lima, Editorial PEISA, 1987.

TERRALLA Y LANDA, E. de, ver AYANQUE.

VÁZQUEZ MARÍN, J., «La Ilustración en las obras de costumbres», en *El siglo que llaman Ilustrado. Homenaje a Francisco Aguilar Piñal*, ed. J. Álvarez Barrientos *et al.*, Madrid, Consejo Superior de Investigaciones Científicas, 1996, pp. 883-889.

EL GRAN TEATRO DEL NORTE. LA *HISTORIA DE LOS TRIUNFOS DE NUESTRA SANTA FE*, DEL JESUITA CORDOBÉS ANDRÉS PÉREZ DE RIBAS (1645)

Salvador Bernabéu Albert
EEHA, CSIC

INTRODUCCIÓN[1]

En Madrid, la capital del vasto imperio de los Austrias, se editó en 1645 la crónica religiosa más importante del Norte de México. Su autor, el jesuita cordobés Andrés Pérez de Ribas, la encabezó con un extenso e ilustrativo título: *HISTORIA/ DE LOS TRIVMPHOS DE NVESTRA/ SANTA FEE ENTRE GENTES LAS MAS BARBA-RAS,/ y fieras del nueuo Orbe: conseguidos por los Soldados de la/ Milicia de la Compañia de IESVS en las Missiones/ de la Provincia de Nueua-/ España*. El encabezamiento desvela los principales protagonistas de la obra: por una parte, los jesuitas, llegados al virreinato novohispano en 1571 y que van a expandirse con gran éxito por el centro y el norte de la Nueva España en las décadas siguientes; por la otra, varios de los pueblos indios que poblaban secularmente las regiones norteñas de México en un precario equilibrio con la naturaleza y siempre alertas ante las ambiciones de sus vecinos. En este encuentro múltiple, que

[1] Este artículo se enmarca dentro del proyecto de investigación «La frontera y sus ciudades: herencias, experiencias y mestizajes en los márgenes del imperio hispánico (s. XVI-XIX)» (HUM2007-64126) del Ministerio de Educación y Ciencia (España). Agradezco las sugerencias y correcciones de Trinidad Barrera, Consuelo Varela, Beatriz Barrera y Justina Sarabia.

se inició a partir de 1591, también tuvieron gran protagonismo otros personajes de la sociedad colonial: capitanes, soldados, colonos, indios ladinos, curas, religiosos franciscanos, etcétera, aunque no aparezcan en el título de la crónica. El autor quiere subrayar los triunfos evangélicos de la milicia de la Compañía frente a los indios bárbaros y fieros, trasladando hasta las áridas regiones mexicanas las visiones demoníacas[2] contenidas en los famosos *Ejercicios Espirituales* (1548), base de la religiosidad ignaciana[3].

Costumbres, ritos y supersticiones indias, inspiradas por el demonio, se enfrentan a los esfuerzos y trabajos de los ignacianos hasta llegar al martirio. Y, aunque no aparezcan en el título, los naturales serán identificados, desde la primera página, como el pueblo sojuzgado por Satanás, cuyas ofensivas para no ser desterrado del Norte se convierten en el eje unificador de toda la obra. Él será el culpable de los sufrimientos y muerte de veinte jesuitas, pues maneja a su antojo la voluntad de los miles de indios, simples marionetas en sus manos. Pérez de Ribas convierte el Septentrión novohispano en un gran escenario donde representar el drama, la generosidad y la grandeza de los hijos de San Ignacio de Loyola[4]. *Grosso modo*, la *Historia de los triunfos* pretende ser una historia de la empresa misionera de la Compañía de Jesús en el noroeste de México entre los años 1590 y 1645. Durante este periodo, los ignacianos ampliaron su presencia en la región de

---

[2] Gonzalbo, 1989, pp. 81-113.

[3] Me parece pertinente el recordar los siguientes comentarios del filósofo José Gaos: «No se puede decir que los *Ejercicios* hayan contribuido a modificar la idea católica del mundo sobrenatural, en el sentido del dogma; ni siquiera, quizá, las imágenes de él más generalizadas entre los católicos; pero sin duda han contribuido a educar la conducta religiosa íntima y externa de los jesuitas y de los católicos receptores de la influencia de éstos, y con ello no sólo a apuntalar a la Iglesia católica contra el derrumbamiento con que la amenazó el protestantismo, sino a sostener y mantener a la grey católica en la fidelidad, a la Iglesia y a su idea del mundo, hasta nuestros mismos días, como acaso ninguna otra institución». Gaos, 1973, p. 128, nota 1ª.

[4] No en vano, la crónica de nuestro jesuita coincide en las librerías con el auto sacramental *El Gran teatro del mundo*, de Pedro Calderón de la Barca, también aparecido en 1645. Año, éste, fundamental en la cultura, con el fallecimiento de Francisco de Quevedo y el jurista holandés Hugo Grocio, y los nacimientos de Johan Ambrosius Bach, Carlos de Sigüenza y Góngora y Eusebio Francisco Kino, misionero que continuó con la conquista espiritual en el Noroeste de México y el suroeste de los Estados Unidos.

forma extraordinaria, fundaron establecimientos en los actuales estados de Sinaloa, Sonora, Durango y Chihuahua y bautizaron —según sus documentos— a más de cuatrocientos mil indios.

ANDRÉS PÉREZ DE RIBAS: DE CÓRDOBA A LA NUEVA ESPAÑA

Andrés Pérez de Ribas nació en Córdoba en 1575[5]. No conocemos muchos datos sobre su infancia y juventud, ni sobre la calidad de su familia, que algunos hacen noble y con patrimonio abultado[6]. En la última década del siglo XVI debió de completar los estudios necesarios (tres años de filosofía y cuatro de teología) para ordenarse sacerdote, pues con esta calidad entró en la Compañía de Jesús en 1602. Este mismo año partió rumbo a la Nueva España en la expedición de veinticuatro ignacianos que comandó el procurador Alfonso de Castro[7]. Alcanzado el virreinato el 3 de septiembre de 1602, Pérez de Ribas completó los estudios de noviciado en la ciudad de Puebla y, superados, hizo los votos simples y perpetuos (castidad y pobreza) en la capital virreinal en 1604. Sus primeros trabajos misionales los realizó en los abruptos valles de la sierra norte de Puebla, donde habitaban los zacapoaxtlas, pero por poco tiempo, pues a finales del citado año, el joven sacerdote fue enviado a la frontera noroeste del virreinato junto al padre granadino Cristóbal de Villalta[8] y al capitán Diego Martínez de Hurdaide.

---

[5] La biografía más completa de Pérez de Ribas en Dunne, 1951. Otros autores sitúan su nacimiento un año después: 1576. La única alusión a su tierra natal en la obra aparece al hablar del río Grande de Sinaloa, el cual: «Es caudaloso, y mayor en sus avenidas que el Guadalquivir en la Andalucía». Pérez de Ribas, *Historia de los triunfos*, p. 142.

[6] Guzmán, 1992, p. xii. Sin embargo, en una carta del Padre General, Mucio Vilelleschi, al provincial Juan Laurencio, fechada en Roma el 16 de marzo de 1625, le señala que: «El P. Andrés Pérez me pide licencia para enviar cada año a sus hermanos, lo que pudiere juntarles, en orden a socorrerles, porque padecen mucha necesidad; remítolo a lo que sabrá de V.R. Paréceme es justo se lo concedamos, y así se la podrá dar V.R.» (Zambrano, 1972, p. 369).

[7] Galán, 1995, p. 219.

[8] Nacido en Granada en 1578, entró joven en la Compañía, realizando tres años de filosofía en Sevilla y cuatro de teología en Córdoba. Alcanzó la Nueva España en el mismo barco que Pérez de Ribas, siendo destinado al Colegio Máximo de San Pedro y San Pablo. En 1605 fue enviado a Sinaloa, a evangelizar a los indios del río Fuerte. Desde este punto, avanzó en varias direcciones,

La provincia de *Cinaloa* constituía una de las fronteras más belico-
sas de todo el continente. La región estaba formada por una alargada
franja de áridas planicies costeras entre la Sierra Madre Occidental y
el Golfo de California. Los asentamientos humanos y los cultivos de
los diversos pueblos que la habitaban se disponían en las orillas de los
cuatro grandes ríos que la atravesaban de oriente a occidente: el
Mocorito, el Sinaloa-Oroconi, el Fuerte y el Mayo. Los amplios valles fluviales fueron el hábitat de numerosos pueblos (zuaques, tehue-
cos, tepehuanes, mayos, yaquis, etcétera), mientras el litoral estaba
poblado por los guázaves, expertos pescadores. Existía una gran diversidad lingüística, predominando el mayo y los dialectos locales del ta-
racahita. En esta área se estableció el límite norteño de la cultura
mesoamericana, fijada en el río Mocorito en la época de la llegada de
los españoles[9]. En 1531, como resultado de la expedición dirigida por
Nuño de Guzmán se fundó la villa de San Miguel, junto al río San
Lorenzo o Cihuatlán, que sería abandonada años más tarde cuando se
creó San Miguel de Culiacán, en la confluencia de los ríos Tamazula
y Humaya. Más al norte, las primeras entradas fueron protagonizadas
por hombres como Lope de Samaniego o Diego de Guzmán, que re-
corrieron la tierra para explorarla y capturar esclavos, pero habría que
esperar a la llegada de la expedición de Francisco Ibarra desde el oriente, tras atravesar la abrupta Sierra Madre Occidental, para que se fun-
daran los primeros establecimientos permanentes. En 1564 se creó El
Fuerte (San Juan Bautista de Carapoa), aunque tuvo poca vida: sus vecinos tuvieron que retirarse a Culiacán cinco años después. El abandono de este enclave se debió a la hostilidad indígena, que pudo
frenarse gracias a la llegada de nuevos soldados, colonos y misioneros
jesuitas. A pesar de las sistemáticas rebeliones (1594, 1599, 1604, 1611-
1613), la expansión colonial alcanzó el río Mayo entre 1614 y 1618,
si bien el dominio imperial sólo estaba asentado en «áreas muy loca-
lizadas y distantes unas de otras»[10].

convirtiéndose en el primer apóstol de huites y tzoes. En 1619 fue nombrado
rector del colegio de Guadiana (Durango) y visitador de sus misiones. Murió en
abril de 1622 cuando se dirigía a ejercer el cargo de rector del Colegio de San
Lucas de Guatemala.
    [9] Gerhard, 1996, pp. 337-345.
    [10] Del Río, 1995, p. 28. Sinaloa, aunque vinculado a la Nueva Vizcaya desde
la entrada de Ibarra, fue gobernado por varios funcionarios políticos y militares

Con Ibarra fueron diversos sacerdotes y franciscanos, si bien el gran impulso misional lo protagonizó la Compañía de Jesús. Los primeros jesuitas, Gonzalo de Tapia y Martín Pérez, llegaron a la villa de Sinaloa en 1591, veinte años después del desembarco de los ignacianos en el virreinato. Las fundaciones se extendieron a lo largo de los ríos, primero en el Sinaloa y el Mocorito, y, a partir de 1605, en el valle del Fuerte, cuyos indios fueron concentrados en las misiones de Natividad Ahome, Asunción Sivirijoa, San José Toro y Concepción Vaca. Hacia 1614, los padres alcanzaron el Mayo y penetraron hacia la Sierra Madre[11]. Andrés Pérez de Ribas estuvo presente y fue protagonista de esta espectacular expansión que, en apenas un cuarto de siglo, logró controlar la mayoría del territorio gracias, en buena parte, a la disminución de los indios por las epidemias y los cambios culturales y sociales. Durante dieciséis años (1604-1619) trabajó en diversas misiones de indios, ausentándose de ellas en dos ocasiones por breves periodos. Su primer destino sería la misión de San Felipe (actual Sinaloa de Leyva), donde había un presidio y una escuela. Un año después fue enviado a evangelizar las naciones de ahomes y zuaques, que habitaban la cuenca baja del Río Fuerte. En 1612 viajó a la capital virreinal para realizar el cuarto voto (la obediencia al Papa), convirtiéndose en profeso, lo que llevaba aparejado el disfrutar de todos los derechos y responsabilidades de la Compañía de Jesús. Cuatro años más tarde, de nuevo abandonó el territorio misional con destino a la ciudad de México, donde trasmitió al virrey Diego Fernández de Córdoba, marqués de Guadalcázar, las necesidades y problemas de la provincia, demandándole más ayuda para extender el cristianismo al río Yaqui. Vuelto al Noroeste, Pérez de Ribas fundó, junto al padre italiano Tomás Basilio, las primeras misiones en el Yaqui a mediados de 1517, penetrando entre los belicosos indios sin protección militar.

En 1619, tras dieciséis años de misionero, Pérez de Ribas abandonó definitivamente el territorio misional por motivos de salud, trasladándose al centro del virreinato para restablecerse. Sin embargo, la Compañía —selectiva y certera en la elección de sus dirigentes— lo

---

cuyos nombramientos se disputaban el virrey y el gobernador neovizcaíno. Otras disputas frecuentes fueron por los límites entre las diversas autoridades, quienes reclamaron territorios indígenas y distritos mineros, y de las autoridades con los jesuitas.

[11] Ortega, 1993, pp. 41-94.

nombraría para sucesivos cargos de gran responsabilidad. Entre 1620 y 1622, el cordobés fue rector y maestro de novicios del colegio de Tepotzotlán, y durante los cuatro años siguientes residió en la Casa Profesa, el centro rector de la provincia, al servicio de los distintos grupos capitalinos: de los nobles a la plebe. Sus residentes sólo podían vivir de la limosna, sin tener fincas ni rentas asignadas. En 1626, Pérez de Ribas obtuvo su primer cargo relevante: rector del Colegio Máximo, que dirigió hasta 1632, siendo inmediatamente designado como superior de la Casa Profesa (1632-1637). Tras unos meses sin responsabilidades, fue elegido provincial de la Nueva España (1638-1641). La constante presencia del jesuita cordobés en los principales cargos del virreinato demuestra el gran aprecio del General de la Compañía por sus habilidades, estima que se renovó en las décadas de los cuarenta y los cincuenta: primero como procurador en Roma y Madrid (donde permaneció de 1643 a 1647) y después como superior de la Casa Profesa (1650-1653). A partir del último año, Pérez de Ribas vivió retirado en el Colegio Máximo, escribiendo diversas obras históricas y alegatos a favor de la Compañía. Murió el 26 de marzo de 1655 en la ciudad de México, contando con casi ochenta años de edad.

GÉNESIS Y ESTRUCTURA DE LA *HISTORIA DE LOS TRIUNFOS*

Pérez de Ribas elaboró la *Historia de los triunfos* durante su estancia en Madrid, entre 1643 y 1645. Aunque llegó a la capital imperial como escala de su viaje a Roma, a donde se dirigía en calidad de procurador de la provincia mexicana en la octava Congregación General de la Orden —a celebrarse a lo largo de 1643—, lo cierto es que portaba un encargo más importante que sus posibles encuentros y labores en la Ciudad Eterna, obligándole a permanecer en Madrid y a ponerse a escribir, en secreto, una larga crónica de casi ochocientas páginas que se imprimió con gran celeridad. Dejaré para más adelante la resolución a este misterio y me detendré primero en las características formales del libro.

La *Historia de los triunfos*, un grueso volumen *in folio* de 764 páginas, la imprimió Alonso de Paredes, cuyo taller estaba junto a los Estudios de la Compañía. La edición estuvo al cuidado del doctor

Francisco Murcia de la Llana, corrector general de los libros de su majestad Felipe III, el mismo que firmó en 1604, hoja a hoja, el manuscrito de la primera parte del *Quijote* antes de que se imprimiese[12]. Las primeras hojas de la obra de Pérez de Ribas, reservadas a la dedicatoria al rey Felipe IV, aprobaciones, protesta del autor, prólogo al lector, carta del autor a sus muy reverendos padres y hermanos, índice, licencias, fe de errata y tasa (treinta y ocho páginas en total), están sin numerar, comenzando la paginación en el libro primero. Su precio final fue de 1.005 maravedíes[13].

Pérez de Ribas dividió el texto en doce libros, agrupados en dos partes: siete la primera y cinco la segunda. Cada libro está subdividido a su vez en capítulos, con un número variable: entre los once del primer libro a los cuarenta y cuatro del décimo. En total, el misionero jesuita escribió o supervisó 284 capítulos, lo que da muestra del enorme esfuerzo realizado. El esquema seguido por Pérez de Ribas es frecuente en los libros de la época, aunque no lo es tanto el incluir un interesante «Índice de las cosas notables desta historia» (757-763v) que cierra el libro.

La *Historia de los triunfos* sigue un esquema bien estructurado por el autor en torno al libro séptimo (titulado: «DE LAS CALIDADES PARTICULARES de las Misiones entre gentes bárbaras, y fieras: y de los frutos en común, que en ellas se consiguen, y logran»), piedra angular del discurso, en donde el jesuita incorpora algunas reflexiones generales sobre el sentido, características, dificultades, calidades y frutos de la evangelización, que condensa en unas interesantísimas «ordenaciones particulares con que se gobiernan los Religiosos de la Compañía de Iesús» (Libro VII, cap. XIV, pp. 447-451). Esta reglamentación fue elaborada por el padre Rodrigo Jiménez de Cabrero, quien había sido enviado a la Nueva España como visitador (1609-1610) y provincial (1610-1616) tras una larga trayectoria dentro de la Compañía, donde fue provincial del Perú y rector del Colegio de San Pedro. En dieciséis apartados, Cabrero resume las principales pautas

---

[12] El licenciado Francisco Murcia de la Llana también firmó la Fe de erratas y la concordancia con el original de la segunda parte del *Quijote*.

[13] «Madrid, 1° de Agosto 1645. Tasa: Se ha tasado cada pliego de los dos de dicho libro a cinco maravedís y parece tener 201 pliegos que montan 1.005 maravedís. Y a este precio y no más, mandaron se venda». Citado en Zambrano, 1972, p. 414.

que debía cumplir el misionero para actuar entre «estas gentes bárbaras y nuevas en el mundo», fruto de varias décadas de experiencias y ensayos de numerosos misioneros ignacianos en el Septentrión Novohispano[14].

Este libro central está precedido por otros seis donde se narran los avatares en la entrada, instauración y consolidación del cristianismo en la provincia de Sinaloa (libros I y II); la conversión de la naciones del río Çuaque: los ahome, los çuaques y los teguecos, además de otras comarcanas, como la nación zoe, los huites y los chinipas (libro III); la reducción de los pueblos del río Mayo, como los mayos propiamente dichos, los tepagues y los conicaris (libro IV); la esforzada reducción de los yaquis (libro V) y las evangelizaciones de los nebomes, nures, sisibotaris, sauaripas y batucas (libro VI). En estos seis libros, la narración es fluida. Pérez de Ribas vivió muchas de las acciones que pone por escrito o le fueron narradas por sus protagonistas. Incluye varias cartas de otros jesuitas, pero el testimonio personal domina la escritura. Así lo confiesa el autor en diferentes pasajes: «Escribiré aquí aquello de que fui testigo de vista»[15]. Esta primera parte del libro tiene una unidad en sí, pues se corresponde con un manuscrito titulado *Historia de la Provincia de Cinaloa*, que Pérez de Ribas comenzó a escribir durante su etapa de misionero y que llevó consigo a Madrid en 1643.

La última parte de la obra está dividida en cinco libros, en los que se narra la reducción y conversión de las naciones de la provincia de Topía (libro VIII), de los pueblos xiximes, hinas e himis, agregados a la misión de San Andrés (libro IX), la rebelión de los tepeguanes, donde murieron varios jesuitas y numerosos neófitos (libro X), la misión de Parras (libro XI) y la evangelización de los chichimecas (libro XII). En esta última parte de la narración, el autor utiliza numerosas cartas y relaciones de otros padres, que va clasificando y engarzando en un discurso donde desaparecen sus comentarios personales, ya que Pérez de Ribas apenas conoció esa árida región del centro-norte del virreinato. Pero el cordobés estaba al tanto de lo que ocurría, pues como provincial, rector y superior de la Casa Profesa tenía acceso a las cartas particulares, las cartas annuas y las diferentes relaciones de los je-

---

[14] Sobre el tema, véase la recopilación de Polzer, 1976.
[15] Pérez de Ribas, *Historia de los triunfos*, p. 596.

suitas que laboraban en el Norte[16]. Con estos materiales, que Pérez de Ribas llevó consigo a Madrid, pudo escribir la segunda parte de la *Historia de los triunfos* en un tiempo corto, quizás con la ayuda de uno o varios colaboradores.

En definitiva, la *Historia de los triunfos* se dispuso y estructuró en la Nueva España, concibiéndose su plan general y recolectándose los materiales, si bien su redacción final se realizó en Madrid. Gracias a este acceso directo a los archivos de la Compañía —e indudablemente al éxito de la *Historia de los triunfos*—, Pérez de Ribas recibió el encargo en 1646 de escribir la historia de la provincia jesuita, terminando hacia 1656 el manuscrito de la *Corónica y Historia Religiosa de la Provincia de la Compañía de Jesús de México en la Nueva España*, que quedó inédita hasta 1896 por la muerte del autor y la desidia en obtener las licencias en Madrid y Roma[17].

Indudablemente, gran parte del éxito que tuvo la obra del jesuita cordobés se debió a la novedad de los temas de los que escribía. Pérez de Ribas narra sus vivencias o utiliza documentos de primera mano. Estas circunstancias le otorgaron a la obra un valor inestimable tanto para sus lectores contemporáneos como para los que buscaron fuentes fidedignas a partir del siglo XVII para redactar la historia de la Compañía. El padre Francisco Javier Alegre (1729-1788) escribió en su *Historia de la Provincia de la Compañía de Jesús de Nueva España*:

> La historia de estas gloriosas expediciones escribió difusamente hasta su tiempo el Padre Andrés Pérez de Ribas, en su tomo de folio intitulado *Triunfos de la Fe*, que dio a luz a la mitad del siglo antecedente. Este autor tiene la recomendación de haber florecido a los principios de la fun-

---

[16] Miguel Ángel Rodríguez apunta en la edición de la *Monumenta Mexicana* VIII (1603-1605) que Pérez de Ribas utilizó las cartas annuas, entresacando lo que más le interesaba. Asimismo utilizó profusamente la documentación generada por diversos alzamientos indígenas y los memoriales redactados por los padres. Un caso curioso es una carta escrita por el padre Juan Agustín Espinosa, a modo de testamento, que le impresionó y editó (III, 294-297) y que originalmente se encuentra en la «Anua de la provincia de México y viceprovincia de las Islas Filipinas del año de 1602». Rodríguez, 1991, pp. 81-186.

[17] Pérez de Ribas, *Corónica y Historia religiosa de la Provincia...* Esta obra —muy utilizada por los cronistas jesuitas— se inserta en el cumplimiento de la orden del general Acquaviva (1543-1615) de que se hiciesen historias de los colegios y provincias de la Compañía de Jesús de todo el mundo.

dación de estas misiones, y haber conocido a los sujetos de que trata, o tenido de ellos muy recientes aún las noticias. Se halló por otra parte sobre aquellos mismos lugares, de que escribe, y fue testigo de los maravillosos progresos de la fe en aquellas regiones que cultivó en cualidad de misionero algunos años, *et quorum pars magna fuit*[18].

Este mismo historiador admiró su prosa y calificó la relación de exacta, sincera y bastante metódica. Halagos que también le dedicaron otros jesuitas, aunque en la actualidad su prolijidad y encadenamiento de naciones indias, misioneros, sucesos y prodigios resulte bastante difícil de leer. Además, los numerosos documentos y cartas que contiene la obra causan que su lectura sea interrumpida con bastante frecuencia, perdiendo fluidez.

Otra característica de la *Historia de los triunfos* es la parquedad en fuentes y referencias bibliográficas a pesar de su extensión. Sobresalen los numerosos pasajes bíblicos en latín, que le sirven al jesuita para explicar y justificar los acontecimientos que narra, demostrando un gran dominio de la cultura bíblica. Pero las referencias a otros autores son muy parcas. De los clásicos, incluye una sentencia de Horacio y una cita de Tito Livio, y de los historiadores indianos, acude al cronista Antonio de Herrera y a Juan de Solórzano Pereira[19]. Por último, se encuentra una referencia a la obra *Dícticos Morales* de Michael Verino[20]. Fuera de esto, nada más, lo que demuestra que la obra tiene un carácter religioso, aunque se vea forzado a insertar descripciones geográficas y enumere las costumbres de los indios para enmarcar las empresas espirituales y las conversiones[21]. Desde Sahagún y Acosta se consideró necesario el averiguar las creencias espirituales y costum-

---

[18] Alegre, 1960, I, pp. 346-347.

[19] Se trata de la *Historia general de los hechos de los castellanos en las islas y tierra firme del mar Océano* (Madrid, 1601-1615), la que cita en el libro I, capítulos vii y viii; y *De Indiarum Iure* (Lib. II, cap. xi, p. 58; una segunda cita en Lib. II, cap. xii, p. 61).

[20] Concretamente en el Libro II, cap. xii, p. 61.

[21] En palabras de Pérez de Ribas: «Por lo cual será forzoso antes de entrar a tratar de las empresas espirituales de ella, y conversiones de gentes que se han reducido al gremio de la Santa Iglesia, escribir lo que toca a lo natural del puesto, y sitio de esta Provincia, calidades de ella, las costumbres de gentes fieras que la habitaban; que viene a ser lo material de esta Historia, para tratar después de lo espiritual y alma de ella...». Pérez de Ribas, *Historia de los triunfos*, p. 1.

bres de los pueblos indios con el fin de lograr una profunda conversión y civilización. De ahí que Pérez de Ribas no se olvide de insertar comentarios sobre la vida familiar, la agricultura, las costumbres religiosas, las construcciones, las viviendas, etcétera, que han convertido a la crónica del cordobés en un texto de primera importancia para conocer los pueblos del Noroeste y el proceso de colonización hispano.

FINALIDADES: CONFESADAS Y NO

¿Para qué y para quién escribió el jesuita cordobés su crónica? En este apartado me interesa indagar en las intenciones primeras de Pérez de Ribas al escribir el libro, escritura que estuvo inmersa en los fines políticos y propagandísticos de la Compañía y en la coyuntura de la época. Aunque parezca de Perogrullo, los jesuitas no fueron a visitar ni a entrevistar a los indios, fueron a convertirlos al cristianismo, a lograr reducirlos a pueblos en los que aprendieran civilidad y a enseñarles a obedecer al rey y a sus funcionarios. El interés principal del texto es dar testimonio de la *misión* de la Compañía de Jesús, que recibió la encomienda —del Pontífice y del rey de España— de evangelizar a los indios. Así, aunque en ocasiones se detenga en la descripción de las cualidades y formas de vivir de aquellos pueblos, enseguida retoma la pluma y confiesa: «paso por ellas por no alargar esta Historia con succsos y empresas temporales, por ser las espirituales el principal intento de ella»[22].

Su objetivo es dar testimonio del proceso de evangelización, de la edificación de una nueva Cristiandad en la frontera norte del virreinato para que sirva de ejemplo y motivación a los miembros de la Compañía de Jesús. Al comenzar el libro séptimo, en donde trata sobre los *esforzados trabajos* que deben de padecer los misioneros entre gentes bárbaras y fieras, señala que su escrito servirá de consuelo y aliento a los ministros evangélicos «a quienes principalmente va dirigida esta obra»[23]. No fue una dedicación baladí, pues faltaban jesuitas

---

[22] Pérez de Ribas, *Historia de los triunfos*, p. 105.
[23] Pérez de Ribas, *Historia de los triunfos*, p. 408. En otra parte del relato, de nuevo insiste que se escribe «esta historia principalmente para nuestros Padres de

que quisieran ir a misionar. Al menos durante las primeras décadas del siglo XVII, los llamamientos de las autoridades para que los padres abandonaran los colegios y las ciudades y se marcharan a misionar entre infieles eran constantes, lo que demuestra la persistencia del problema. En carta del 10 de febrero de 1603, por ejemplo, el general Acquaviva recrimina a los padres novohispanos la *flojedad* con que acudían al ministerio de los indios[24].

Consecuente con esta idea, la *Historia de los triunfos* dedica muchas páginas a los encuentros con las rancherías indias, los primeros bautizos, las muestras de buena disposición de los naturales, la destrucción de sus antiguas prácticas y el castigo o la fuga de los que se resistían. Desde su título, el autor anuncia que el tema principal son los éxitos entre pueblos bárbaros y fieros, los mayores del orbe, aunque en los capítulos del libro abunden más los indios receptivos, obedientes y pacíficos —pronto convertidos en buenos cristianos— que los evasivos o recalcitrantes. Los indios, declara Pérez de Ribas, «descienden con los demás hombres del universo de un mismo tronco que es Adán»[25], humanidad de los indios que no siempre era aceptada por los clérigos y frailes. Pero, dentro de esa condición, nuestro cronista, influenciado por Acosta, distinguió varios grados en esa *barbarie*, explicando el interés por conocer los pueblos que habitaban los territorios del Norte «para que se entienda la miseria a que vino a parar el género humano, cuando por el pecado perdió la habitación deleitable y dichosa del Paraíso donde Dios lo había puesto, para traspasarlo de allí al cielo»[26].

También con la finalidad de edificar a sus hermanos, se incluyen en la crónica numerosas biografías de jesuitas que habían trabajado en el Norte, resaltando la de aquellos que habían muerto a manos de los indios[27]. En estas biografías se siguen los parámetros de las hagiogra-

la Compañía de Jesús, que se emplean en estas santas misiones» (Pérez de Ribas, *Historia de los triunfos*, p. 165).

[24] Rodríguez, 1991, p. 21.

[25] Pérez de Ribas, *Historia de los triunfos*, p. 19. Siguiendo de nuevo al padre Acosta, Pérez de Ribas fue partidario del poblamiento de América desde Asia «por la parte del Norte, o por algún brazo angosto de mar, que les fue fácil de pasar, y hasta ahora no está descubierto».

[26] Pérez de Ribas, *Historia de los triunfos*, p. 7.

[27] La lista de estas *vidas* es abultada. En el capítulo segundo, Gonzalo de Tapia; en el tercero, Juan Bautista de Velasco y el hermano Francisco de Castro; en el

fías barrocas, preñadas de convenciones físicas, morales y familiares. Las narraciones de las vidas de los misioneros se convierten en combates entre el bien y el mal, atestados de hechos prodigiosos con en fin de edificar y mover a los lectores, que buscan en estas vidas ejemplos de comportamiento. A esta dimensión didáctica se une otra propagandística: desde la defensa de las actuaciones de la Compañía a la construcción de una memoria colectiva como orden religiosa.

Hay que recordar que la *Historia de los triunfos* fue la primera crónica editada por la provincia mexicana de la Compañía de Jesús[28], lo que la sitúa en un lugar destacado dentro de la historia de las ediciones del instituto. Aunque se escribieron con anterioridad dos pequeñas crónicas que recogen los trabajos y acontecimientos de los ignacianos en el virreinato, estos escritos quedaron inéditos hasta el siglo veinte. En consecuencia, Pérez de Ribas fue el primer cronista editado de la provincia mexicana, en una fecha tan tardía como 1645, cuando las otras órdenes (franciscanos, dominicos y agustinos) ya tenían gruesos libros con los que enaltecer y difundir las labores de sus misioneros en la Nueva España y en el resto de la Cristiandad. Como ha señalado Fernando Torres-Londoño: «Las crónicas afirmaban la misión, la santificaban, la consagraban como manifestación de la gloria divina, expresión de una profunda e íntima comunicación de cada misionero con su Señor»[29].

El mismo Pérez de Ribas se convirtió en uno de los primeros autores de hagiografías de sus hermanos, escribiendo la *Vida, virtudes y*

cuarto, Julio Pascual y su compañero Manuel Martínez; en el quinto, Martín Pérez y Hernando de Villafañe; en el sexto, Vicente del Águila y Jerónimo Ramírez; en el séptimo, Juan de Ledesma, celoso impulsor del seminario de indios de San Gregorio; en el octavo, Hernando de Santarén y Hernando de Tovar; en el noveno, Pedro Granina; en el décimo, Juan Fonte, Juan del Valle, Luis de Alavés, Jerónimo de Moranta, Bernardo de Cisneros y Diego de Orozco; en el onceavo, Juan Agustín y Hernán Gómez; y, por último, en el doceavo, los nueve mártires jesuitas de la Florida.

[28] La primera la escribió Juan Sánchez Barquero (1549?-1619): *Relación breve del principio y progreso de la provincia de Nueva España de la Compañía de Jesús, que abarca de 1572 a 1580* (México, 1945, por Mariano Cuevas, con prólogo de Félix Ayuso). El segundo escrito es una relación de autor desconocido, titulada *Relación breve de la venida de la Compañía de Jesús a Nueva España (de 1572 a 1601)* que también se editó en 1945, en México, por la Imprenta Universitaria, con prólogo y notas de Francisco González de Cossío.

[29] Torres-Londoño, 1999, p. 19.

muerte del padre Juan de Ledesma, editada en México en 1636, siguiéndole en este cometido el padre Luis de Bonifaz, autor de una *Carta
del padre [...] rector del colegio de San Pedro y San Pablo de la Compañía
de Jesús de la ciudad de México [...] en que se da cuenta de las virtudes y
dichosa muerte del padre Alonso Guerrero de la misma Compañía* (México,
Bernardo Calderón, 1640). La Compañía desarrolló una gran actividad hagiográfica debido, en buena medida, a la costumbre de sus
miembros de escribir e imprimir «cartas edificantes» a la muerte de
un ilustre predicador, hermano, dirigente o misionero de su instituto.
Las hagiografías prestaron especial atención a los padres martirizados
por los indios, introduciendo numerosos detalles biográficos en los que
se revelaba la especial elección divina y terminando el relato con emo-
cionantes descripciones del momento del martirio.

En los años previos a la aparición de la *Historia de los triunfos*, la
Compañía de Jesús se mostró exultante con la posibilidad de que las
bárbaras tierras del Norte se regasen con sangre de mártires, lo que
proporcionaría, según nuestro cronista, nuevos abogados en el cielo
que cuidasen de la novel cristiandad que nacía. Hay que recordar que,
poco antes de que Pérez de Ribas viajase a Madrid, el criollo Miguel
Sánchez había editado con gran éxito el *Elogio de S. Felipe de Jesús,
hijo y Patrón de México* (1640), donde se narra la vida del franciscano
descalzo mártir en el Japón, que fue elevado a los altares junto a otros
veinticinco compañeros por el papa Urbano VIII en 1627. La procla-
mación del protomártir tenía un gran significado para los novohispanos, pues México se igualaba a España y a otras naciones en ser patria
de evangelizadores y mártires. «A partir de 1640 —ha escrito Antonio
Rubial— se inició una nueva etapa en la literatura hagiográfica ca-
racterizada por la necesidad de narrar las vidas de personajes que na-
cieron o que actuaron en Nueva España como parte de una historia
patria, historia que quedaba inmersa en el plan divino pues consideraba a esta tierra propicia para fomentar virtudes y prodigios»[30].

Junto a estas finalidades declaradas, la crónica perezriberiana tiene
otro propósito interesante. Un año después de que Pérez de Ribas
fuese elegido provincial de la Nueva España, se suscitó un grave enfrentamiento de la Compañía con el obispo-virrey Juan de Palafox a
causa de la herencia dejada a los ignacianos por Fernando de la Serna

---

[30] Rubial, 2002, p. 344.

Valdez, canónigo racionero de la catedral angelopolitana. La contro-versia sobre el pago de los diezmos de un predio de su propiedad en la ciudad de Veracruz fue exportada a otras cuestiones pastorales y ju-rídicas, hasta desembocar en un grave y general enfrentamiento que vinculó a otros sectores sociales y políticos. Pérez de Ribas fue testi-go de estas graves circunstancias —con un virrey preso, acusaciones cruzadas y episodios soeces y denigrantes— y cuando dejó el cargo, su sucesor, Luis de Bonifaz, y el resto de miembros de la congrega-ción provincial estimaron que sería el mejor defensor de la Compañía en la corte real. Así, nuestro cronista fue elegido para tratar el asunto en Madrid, si bien se disfrazó el encargo con una rutinaria elección de un representante o procurador de México en Roma para asistir a la octava Congregación General de la Orden.

Este encargo explicaría la larga detención en Madrid hasta por lo menos el mes de agosto de 1645 y la rapidez con la que se elaboró y editó la *Historia de los triunfos,* pues esta obra sería un antídoto con-tra las acusaciones de Palafox a la Compañía de elitista y de sólo ocu-parse de las clases acomodadas[31]. Frente a estas calumnias, muchos jesuitas vivían con privaciones y grandes sufrimientos: «doctrinando sus feligreses, bautizando los que nacen de nuevo, teniéndose por di-choso de verse en aquellos desiertos, apartados de las ciudades popu-losas, donde pudieran tener empleos muy lucidos...»[32].

La crónica se enmarcaría, pues, dentro de los planes dispuestos por los padres profesos convocados el 31 de enero de 1643, entre los que estaba el escribir y difundir obras en las que se mostrase la labor pas-toral de la Compañía con diversos colectivos mexicanos, desde las cár-celes y colegios a las misiones más lejanas. Siguiendo el modelo de los viejos conquistadores, quienes expusieron ante la Corona sus memo-riales de méritos y servicios, estos nuevos milicianos de Cristo tam-bién reunieron sus empresas y triunfos para que el monarca y la corte conociesen sus obras.

---

[31] «Acrecentó el motivo para escribir este tratado —señala Pérez de Ribas— el haber llegado a mi noticia que un hereje de estos tiempos publicó otro con-tra la Compañía, notando a sus hijos de que las misiones, y ministerios en que se emplean, los buscan y escogen sólo entre gentes y repúblicas de lustre, ricas y poderosas, como una gran China, Japón y semejantes». Pérez de Ribas, *Historia de los triunfos,* pp. 408-409.

[32] Pérez de Ribas, *Historia de los triunfos,* p. 129.

UN PROTAGONISTA GENERAL: EL DEMONIO

Como señaló James Clifford, las descripciones de los otros siempre incluyen declaraciones sobre uno mismo. En consecuencia, el valor de la *Historia de los triunfos* no sólo se reduce a los numerosos relatos hagiográficos y datos de todo tipo que contiene sobre la evangelización del Norte, sino que además es un documento excepcional sobre las creencias e ideas de Pérez de Ribas y de la Compañía de Jesús. Dentro de ellas, sobresale la presencia diabólica en todo el relato, tanto por las numerosas referencias a los demonios desde el principio hasta el final de la crónica, como por configurar el relato alrededor de la lucha cósmica entre el Bien y el Mal, Dios y Satanás. Este combate, ahora concretado en un escenario y una temporalidad precisa, va a explicar la titánica labor de los misioneros, cuyo principal cometido no será convertir a los indios sino liberarlos de las garras del demonio. Los jesuitas creían en una intervención constante de las fuerzas del bien y del mal en el quehacer de los hombres, por insignificante que fuese una acción, lo que James Tice Moore llamó «la realidad inmediata del mundo invisible»[33].

Esta imagen perturbadora tenía varios siglos de existencia en el discurso católico. Como ha señalado Jean Delumeau, el Descubrimiento de América coincidió temporalmente con el ascenso del miedo al Diablo en la Europa Occidental[34]. Su inquietante presencia acompañó a Colón en sus primeras visiones de América y posteriormente se instaló en el nuevo continente con gran éxito, reelaborándose su imagen, características y atributos, después de 1492, con nuevos rasgos extraídos de las culturas prehispánicas[35]. Como señaló el jesuita José de Acosta, honrar y servir a los ídolos indígenas y al demonio «es lo mismo». Por ello, los misioneros destinados al Nuevo Mundo debían aguzar el ingenio y perfeccionar los métodos misionales para descubrir la presencia demoníaca en todos los aspectos de las culturas indígenas, por trivial que fuese, con el fin de derrotar al Maligno e impedir que sobreviviesen restos de la idolatría en el culto cristiano gracias al mestizaje.

---

[33] Moore, 1982.
[34] Delumeau, 1989, pp. 361-392.
[35] De Mello, 1993.

Aunque era una figura frecuente en los cronistas de otras órdenes (por ejemplo, en los franciscanos), las referencias al demonismo en la obra de Pérez de Ribas son extraordinarias[36]. El paisaje del Noroeste, en buena parte desértico, favorece la identificación de estos espacios como el reino del demonio: «secos y horribles despoblados, faltos de agua ya por medio de espesos arcabucos y espinosas selvas; otros por marismas y médanos ardientes de arena, sedientos de la salud de estas almas», pues no en vano los evangelistas habían situado en el desierto las tentaciones del Diablo a Jesús. Por tanto, no era difícil el asimilar el desierto con la morada del Maligno; y su conquista espiritual, con una tarea primordial de las legiones que se autodenominaban de Cristo. Pero, además, para la tradición judeo-cristiana, el desierto era morada de los eremitas, de los santos padres que recibieron la santidad en combate con los demonios tras su resistencia a las tentaciones de los infernales. «Los jesuitas evangelizadores de América —señala Rozat— se acordarán de esta lección y la tentación de la marcha al desierto permanecerá viva en los ánimos más exaltados, incluso el vaivén predicación urbana/retiro espiritual *al desierto*, es una constante de la aspiración mística cristiana desde la época de los padres del desierto»[37].

Los demonios impulsan a los indios a rechazar la evangelización, a seguir con sus costumbres, a rebelarse y expulsar a los padres, y, en último caso, a matarlos para poder seguir perseverando en sus supersticiones. Hace algunos años, Guy Rozat remarcó el papel pasivo de los indios en la crónica de Pérez de Ribas, diseñados con rasgos *infernales* para cumplir su papel en el gran teatro del Norte:

> sus indios son siempre seres acartonados; las situaciones narradas, por lo general estereotipadas; e incluso la escritura de todas las figuras aparentemente más *humanas* de la epopeya: sacerdotes, militares y neófitos cristianos se parece a personajes arquetípicos que tienen que ver más con el teatro para la evangelización de masas o con los libros de hagiografías cristianas edificantes de la época, que con los textos que la práctica his-

---

[36] En la página 17, por ejemplo, aparece: «trata con el demonio», «Satanás», «endemoniados curanderos», «el demonio», «este enemigo del género humano», «pacto con el demonio», «pacto que suelen tener en todo esto con el demonio», «asentado el demonio» y «la familiaridad del demonio». Ver Velázquez, 2006, pp. 407-449.

[37] Rozat, 1994b.

toriográfica actual considera «como fuentes históricas», como son los reportes oficiales de visitas, cuentas de flujos económicos en las misiones, padrones o actas demográficas, etcétera[38].

Esto no significa que la crónica no contenga información útil sobre las costumbres, los rasgos y el espacio del Noroeste, si bien, los datos proporcionados por Pérez de Ribas deberán ser contrastados con otras fuentes literarias, antropológicas, etnográficas y geográficas para determinar la fiabilidad de los datos.

La guerra de imágenes (demonios/santos, jesuitas/bárbaros, Diablo/María) no fue privativa de la Compañía, pues, como ha señalado Carlo Ginzburg, la obsesión por la polaridad tiene profundas raíces biológicas: «La especie humana tiende a representarse la realidad en términos de antinomias. En otras palabras, el fluir de las percepciones es expresado sobre la base de categorías netamente contrapuestas: luz/oscuridad, calor/frío, arriba/abajo»[39]. Y, cómo no, Cielo e Infierno. Como complemento de esta geografía mítica, la Iglesia inventó el Purgatorio, un tercer lugar para purificar el alma antes de entrar en la Gloria. Aunque nos encontramos ante una importante novedad que fructificó en el siglo XII, no se trataba de un destino final, sino sólo de una estación temporal.

EPÍLOGO

La crónica de Pérez de Ribas ha sido calificada, tanto por historiadores clásicos (Bolton) como modernos (Ahern, Ortega Noriega, Rozat), como una obra maestra del XVII novohispano. Daniel T. Reff la ha calificado como «un manual para los misioneros que fueran enviados a la frontera de Nueva España»[40]. El cuidado y el detalle con los que el jesuita cordobés contó la empresa misionera en el Norte y las costumbres y creencias de los indios la han convertido en una fuente fundamental para el estudio del contacto entre los occidentales y los pueblos indígenas en una amplia área del Septentrión Novohispano. Desde el momento de su publicación, la *Historia de los triunfos* se convirtió en una

---

[38] Rozat, 1995, p. 59.
[39] Ginzburg, 1989.
[40] Reff, 1993, p. 309.

obra de primera magnitud, como escribió el gran escritor jesuita Alegre, con cuyas palabras finalizamos este trabajo: «Debe estarle en un sumo agradecimiento nuestra provincia [a Pérez de Ribas], por el cuidado que tuvo en conservarnos las memorias de los antiguos sucesos, haciéndose lugar, para escribir, en medio de las grandes ocupaciones de misionero, de provincial y de procurador a Roma dos veces, no sólo la dicha historia de Sinaloa, sino otros dos tomos manuscritos de las fundaciones de todos los colegios que hasta su tiempo había en Nueva España»[41].

BIBLIOGRAFÍA

ALEGRE, F. J., *Historia de la provincia de la Compañía de Jesús de Nueva España*, 4 tomos, Roma, Institutum Historicum S.J., 1960.

DEL RÍO, I., *La aplicación regional de las Reformas Borbónicas en Nueva España. Sonora y Sinaloa, 1768-1787*, México, UNAM, 1995.

DELUMEAU, J., *El miedo en Occidente (siglos XIV-XVIII). Una ciudad sitiada*, Madrid, Taurus, 1989.

DE MELLO E SOUZA, L., *Inferno Atlântico. Demonologia e colonizaçao. Séculos XVI-XVIII*, São Paulo, Companhia das Letras, 1993.

DUNNE, P. M., *Andrés Pérez de Ribas*, New York, United States Catholic Historical Society, 1951.

GALÁN GARCÍA, A., *El Oficio de Indias de los Jesuitas en Sevilla, 1566-1767*, Sevilla, Fundación Fondo de Cultura de Sevilla, 1995.

GAOS, J., *Historia de nuestra idea del mundo*, México, Fondo de Cultura Económica, 1973.

GERHARD, P., *La frontera Norte de la Nueva España*, México, UNAM, 1996.

GINZBURG, C., «Lo alto y lo bajo. El tema del conocimiento vedado en los siglos XVI y XVII», en *Mitos, emblemas, indicios. Morfología e Historia*, Barcelona, Gedisa, 1989, pp. 94-116.

GONZALBO AIZPURU, P., *La educación popular de los jesuitas*, México, Universidad Iberoamericana, 1989.

GUZMÁN BETANCOURT, I., «La verdadera historia de la conquista del Noroeste», en Pérez de Ribas, Andrés, *HISTORIA/ DE LOS TRIVMPHOS DE NVESTRA/ SANTA FEE ENTRE GENTES LAS MAS BARBA-*

---

[41] Alegre, 1960, I, p. 347. Es curioso que el jesuita cordobés no fuera incluido dentro de los varones importantes de la Compañía que el padre Juan Antonio de Oviedo recopiló en su *Menologio de los varones más señalados en perfección... de la Compañía de Jesús de Nueva España* (1747), y que su muerte fuese olvidada en la obra del padre Alegre, a pesar de lo mucho que se aprovechó de sus crónicas.

RAS, / y fieras del nueuo Orbe: conseguidos por los Soldados de la / Milicia de la Compañía de IESVS en las Missiones / de la Provincia de Nueua- / España, Madrid, Alonso de Paredes, 1645. Edición facsimilar, México, Siglo Veintiuno Editores, 1992, pp. ix-xxxv.

MOORE, J. T., Indian and Jesuit: A Seventeenth Century Encounter, Chicago, Loyola University Press, 1982.

ORTEGA NORIEGA, S., «El sistema de misiones jesuíticas: 1591-1699», en Sergio Ortega e Ignacio del Río (coords.), Tres siglos de historia sonorense (1530-1830), México, UNAM, 1993, pp. 41-94.

PÉREZ DE RIBAS, A., HISTORIA / DE LOS TRIVMPHOS DE NVESTRA / SANTA FEE ENTRE GENTES LAS MAS BARBARAS, / y fieras del nueuo Orbe: conseguidos por los Soldados de la / Milicia de la Compañía de IESVS en las Missiones / de la Provincia de Nueua- / España, Madrid, Alonso de Paredes, 1645.

— Corónica y Historia Religiosa de la Provincia de la Compañía de Jesús de México en Nueva España, 2 tomos, México, Imprenta del Sagrado Corazón de Jesús, 1896.

— Historia de los triunfos de Nuestra Santa Fe entre gentes las más bárbaras y fieras del nuevo orbe, 3 vols., México, Editorial Layac, 1944.

— My life among the savage nations of New Spain, Los Angeles, Ward Ritchie Press, 1968.

— HISTORIA / DE LOS TRIVMPHOS DE NVESTRA / SANTA FEE ENTRE GENTES LAS MAS BARBARAS, / y fieras del nueuo Orbe: conseguidos por los Soldados de la / Milicia de la Compañía de IESVS en las Missiones / de la Provincia de Nueua- / España, Madrid, Alonso de Paredes, 1645. Edición facsimilar, México, Siglo Veintiuno Editores, 1992.

— History of the Triumphs: Of Our Holy Faith Amongst the Most Barbarous and Fierce Peoples of the New World, an English translation based on the 1645 Spanish original by D. T. Reef, M. Ahern and R. K. Danford; annotated and with a critical introduction by D. T. Reff, Tucson, The University of Arizona Press, 1999.

POLZER, Ch. W., Rules and Precepts of the Jesuit Missions of Northwestern New Spain, Tucson, The University of Arizona Press, 1976.

REFF, D. T., «La representación de la cultura indígena en el discurso jesuita del siglo XVII», en La Compañía de Jesús en América: evangelización y justicia. Siglos XVII y XVIII, Córdoba, Provincia de Andalucía y Canarias de la Compañía de Jesús/Junta de Andalucía/Ayuntamiento de Córdoba, 1993, pp. 307-314.

RODRÍGUEZ, M. A., S.J. (ed.), Monumenta Mexicana VIII (1603-1605), Roma, Instituto Histórico de la Compañía de Jesús, 1991.

ROZAT DUPEYRON, G., «La figura diabólica como ordenador del discurso de la crónica de Pérez de Ribas», Cuicuilco, 1, núm. 2, 1994a, pp. 39-49.

— «Historia y literatura apologéticas. Algunas cuestiones de método», *Historia y grafía*, 2, 1994b, pp. 80-99.

— *América, imperio del demonio. Cuentos y recuentos*, México, Universidad Iberoamericana, 1995.

RUBIAL GARCÍA, A.: «La crónica religiosa: historia sagrada y conciencia colectiva», en R. Chang-Rodríguez (coord.), *Historia de la literatura mexicana*, vol. 2, México, UNAM/Siglo XXI, pp. 325-371.

TORRES-LONDOÑO, F., «La experiencia religiosa jesuita y la crónica misionera de Pará y Maranhao en el siglo XVII», en S. Negro y M. M. Marzal, S.J. (coords.), *Un reino en la frontera. Las misiones jesuitas en la América colonial*, Lima/Quito, Pontificia Universidad Católica del Perú/Ediciones Abyayala, 1999, pp. 15-36.

ZAMBRANO, F., S. J., *Diccionario Bio-Bibliográfico de la Compañía de Jesús en México. Tomo XI. Siglo XVII (1600-1699)*, México, Editorial Jus, 1972.

JOSÉ CELESTINO MUTIS. UN GADITANO EN LA GÉNESIS DE LA ILUSTRACIÓN COLOMBIANA

María Caballero
Universidad de Sevilla

Cuando hace varios meses se me planteó participar en este volumen, me apeteció revisar un viejo artículo, un trabajo publicado en las actas de aquellos congresos que organizaba Bibiano Torres, director de la Escuela de Estudios Hispanoamericanos, como pórtico del controvertido 92 bajo el título *Andalucía y América*. Se trataba de un estudio sobre el *Diario de observaciones* que acompañó durante toda su existencia —bien es verdad que con intervalos— la vida del ilustre granadino. Me permito hacer una confesión: siempre me gustaron los libros agenéricos, los que escapan al ilustre y más que codificado canon literario: autobiografías, diarios, memorias, libros de viajes... Tal vez por eso he publicado *Recuerdos de provincia* (1850), del argentino Sarmiento, tan odiado por nuestros alumnos, lectores de su *Facundo*... o el *Viaje a La Habana* (1844), de la cubanofrancesa condesa de Merlin, e incluso un estudio sobre *La peregrinación de Bayoán* (1863), novela con estructura de libro de viajes del puertorriqueño Eugenio María de Hostos. Por no hablar de que la primera parte de mi investigación para la cátedra contempló un corpus de memorias del Río de la Plata que me parecieron un mar sin orillas, corpus editable que está ahí, esperando, como tantas cosas en nuestra atareada vida universitaria. Simplemente, me permití dejar constancia del asunto en el último congreso del Celcirp celebrado en Alicante hace tres años y cuyas actas están editadas.

En fin, un preámbulo quizá un poco largo, pero necesario para comprender hasta qué punto me sentí tentada por la revisión del *Diario de observaciones*. Si a eso añadimos que tenía en perspectiva pasar por Colombia, algo que pude realizar el pasado septiembre, se comprenderá que me animara a trabajar Mutis.

Pero vamos al grano. El inconveniente del diario de Mutis es que, pese a lo que en su momento dijera Jean Franco, no tiene valores literarios, tal vez porque no escribe desde esos parámetros o porque el texto no da para más. En ese sentido, una vez repasado mi viejo trabajo, me reitero en lo que expuse allí respecto a sus valores sociológicos —y una parte de mi trabajo actual reincidirá en ello, la que aborda al viaje de España al Nuevo Mundo—. Pero quiero ir más allá y estudiar la etapa neogranadina del gaditano no sólo por lo que se refiere al *Diario*, sino a través de la correspondencia y de testimonios que permiten conceptuarlo como representante de esa Ilustración católica del Nuevo Mundo, tan silenciada como real. Mutis se inscribe a sabiendas en la disputa de la teología física, que arrancaba de años atrás y cuyos exponentes son afamados europeos de los que ya sabe cuando viaja a América y con algunos de los cuales, incluso sus hijos —véase Linneo— mantendrá correspondencia a lo largo de su vida.

Del Diario y sus Observaciones: la aventura del joven Mutis

El rescate del diario, las primeras biografías y estudios más o menos sistemáticos los debemos a Gredilla y Hernández de Alba. En 1911 aparece la biografía del primero, entonces director del Real Jardín Botánico de Madrid, que incluye el texto del *Diario...* entre julio de 1760 y febrero del 62. La edición marcó un hito no superado hasta 1957, en que Hernández de Alba edita de nuevo el *Diario...* aprovechando una serie de manuscritos descubiertos en el mismo Botánico. Su texto amplía del 63 al 90 la edición anterior y es la que suele utilizarse —yo lo hice así— en los trabajos sobre el gaditano.

El *Diario...* desempeña el papel de confidente de un Mutis que se va forjando como persona e intelectual. Lo más ¿creativo? corresponde al primer tramo de su vida, el viaje al Nuevo Mundo: Madrid, 28 de julio de 1760-Cádiz, 8 de agosto de 1760; Cádiz, 6 de septiembre de 1760-Cartagena de Indias, 29 de octubre de 1760; y

Cartagena de Indias, enero de 1761—/Santa Fe de Bogotá, 18 de febrero de 1761. Gaditano, tercero de ocho hermanos y nacido en el seno de una familia bastante culta y religiosa de libreros y comerciantes, realiza estudios de filosofía y medicina en Sevilla y Cádiz, tras lo cual marcha a Madrid donde, además de desempeñarse en la cátedra de anatomía, cuajan sus primeras aficiones botánicas: en el 57 lo encontramos colaborando con el director del Real Jardín Botánico en su primera ubicación de Migas Calientes. Por ello, a pesar de haber sido seleccionado por el rey para ampliar estudios en Leyden y Bolonia, en 1760 decide acompañar en calidad de médico al recién nombrado virrey de Nueva Granada, don Pedro Mesía de la Cerda y Cárcamo, marqués de la Vega y Armijo, fascinado por la posibilidad de estudiar de primera mano la flora americana. Nunca retornará. Va atraído por ese «paraíso» que no le decepcionará. En la entrada del diario de viaje de Cartagena a Santa Fe de Bogotá correspondiente al 19 de enero de 1761 escribe: «ningún sitio tan ameno ni tan delicioso para un botánico europeo en iguales circunstancias a la que yo me hallaba; por corto espacio en una playa me hallé con un crecido número de plantas no vistas por mí hasta entonces; unas por nuevas y otras por no observadas todas llamaron igualmente mi atención»[1]. Paraíso, sí, pero al que se accede no sin esfuerzo y cuyo estudio sistemático le llevará una lucha de años contra las instituciones y, sobre todo, contra la naturaleza. El 5 de enero de 1762 apunta: «El día 5, martes, empleé la mayor parte de la mañana en la separación de muchas semillas, que recogí en Cartagena y en el río; trabajo verdaderamente enfadosísimo, siendo preciso ir apartándolas con un exacto cuidado para evitar confusión. También hallé la grande cantidad de semilla que recogí en el río de la *Arsitoloquia* particular. Esta pérdida me hubiera sido muy sensible por el inmenso trabajo y fatigas que recibí para obtenerla, después que me enseñaron la flor»[2]. Es decir, habrá que trabajarse el paraíso, pero merecerá la pena. Pero no adelantemos acontecimientos.

Me propongo, entonces, hacer algún comentario sobre la primera parte del *Diario de observaciones* siguiendo el estudio de los libros de viajes de Julio Peñate, bastante modélico, si bien me gustaría puntua-

[1] Mutis, *Escritos botánicos*, p. 38.
[2] Mutis, *Escritos botánicos*, p. 47.

lizar alguna de sus propuestas. De hecho, él plantea tres posibles y complementarios campos de estudio en relación a este tipo de textos: *plano de contenido, plano de la expresión y plano de la significación*. Por lo que se refiere al estudio del diario mutisiano habría que reelaborar y fundir el primero con el último, es decir, el *qué* y el *por qué*. Aunque parezcan bien distintos, tienen muchos puntos de contacto. En el primero examina el proyecto, las fuentes informativas, los medios de transporte, la veracidad y el azar como generador de peripecias narrativas. En el plano de la *significación* trabaja el destinatario, el sentido del viaje, la motivación de la escritura, la concepción del mundo del autor, y la funcionalidad literaria y cultural del viaje mismo. Bastante completo, como pueden observar. Por fin, el plano de la *expresión* engloba el estilo —no podía ser de otra manera—, la presencia del narrador en el texto, las digresiones e historias intercaladas, el ritmo y la previsible alternancia de narratividad/descriptividad, o de intimismo/exterioridad, el cronotopo y las conexiones con otros géneros —memorias, diarios, informes, utopías...— o disciplinas —historia, autobiografía... etc.—. Es decir, el *cómo*.

Ante todo, conviene recordar que su viaje no está concebido con una prioritaria finalidad ilustradora, objetivo de los viajes económicos de un Jovellanos, por ejemplo, sino que tendrá más puntos de contacto con viajes científico-naturalistas, como los de Sarmiento a Galicia (1745), o las *Observaciones sobre el reino de Valencia* (1793-1797), de Cavanilles. Sin olvidar lo que le acerca a los viajes literario-sociológicos, abundantes en la segunda mitad del siglo: el *Viaje a la Mancha* (1774), de José Viera y Clavijo; el *Viaje a la Alcarria* (1781), de Tomás de Iriarte; o el conocido *Viaje de España*, de Ponz. Por la cronología, es fácil deducir que se inscribe en un género híbrido, sin parámetros formales definidos, en el que convivirán lo descriptivo y lo narrativo/argumentativo... Un género que comparte con la autobiografía la triple identidad de autor, narrador y personaje. La mirada del segundo —el narrador en este caso como alter-ego del autor— mediatiza la representación. Mutis aprovechará sus dotes de observador, descartando prejuicios y dirigiendo la atención a lo útil. Por ello, dará cuenta de los caminos, posadas, la geografía física y las costumbres del medio por el que atraviesan. Como resultado de su escritura tenemos el diseño de una España agrícola, con caminos que son meras rutas campestres (hasta las ordenanzas de Ensenada de 1749 no existe una red de carreteras a cargo del Estado), cuya peligrosidad es un tópico que, por desgracia, funciona... los asaltos en Sierra Morena son obligados. El diario se propone una mirada lo más objetiva posible sobre la rutina diaria... incluso lo más ridículo:

> A media legua de Madrid, asustado el mulo por el ruido de las cuentas del rosario que iba rezando, me tiró a tierra [...]. Mi caída fue del lado derecho, y tan fuerte, que aplastó una caja de tabaco que traía en aquel bolsillo, pero salvando la cajita de la aguja imantada[3].

El narrador, a tono con textos de época como el *Lazarillo de ciegos caminantes*, en cuyo prólogo se hace una apología de las postas y que dedica todo el capítulo VIII a las mulas, medio de transporte ideal por su bajo coste y alta resistencia; el narrador —decía— no vacila en incluir lo ridículo o jocoso, tal vez porque el protagonista de la aventura no es un ser excepcional, sino más bien un hombre frágil, que andando el tiempo, velará por su salud a base de dieta rigurosa. Del corto párrafo, podemos extraer al menos dos notas para caracterizarlo: es hombre religioso y científico (se preocupa más de los instrumentos de trabajo que de su salud). La posada, el obligado alto en el camino, «es mediana en sus comodidades, la compostura de los alimentos y el servicio es sin duda lo mejor que permite el país»[4]. El eufemismo se mantiene, pero el lector lee entre líneas: «entramos en la posada segunda de las dos que hay en el lugar donde nos alojamos con muchísima incomodidad [...]. Nuestro descanso fue correspondiente al que nos prometió el alojamiento»[5]. La ironía alude a la más que deficiente infraestructura del país: la presencia de parásitos y la casi ausencia de comida, que obligaba a proveerse o buscar parientes y amigos para comer decentemente en los altos del camino. Cuando lo consiguen (por ejemplo, al recibirlos el padre de los arrieros que le acompañaban), el júbilo por el banquete es inmenso:

> Su trato para con nosotros fue espléndido en cuanto lo permite el sitio. Nos sirvió el almuerzo con un gran plato de carne y otro plato de

---

[3] Mutis, *Diario de observaciones de José Celestino Mutis (1760-1790)*, ed. G. Hernández de Alba (cito siempre por esta edición), I, p. 2.
[4] Mutis, *Diario*, I, p. 4.
[5] Mutis, *Diario*, I, p. 11.

asadura bien compuesta. El pan y el vino iban con exceso abundantes, y la cama tan buena como podría tenerla en mi propia casa[6].

En cuanto a las descripciones, su mirada no es la de un literato, sino la de un médico ilustrado: «El lugar es bastante sano y está situado al pie de un gran cerro» —dirá en varias ocasiones—. A él le interesa la flora, está obsesionado por *herborizar,* auténtico interés científico y medio para combatir el aburrimiento: «empezamos a subir la sierra —dice en un determinado momento— que hubiera sido casi insoportable para mí a no hallarme divertido por la variedad de plantas que comenzamos a observar»[7]. Hace sus listas de plantas, anotando las nuevas especies descubiertas, nombre y procedencia. Para aprender, pregunta una y otra vez a los lugareños... y así va configurando su herbario mediante la sistemática recogida de ejemplares. Actitud que no le abandonará hasta su muerte. La flora se adueña por completo del diario americano, incluidas extensas listas clasificatorias.

De todos modos y por el momento, es un joven con ojos para la realidad circundante. Los comentarios que va dejando caer al hilo del viaje hasta Sevilla convierten su diario es un texto costumbrista, lleno de sabrosas anécdotas que ponen el dedo en la llaga de los males del país. Así, la cena con un arriero que lanza exabruptos por la falta de vino le da pie para una serie de reflexiones morales acerca de la capacidad del ser humano: puede ser un santo varón o una fiera colérica. La ausencia de Misa en día de precepto al llegar a una venta del camino le permite calibrar la temperatura religiosa del país compatible con la tacañería —mejor no pagar al cura—. Igualmente, tiene oído para las divergencias fonéticas: al llegar a Córdoba detecta la presencia de h aspirada y comprueba si funciona o no el seseo. Y es que —dice— «procuré reparar el acento de esta ciudad de Andalucía»[8]. En esta atenta mirada a las costumbres del país, a la laboriosidad femenina de la Mancha que elogia, «me servía de mucha complacencia pasear por las calles del lugar y ver que ninguna mujer vivía ociosa»[9] —anota—, tenía que haber un lugar para la medicina, frente a cuyos usos se advierte una doliente postura reformista. Como era de espe-

---

[6] Mutis, *Diario*, I, p. 24.
[7] Mutis, *Diario*, I, p. 13.
[8] Mutis, *Diario*, I, p. 20.
[9] Mutis, *Diario*, I, p. 5.

rar, ante la resignación del pueblo frente al lamentable estado de la cirugía, la mentalidad racional de Mutis reacciona con asombro:

Nos sorprendió bastante esta práctica y aumentaba nuestra admiración al notar que no había indicación alguna para la sangría en aquella enfermedad [...] llegó el cirujano con quien hablamos en el asunto, y aunque se mostraba convencido de las razones que nosotros le presentamos contra el uso de las sangrías del pie en las preñadas [...], añadió que era práctica constantemente observada en aquel lugar[10].

EL MUNDO NATURAL Y SUS SECRETOS: LA AVENTURA DE UN CIENTÍFICO

La segunda parte del *Diario*... corresponde a su estancia en Nueva Granada con algunos desplazamientos hacia el interior, el mundo de las minas. Se extiende desde el 24 de febrero del 61 hasta 1790, incluyendo el viaje a Cartagena del 63-64. Entre 1766 y 1782 escribe menos y desordenadamente. Ahora es un científico, lo que implica nula dispersión mental a la hora de transcribir sus anotaciones. Se centra en los apuntes naturalistas, especialmente entre 1783 y 90, al hilo de la Real Expedición Botánica, que constituye lo más extenso de su diario. La crítica ha cuestionado si esta parte puede o no considerarse como libro de viajes. Al respecto, coincido con Ángela Pérez Mejía en que el diario (todo él reflexiones científicas) «siguió siendo para él su interlocutor personal»[11].

Mutis llega a Nueva Granada en 1761 y muere en 1808, es decir, vive cuarenta y siete años en lo que será la Colombia independiente. Si lo interesante desde la *Odisea* es ver en qué medida el viaje transforma al viajero, la experiencia americana convierte al gaditano en un hombre distinto; en esos años pasa de ser «un europeo afectado por el mal de América»[12], a convertirse en ciudadano de un mundo que todavía no tiene rótulo político —recuérdese que Bolívar entrará en Santa Fe en 1817, cuando hayan transcurrido varios años de su muerte—. En ese sentido, la mayoría de la bibliografía reseña la importancia que tuvo la Real Expedición Botánica como caldo de cultivo de

---

[10] Mutis, *Diario*, I, p. 9.
[11] Pérez Mejía, 2002, p. 26.
[12] Pérez Mejía, 2002, p. 17.

la independencia americana. Seguramente fue así, aunque el examen del diario mutisiano no nos permite colegirlo. No cabe duda del papel que jugaron los ilustrados en la gestación de las naciones independientes. Si nos atenemos al planteamiento de Janik, la Ilustración «legitimó las aspiraciones independentistas entre 1810 y 1824 y movilizó las fuerzas en el periodo subsiguiente, dedicado a la construcción de estados y sociedades nacionales»[13], es decir, se prolongó ampliamente en el romanticismo. Tesis que ya había esbozado en un trabajo anterior en el que se insiste en el papel fundamental de la Ilustración como fuente principal del pensamiento de la primera mitad del siglo XIX, en su deseo de «conformar de hecho sociedades *sociables,* que integren plenamente a sus miembros con sus capacidades respectivas»[14].

Pero yo quisiera apuntar en otra dirección que tiene que ver con el papel desempeñado por Mutis en la Ilustración suramericana. Porque indudablemente es un hombre de dos mundos: críticos como María Paz Martín Ferrero reseñan el «maridaje entre su andalucismo universal y un neogranadismo receptor y envolvente»[15], términos algo retóricos pero que permiten intuir cómo nuestro hombre va poco a poco siendo captado por la nueva realidad.

Y lo hace a partir de su progresiva incorporación a la nueva realidad: trabajará como médico y constan sus lamentos por el tiempo «perdido» en esta profesión. En la entrada diarística del 17 al 28 de septiembre del 61, casi recién llegado, escribe: «tan distantes han sido mis ocupaciones, que no he podido hacer progreso alguno en la Historia Natural. Todo este tiempo lo llevo empleado en la amarga práctica de la medicina, viéndome en la precisión de asistir a un elevado número de enfermos»[16]. Me gustaría adelantar cómo su contacto con los indígenas le servirá para vencer su prevención hacia la «barbarie» y trastocar su concepto de civilización. Al final de su existencia, el médico y el botánico están muy cerca en su estimación. Defendiéndose con ironía de algunas acusaciones en carta de 30 de junio de 1778 al virrey Flórez, dirá: «a los médicos, tanto como a los

---

[13] Janik, 2005, p. 272.
[14] Janik, 2003, p. 275.
[15] Mutis, *Escritos botánicos,* p. 10.
[16] Mutis, *Escritos botánicos,* p. 43.

botánicos les pertenece de conciencia distinguir la venenosa *cicuta* parecida al *perejil*, las falsas cortezas parecidas a la *quina*»[17].

Paralelamente al ejercicio de la medicina, acepta una cátedra de matemáticas en el colegio del Rosario de Santa Fe (1762-1766 y a perpetuidad desde el 86) en la que enseñó a Copérnico y Newton impulsando los modernos estudios de astronomía; lo que, a corto plazo, le valió la denuncia ante la Inquisición por parte de los dominicos en 1774. Nunca se amilanó, mantuvo su lucha por descubrir los secretos del mundo natural, entre otras cosas, solicitando el apoyo de la Corona española a partir de fines del 63. Cual nuevo Colón, vendiendo esa imagen de una América fuente inagotable de riquezas, quiere interesar al gobierno de la metrópoli en hacer una Historia Natural del Nuevo Reino de Granada. «Pasarán veintiocho años antes de que sus súplicas a la corona para que le patrocine su sueño científico sean escuchadas»[18]. Y andando el tiempo, el 26 de junio del 64 escribirá a Carlos III planteándole en tercera persona como objetivos deseables lo que, de hecho, ya él lleva realizando casi toda su andadura americana:

La América, en cuyo afortunado suelo depositó el Creador infinitas cosas de la mayor admiración, no se ha hecho recomendable tan solamente por su oro, plata, piedras preciosas y demás tesoros que oculta en sus senos; produce también en su superficie para la utilidad y el comercio exquisitos tintes, que la industria irá descubriendo entre las plantas; la cochinilla [...]; muchas gomas, de que pudieran hacerse algunos usos ventajosos en las artes; maderas muy estimables para instrumentos y muebles; produce finalmente para el bien del género humano, muchos otros árboles, yerbas, resinas y bálsamos, que conservarán eternamente el crédito de su no bien ponderada fertilidad. *Un viajero debería ir recogiendo, describiendo y conservando semejantes producciones, para que depositadas en el gabinete y otros lugares públicos, las conocieran los sabios, excitaran su curiosidad y se hiciera de ellas útil aplicación en algún día para bien de los mortales*[19].

Esa fue la vocación de Mutis y a fe que la cumplió.

---

[17] Mutis, *Escritos botánicos*, p.169.
[18] Pérez Mejía, 2002, p. 20.
[19] Mutis, *Escritos botánicos*, p. 65. La cursiva es mía.

Un ilustrado en América

Mi tesis, ya lo adelanté, es que Mutis forma parte de una Ilustración católica que encuentra en el paraíso americano la razón de su existencia. Poco a poco y en la medida en que sus obligaciones y también la necesaria financiación económica se lo permitan, irá dedicando su vida a descubrir y describir esas plantas que justifican las tesis de la teología natural. Estoy firmemente convencida de que los estudios botánicos de Mutis forman parte de un movimiento mundial, sustentado por la filosofía de la vieja Europa y con amplias implicaciones que llegan hasta la teología. Me refiero a la polémica en torno a la teología física. No hay más que seguir su correspondencia —y aquí no tendremos el tiempo suficiente para profundizar en ello, pero podemos dibujar unas líneas del panorama— para confirmar mi sospecha.

Para poder comprenderlo, permítanme unas pinceladas culturales sobre la vieja Europa, en la que se ha formado nuestro hombre y a la que siempre tendrá en cuenta, si atendemos a su correspondencia. «Durante muchos siglos las ciencias amparadas bajo el patrocinio de las matemáticas (astronomía, óptica, música, agrimensura) eran saberes deseables por sus valores estéticos y prácticos, pero despreciables desde la óptica rigurosa de la *búsqueda de la verdad*. Por eso los que cultivaban la ciencia de la naturaleza (la física) preferían con mucho el amparo de la metafísica»[20]. Ya Galileo se adelantó a los románticos al sostener que la naturaleza es un libro escrito por Dios en caracteres matemáticos, y tanto Descartes como Leibniz «trataron de establecer una *mathesis universalis* que daría la verdad acerca de Dios y el hombre»[21]. La apuesta por Newton que realiza Mutis muestra su finura intelectual, hasta qué punto supo intuir que el núcleo decisivo y original de la moderna revolución científica pasaba por él y que «rompiendo con presupuestos muy antiguos y hasta entonces inconmovibles, definen un nuevo modo de entender los fundamentos, la índole, los fines y hasta la utilidad del conocimiento»[22]. Ya no recordamos «la gigantesca ola de entusiasmo que sacudió Europa en el primer tercio del siglo XVIII por el insólito triunfo alcanzado por Newton al descifrar el

---

[20] Arana, 2004, p. 71.
[21] Arana, 2004, p. 75.
[22] Arana, 2004, p. 51.

sistema del mundo en los *Principia*»[23]. Addison, Pope, Locke, Voltaire y múltiples científicos encabezaron esa marcha que lo encumbra, arrinconando definitivamente a Descartes y Leibniz hacia 1740. Las consecuencias no se hicieron esperar. Porque «antes del siglo XVIII no hubo nunca una separación tajante entre la ciencia y la filosofía de la naturaleza, y mucho menos una oposición formal entre ellas»[24]. Ahora, la imposibilidad de utilizar en la metafísica el hallazgo de un procedimiento original para resolver las cuestiones científicas distanció ambas disciplinas.

Al margen de lo planteado, habría que deshacer tópicos, como el que habitualmente opone ciencia y religión. Arana insiste en que es falsa la idea de una ciencia enfrentada a la religión en la Francia dieciochesca, «sencillamente, porque tanto la ciencia como la religión carecen de homogeneidad en ese lugar y época y porque ni una ni otra llegan a formar frentes únicos para oponerse a instancias extrañas»[25]. En cuanto a la religión, había protestantes, católicos, deístas, teístas, ateos, agnósticos... un *totum revolutum* difícil de sintetizar. Por lo que se refiere a la ciencia, en la Ilustración era un lujo de príncipes o aristócratas, al margen del sistema educativo. Eso sí, bastante interdisciplinar, como lo demuestran las vidas de Réamur y Buffon, con estilos muy distintos, el primero más ajustado a la observación y el otro más especulativo. Curiosamente, Réamur era considerado devoto, mientras Buffon afrontó sospechas de heterodoxia en 1750, que salvó otorgando a sus teorías el carácter de «mera conjetura filosófica».

Tras un repaso por el contexto histórico y sus hombres, Arana concluye: «los científicos más progresistas de la Ilustración son desde el punto de vista religioso conservadores cuando no ultraconservadores» —y cita a Euler, Haller, Linneo y Réamur, para concluir—: «no hay prácticamente ningún ateo entre los científicos ilustrados»[26]. Por cierto, cosa que no puede decirse de filósofos, literatos e intelectuales en general. Muchos de estos (Voltaire, D'Alembert) optaron por la religión natural como sustituto a lo que dejaban atrás, porque en aquella época descristianización no supone sin más ausencia de todo tipo de religión. Las cosas fueron más complejas...

---

[23] Arana, 2004, p. 54.
[24] Arana, 2004, p. 53.
[25] Arana, 2007, p. 273.
[26] Arana, 2007, p. 277.

Volviendo a los científicos, quizá convenga recordar que Newton y sus discípulos impulsaron la apologética sagrada, basándose en los descubrimientos de la nueva ciencia. Este fue el origen de la denominada *teología física*, cuyo origen está en el libro *Physo-Theology* publicado por William Derham en 1713 y muy de moda en la primera mitad del siglo XVIII. Arana recuerda que los nueve volúmenes de argumentos teocosmológicos recopilados por el abate Pluche en su obra *Le Spectacle de la Nature* (1732-1750, París) fueron más populares que la famosa *Enciclopedia* de Diderot/D'Alembert. Lo cierto es que Hume y Kant, por citar dos intelectuales antípodas, tuvieron muy en cuenta estas doctrinas. La idea de fondo es llegar a Dios explorando el orden cósmico impreso en la historia natural: la obra de Dios —concluyen estos apologistas— es «grande y excelente» y su contemplación muestra cuán poco razonable es la actitud de los «infieles». Temor y obediencia al Señor y gratitud por sus beneficios: esa debería ser la correcta actitud del hombre. Lo que hay que hacer es buscar lo divino en «los sucesos cotidianos, el testimonio de la constitución misma del cosmos, el perfecto ensamblaje de los procesos naturales, la coordinación de los órganos y funciones en los seres vivos», «descubrir la sabiduría de la elección de las leyes y condiciones iniciales del universo, la grandeza que revelan sus dimensiones»[27]. Evidentemente, los continuadores tuvieron problemas para mantener el delicado equilibrio de la *Astro-Theology*, de Derham. Como dice Arana:

> Dios aparece como el matemático supremo, el más hábil mecánico, el rey de los químicos, el mejor óptico, etc. Pasar de esto a identificarlo con el Ser infinito, omnipotente, omnipresente, creador y también con el Ser justo y bueno que entabla una relación personal con el hombre, presentarlo como el Principio supremo en que éste encuentra el sentido de la existencia y la esperanza de culminarla felizmente, supone abandonar el terreno de la teología física para pasar al de la teología metafísica y la teología moral; tránsito difícil y delicado[28].

Linneo es el naturalista más admirado por Mutis, como pone de manifiesto la correspondencia mantenida a partir del 64 desde Bogotá con él y con su hijo. Para Linneo —como para los otros citados— «el

---

[27] Arana, 1999, p. 31.
[28] Arana, 1999, pp. 34-35.

descubrimiento de nuevas leyes, el hallazgo de maravillas escondidas y el desvelamiento de los secretos mecanismos del cosmos no eran interpretados como algo que amenazara el control divino de la creación, ya que muchos veían en unas y otros la confirmación de que el universo no es un ámbito caótico impulsado por una fuerza ciega»[29]. Tanto Linneo como Mutis valoran la botánica, a diferencia de Euler, para quien ésta era un simple «juego de niños» por contraste con la auténtica ciencia, las veneradas matemáticas.

¿Cuánto de esto supo el joven Mutis en Cádiz, Sevilla y Madrid? No tengo datos al respecto, sí la referencia en carta al hijo de Linneo, sin fecha pero con seguridad posterior al 77, de que sabía de su obra y tenía algunos textos de sus discípulos, pero lo cierto es que cuando llega a Nueva Granada, tiene claras las ideas y la opción newtoniana. El progreso, y progreso colectivo, estará entre sus objetivos prioritarios. Eso, entendido desde su fe de sacerdote, sería suficiente para postularlo como parte de una Ilustración católica poco reconocida «que propende a no disociar la razón y la fe y que, por otro lado, contiende con la filosofía escolástica en el interior de la misma institución de la Iglesia, recuperando aspectos del humanismo renacentista»[30].

Pero además está su labor de más de cuarenta años para levantar el país que le ha acogido y progresivamente sentirá como suyo. No se trata sólo de que Mutis se ordene sacerdote en 1772, sino que su condición de tal resella su trabajo a lo largo de los años. De la explotación de las minas desde 1766, el descubrimiento de la quina y los subsiguientes proyectos para convertirla en algo útil a nivel universal sabemos por su correspondencia. El 7 de agosto de 1783 escribirá a su benefactor, el virrey arzobispo Caballero y Góngora:

> Empeñado cada día más en acreditar los útiles efectos de la expedición que se ha dignado vuestra Excelencia proponer a su Majestad, me ha parecido conveniente anticipar a vuestra Excelencia la noticia de los dos principalísimos puntos que deben tratarse [...]. De la *quina* y del beneficio de las dos especies de *canela*, una propiamente americana y otra oriental, que produce y mantiene el suelo fertilísimo de nuestra América. Estos utilísimos ramos de comercio, llevados a la perfección, que podemos prometernos, servirán para indemnizar y recompensar abundantemente los

[29] Arana, 2007, pp. 278-279.
[30] Hachim Lara, 2000, p. 80.

inmensos gastos con que se ha propuesto su Majestad la formación del Gabinete y Jardín más suntuosos de Europa, sin contar las ventajas que podrán lograrse en beneficio de la humanidad y del comercio, con el descubrimiento de una infinidad de producciones útiles[31].

Repárese en el recurso sistemático al concepto de «utilidad», en el que confluyen la autodefensa y los ideales ilustrados. Es bien conocida su lucha por reivindicar su descubrimiento frente a los suecos, a quienes siempre admiró, que le distinguieron como miembro de su Academia, pero posteriormente también le disputaron la primacía del descubrimiento. La carta a don Pedro de Bergio desde Mariquita, en enero de 1786, es buen ejemplo de lo que comento. «Rendida pues mi acción de gracias por todos sus beneficios [...] dediquemos nuestra conversación a tratar de asuntos sumamente útiles» —le dirá—. Y entreverando sus palabras con múltiples fórmulas de cortesía y protestas de aceptación de la autoridad europea (Linneo y los suyos), historia sus descubrimientos: la quina, la chinchona, rhexias, melastomas... está seguro de lo que describe por extenso y disculpa los errores de los europeos: en sus investigaciones, no pudieron contar con la naturaleza americana. Si él sabe más, es porque tuvo esa ventaja: «si hubiera vivido en América una larga temporada, nos hubiera dejado completa la Flora Americana tan exuberante en todas partes»[32]. Los términos se han invertido, América se impone.

Conocemos por la bibliografía los años dedicados a la Real Expedición Botánica a partir del 83, en que por impulso del virrey Caballero y Góngora cuajan sus antiguas peticiones a la Corona española, generando toda una red de plantaciones, herbarios y un enjambre de colaboradores, entre los que destacarán quienes se dedican a trasladar a las láminas los distintos hallazgos. Un trabajo en equipo, de muchas horas al día y bien liderado por el gaditano. Sabemos también de la confección de gramáticas y diccionarios indígenas destinados a Catalina II de Rusia y al rey de España (1785) así como, ya de vuelta en Santa Fe a partir de 1791, la creación de un Observatorio Astronómico, la Real Sociedad Patriótica (1802) y la puesta en marcha de un plan de estudios de medicina en 1802... Todo ello avala mi

---

[31] Mutis, *Escritos botánicos*, p. 174.
[32] Mutis, *Escritos botánicos*, pp. 95-103.

tesis: estamos ante un hombre ilustrado, un sacerdote que tiene muy clara su misión en esta tierra. Y al que se le puede aplicar algo que afirma Luis Hachim Lara, glosando a un personaje como Viscardo, aparentemente tan distinto:

> La Ilustración americana es heterogénea, en cuanto no sólo admite el imperio de la razón instrumental, sino también el entendimiento de la fe junto a prácticas populares de tradición prehispánica. El pensamiento americano no remite exclusivamente a la Ilustración francesa dominante, sino también a formas de Ilustración marginales (españolas y portuguesas)[33].

En efecto, Mutis es una mente abierta, un ilustrado que se guía por la razón y la utilidad y que no busca sólo el propio provecho. ¿Ejemplos? Su trabajo como médico. Tanto en su diario como en la correspondencia con Linneo se queja del tiempo «perdido» en esta tarea, que le impide volcarse en sus aficiones botánicas: «estoy tan limitado de tiempo ahora, a causa de la molesta práctica de la medicina, a la cual he tenido que entregarme y a mi nueva ocupación de dictar conferencias de filosofía natural» —le dirá a su amigo sueco en carta de septiembre del 64[34]. Sin embargo, no sólo cumple puntualmente con sus obligaciones, sino que se interesa por la medicina natural que al principio despreciaba y que va aprendiendo a conocer en el interior de la selva al contacto con los indígenas:

> Por lo que mira a los específicos de que uso en la práctica de la medicina, solo quiero decirte, de paso, que toda la práctica de la medicina, como la han conocido bien los grandes hombres, puede reducirse a muy pocas cosas, según pienso: porque, en realidad, ni a ti, ni a ningún profesor de medicina se le ha podido ocultar que toda la práctica es sumamente sencilla y purgada del amontonamiento de muchas drogas contra la preocupación del vulgo de los médicos; tan sumamente sencilla es que no han dejado de entenderlo estos habitantes de América y de este conocimiento ha resultado haberme adquirido y conciliado tal estimación entre ellos, que guiados por la experiencia de una práctica felicísima y casi de ningún costo, concurren los enfermos en tropa a este sitio donde me retiré[35].

---

[33] Hachim Lara, 2000, p. 81.
[34] Mutis, *Escritos botánicos*, pp. 82-83.
[35] Mutis, *Escritos botánicos*, p. 93.

Está tan convencido que no duda en ofrecerla a sus amigos europeos, preocupado por sus dolencias, si bien consciente del riesgo que ello implica. Por eso, en carta a Floridablanca fechada en Mariquita el 19 de noviembre de 1785 comienza por glosar su persona «para librarme de la sospecha de advenedizo, charlatán y curandero» —dice— y se autodefine como «profesor español, un honrado eclesiástico y un médico que la Providencia se ha dignado distinguir de los adocenados», para continuar explicando que su buena salud se debe al uso del denominado *té de Bogotá*, la *Alstonia Theoformis*, que se atreve a recomendar y por ello envía al alto regente[36].

Y es que su riquísima correspondencia lo muestra como un hombre apasionado, un hombre entre dos mundos, al que le duele la inmensa distancia de las tierras en que vivimos —una de sus más habituales protestas a Linneo—. Cada uno de sus corresponsales exige un tono y un tema personalizado, pero en casi todas sus cartas aparecen una serie de constantes: consulta, pide libros y resmas de papel para sus dibujantes capitaneados por Rizo y de los que está orgulloso; acepta reconocimientos sin falsa modestia y sale al paso de polémicas y detractores. Porque la envidia es el pecado capital por excelencia y, al final de su vida, sus descubrimientos generaron envidia en Europa e incluso en el ámbito local. Son muy conocidas las maniobras de López para ningunearlo y apoderarse de la primacía en el descubrimiento de la quina. Pero, sobre todo, da noticia de sus descubrimientos, describe con fruición y minuciosidad las partes de cada planta que envía a los botánicos europeos. Los corresponsales son botánicos como Cavanilles, director del Real Jardín Botánico madrileño, o Valenzuela, su segundo en la Real Expedición Botánica, un hombre con el que departe muy por extenso de lo divino —la flora— y humano —los hombres de su expedición por los que vela como un padre—, los dinerillos: «no sabe vuesamerced cuánto estoy trabajando para que nuestros sueldos de en adelante sean razonables y decorosos al Rey que servimos» —le confesará—; un hombre de su total confianza: «descansa mi corazón cuando hablo con vuesamerced, y ésta es la causa de dilatarme»[37]. Por esa correspondencia sabemos mucho de la humanidad de un Mutis que suele hacer honor a su nombre (mutis por el foro):

---

[36] Mutis, *Escritos botánicos*, pp. 201-203.
[37] Mutis, *Escritos botánicos*, pp. 119-138.

He releído la descripción de aquel tiempo y aunque no desmerece la aprobación de un hombre envejecido en estas investigaciones, ni hallo el filamento largo estéril ni la nueva *polygamia* que he descubierto. Sacrifiqué muchas horas a esta curiosa investigación y formé listas por separado de flores abiertas y cerradas del *Marañón* y del *Caracolí* [...]. No me pesa del tiempo que gasté en estas observaciones porque nuestros sucesores hallarán la *polygamia* y número de filamentos en el modo referido [...]. Vamos a otra observación no menos curiosa [...]. Quedaron estas plantas en agua para dibujar la flor abierta, y sucediónos el lance de abrir las flores con seis estambres. Atribuimos a que la misma naturaleza nos quería hablar y decir que colocásemos la *tiandra* [...]. He llevado un diario por separado de estas observaciones[38].

No ya como un padre sino como un abuelo refiere su cuidado maternal de las plantas: «22 frutas en medio de mis fatigas y buenos deseos, van naciendo a mi vista y dentro de mi casa los preciosos arbolitos de *canela*; cuento hasta la presente once tiernas plantas, que hace ahora todas mis delicias, y espero germinen las restantes»[39].

Para concluir: a la vista de este y otros muchos textos afines, no puedo dejar de coincidir con críticos como Pérez Mejía en que «el sujeto narrativo sufre una desintegración total, cediendo terreno a la representación de la naturaleza que, en un comienzo, era un objeto más de observación para el ilustrado y al final se apodera del texto y desplaza al sujeto narrativo»[40]. No de otra manera puede leerse lo que debería haber sido la tercera parte del diario y quedó exento, el *sueño y la vigilia de las plantas*. Un texto surrealista, cuasionírico, de prosa sensual, en que el narrador ya no mediatiza la representación que adquiere todo el protagonismo:

CONTINUACIÓN DEL DÍA 6 (DOMINGO) DE JUNIO DE 1784. MARIQUITA.

Hacia las diez (cielo cubierto, viento suave).
Comenzaron a esperezarse las *Exandras,* abriéndose poco a poco, pero sin acabarse de abrir los calicitos.
Las *Tiandras* en sueño perfecto.

---

[38] Mutis, *Escritos botánicos*, pp. 132-133.
[39] Mutis, *Escritos botánicos*, p. 182.
[40] Pérez Mejía, 2002, p. 24.

A las once (el estado del cielo y atmósfera el mismo).

Todas las *Exandras* en vigilia, las unas patentísimas y las otras ya casi a ponerse del todo patentes.

Las *Tiandras* todas en sueño.

A las doce (cielo cubierto, sol entrecubierto, viento fresco).

Todas las *Exandras* en vigilia perfectamente.

Algunas de las *Tiandras* comienzan a esperezarse y bostezar, desplegándose poco a poco los cálices[41].

¿Prosa poética? ¿Sujeto absolutamente enajenado? Ustedes deciden.

Bibliografía

Arana, J., *Las raíces ilustradas del conflicto entre fe y razón*, Madrid, Encuentro, 1999.

— *El caos del conocimiento. Del árbol de las ciencias a la maraña del saber*, Pamplona, EUNSA, 2004.

— «Ciencia y religión en la Ilustración francesa», en *Ciencia y religión en la Edad Moderna*, ed. J. Montesinos y S. Toledo, La Orotava, Santa Cruz de la Palma, Fundación Canaria Orotava de Historia de la Ciencia/Consejería de Educación, Cultura y Deportes del Gobierno de Canarias, 2007, pp. 273-290.

Caballero Wangüemert, M., «Un exponente de la prosa del XVIII: el *Diario de Observaciones* de José Celestino Mutis», en *Cuartas Jornadas de Andalucía y América*, Sevilla, Consejo Superior de Investigaciones Científicas-Escuela de Estudios Hispanoamericanos, 1985, II, pp. 57-69.

Hachim Lara, L., «La *Carta a los españoles americanos* (1791) del Abate Viscardo y la tradición crítica en América», en *Tres estudios sobre el pensamiento crítico de la ilustración americana*, Alicante, Universidad de Alicante, 2000.

Janik, D., «Ilustración y Romanticismo en la primera mitad del siglo XIX: ¿opciones contradictorias o complementarias?», en *Ficciones y silencios fundacionales. Literaturas y culturas poscoloniales en América Latina (siglo XIX)*, Ed. F. Schmidt-Welle, Madrid/Frankfurt am Main, Iberoamericana/Vervuert, 2003, pp. 273-284.

— «*Ilustración* en Hispanoamérica: historiografía e historiografía literaria», en *Literatura-Cultura-Media-Lengua. Nuevos planteamientos de la investigación del siglo XVIII en España e Iberoamérica*, ed. Ch. von Tschilschke y A. Gelz, Frankfurt am Main, Peter Lang, 2005, pp. 271-276.

---

[41] Mutis, *Escritos botánicos*, p. 57.

MARTÍN FERRERO, M. P., ver Mutis, *Escritos botánicos.*

MUTIS, J. C., *Diario de observaciones,* ed. F. Gredilla, Madrid, Fortanet, 1911.

— *Diario de observaciones de José Celestino Mutis (1760-1790),* ed. G. Hernández de Alba, Bogotá, Imp. Minerva, 1957, 2 tomos.

— *Escritos botánicos,* ed. Mª P. Martín Ferrero, Sevilla, Editoriales Andaluzas Unidas, 1985.

PEÑATE RIVERA, J., «Camino del viaje hacia la literatura», en *Relato de viajes y literatura hispánica,* ed. J. Peñate, Madrid, Visor, 2004, pp. 13-29.

PÉREZ MEJÍA, A., «Mutis y la trampa de la *mustisia clematis*», en *La geografía de los tiempos difíciles: escritura de viajes a Sur América durante los procesos de independencia 1780-1849,* Medellín, Clío, 2002, pp. 13-46.

LOS NUEVOS HIJOS DE ADÁN. DIEGO ANDRÉS ROCHA Y EL ORIGEN DE LOS INDIOS OCCIDENTALES

José Manuel Camacho Delgado
Universidad de Sevilla

> Su sonido se extiende a toda la tierra y sus palabras hasta los confines del orbe de la tierra.
> (Del Salmo 18, citado por Cristóbal Colón en *El Libro de las Profecías*)

> Lo que para mí es llano, es que todo cuanto trata de aquella isla [Atlántida], comenzando en el diálogo *Timeo* y prosiguiendo en el diálogo *Cricia*, no se puede contar en veras, si no es a muchachos y viejas.
> (José de Acosta, *Historia natural y moral de las Indias*, cap. XXII)

> Amaliwak regresó precipitadamente a la Enorme-Canoa, viendo cómo los hombres recién salvados, recién creados, se mataban unos a otros.
> (Alejo Carpentier, «Los advertidos»)

LA MISMA ARCA PARA TODOS

La imagen que nos ha llegado de Cristóbal Colón en el momento de producirse su descubrimiento es la de un hombre sorprendido y extrañado, quizás superado por los acontecimientos, tal y como parodió García Márquez en *El otoño del patriarca*; un navegante perdido en la inmensidad de su gesta que no sabe interpretar adecuadamente la visión insólita de aquellas gentes desnudas que parecen no tener lengua, ni cultura, ni civilización y cuyas costumbres y hábitos son muy diferentes de los del mundo europeo y muy alejados de los pueblos exóticos y suntuosos descritos por Marco Polo. La lectura atenta del *Diario* de Colón nos invita a reflexionar sobre una cuestión de calado: ¿llegó a plantearse el Almirante de dónde procedían aquellos hombres y mujeres de los que no se tenían noticias?

Lo cierto es que el tema del origen de los indios americanos preocupó de forma considerable a los eruditos europeos del momento. Su presencia progresiva en los textos de la época dependió en buena parte de las cribas y filtros informativos y de la capacidad de asumir una realidad desconcertante nunca antes vista, de la que no se tenían noticias, salvo los datos desperdigados en un puñado de textos proféticos y visionarios, interpretados más o menos de forma conveniente. El interés por un asunto tan espinoso creció con la certeza de que aquel mundo era completamente nuevo a los ojos de la vieja Europa, poniendo en evidencia la inutilidad de las prédicas evangélicas y los textos sagrados que insistían en que la palabra de Dios había llegado a todos los confines de la tierra, tal y como aparece descrito en la *Vulgata* («ite et docete omnes gentes»), tesis que sería corroborada por la propia toponimia del Nuevo Mundo, sustentada en todo tipo de etimologías fantásticas. Como señalan Fernández Marcos y Fernández Tejero:

> parecía contrario al universalismo de la revelación que la Biblia no mencionase un acontecimiento tan extraordinario ni al continente americano, los exégetas del siglo XVI se esfuerzan por identificar las islas descubiertas por Colón y después la geografía del continente con territorios mencionados en la Escritura. De ahí la fiebre etimológica y la proliferación de la exégesis asociativa para descubrir nombres bíblicos en el Nuevo Mundo, pues, obviamente, la geografía bíblica funciona como paradigma de las tierras descubiertas, y Moisés, como historiador, goza en el Renacimiento de una autoridad sin par, más de fiar que Heródoto o Beroso[1].

Los primeros años de la Conquista se caracterizaron por las descripciones de la tierra y de los pueblos indígenas que centraron buena parte de la atención de los cronistas, esquivando, hasta cierto punto, un asunto tan problemático y resbaladizo como el del origen de los indios,

---

[1] Fernández Marcos y Fernández Tejero, 1997, p. 37.

que implicaba toda una serie de dificultades teológicas y una correcta «interpretación» de las Sagradas Escrituras. La cuestión de los orígenes de la población americana tuvo un tratamiento sesgado en la segunda mitad del siglo XVI, no así en el nuevo siglo, que abrió las puertas para que un sinfín de hipótesis y conjeturas llenaran las páginas de no pocos autores que buscaron en las fuentes de la historia —sagrada y profana— las razones últimas y verdaderas que explicaran qué ocurrió con las tribus perdidas de Israel, a dónde fueron a parar los habitantes de la Atlántida, dónde quedaba localizado el Paraíso Terrenal, si habían llegado o no los Apóstoles de Cristo hasta el Nuevo Mundo o hasta dónde llegaron los hijos de Noé en su afán por repoblar ese mundo surgido de las aguas del Diluvio.

Una vez superadas las primeras cortapisas teológicas y aireados los remilgos religiosos con un tema que debía provocar verdadero encono entre quienes eran partidarios de excluir a los indígenas de la raza humana, considerándolos como criaturas sin alma, aptas para ser esclavizadas, fueron muchos los autores que reflexionaron de una u otra forma sobre el origen de los indios occidentales[2], coincidiendo de forma unánime en dos puntos fundamentales: A) Todos los hombres del Viejo y del Nuevo Mundo proceden en un primer término de los

---

[2] García Añoveros, en su estudio introductorio a la obra de fray Gregorio García (2005, pp. 19-20) cita los casos más pertinentes: Gonzalo Fernández de Oviedo, *Historia General de las Indias* (Hispalis, 1535); Alexo Venegas del Busto, *Primera parte de las diferencias de libros que hay en el Universo* (Toledo, 1540); Francisco López de Gómara, *Historia General de las Indias* (Medinae, 1553); Pedro Cieza de León, *Primera Parte de la Chrónica del Perú* (Hispalis, 1553); Agustín de Zárate, *Historia del descubrimiento y conquista del Perú* (Antuerpiae, 1555); Julián Castillo, *Historia de los Reyes Godos de España* (Burgos, 1582); Juan de Mariana, *Historia de rebus Hispaniae* (Toleti, 1592); Martín Delrio, *Disquistionum Magicarum* (Maguntiae, 1593); Jerónimo Román, *Repúblicas del Mundo* (Salmanticae, 1595); Gaspar Barreiros, *Commentarius de Ophyra regione apud Divinam Scripturam commemorata* (Antuerpiae, 1600); Antonio de Herrera, *Historia General de los hechos de los castellanos en las Islas y Tierra Firme del Mar Océano* (Matriti, 1601); Enrique Martínez, *Repertorio de los Tiempos y Historia natural de Nueva España* (Mexici, 1606); Juan Pineda, *De rebus Salomonis* (Lugduni, 1609); Juan de la Puente, *La conveniencia de las dos Monarquías, la de la Iglesia Romana y la del Imperio Español* (Matriti, 1612); Bernardo Alderete, *Varias antigüedades de España, África y otras Provincias* (Antuerpiae, 1614); Antonio de Remesal, *Historia de la Provincia de San Vicente de Chiapa y Guatemala* (Matriti, 1619) y Francisco Carrasco del Saz, *In aliquas leges Recopilationis Regni Castellae* (Hispali, 1620).

primeros padres bíblicos, Adán y Eva, y B) Los primeros habitantes llegaron al Nuevo Mundo después del Diluvio Universal, certificando así su descendencia directa de alguno de los tres hijos de Noé: Sem, Cam o Jafet. Descartan, de una forma intuitiva, el origen poligenésico de la población humana y dan por sentado que la fuente de estos pueblos debía de estar localizada en alguna zona del Viejo Mundo, en Asia, en África o en Europa.

De los autores que trataron el tema en la segunda mitad del siglo XVI nos interesa el cura malagueño Miguel Cabello Valboa, quien vivió parte de su vida en territorio peruano, dejando para la historiografía americana un texto ambicioso y totalizador, titulado *Miscelánea Antártica* (1586). En sintonía con otros pensadores de su tiempo, Cabello Valboa trató de explicar la procedencia de los indios occidentales, cribando los argumentos disponibles y defendiendo el origen ofirita del hombre americano[3]. Conforme a los preceptos defendidos por los escritores católicos y los tratadistas bíblicos del siglo XVI, era fundamental demostrar que los habitantes del Nuevo Mundo descendían de Adán y Eva, porque de lo contrario se hacía muy difícil sostener su condición de verdaderos hombres con alma, argumento defendido con todo tipo de soflamas incendiarias por quienes eran partidarios de esclavizar a los indígenas. Contra esta superchería, el cronista malagueño no duda en establecer el oportuno linaje bíblico de los indios occidentales:

> Error notable sería (y contra nuestra fe, y lo por ella recibido) querer decir, sentir, o afirmar que haya habido (ni haya en el mundo) gentes racionales que no sean hijos de Adán, y a él solo (y no a otro) deban el nombre paterno (p. 92)[4].

Desde un primer momento se identificó América, o una parte de ella, con el mítico Ophir, basándose en algunos versículos correspondientes al Libro I de los Reyes (cap. 9: 26-28 y 10-11) en los que se

---

[3] Ver Camacho Delgado, 2007.

[4] Afirmación que viene precedida por el enunciado del propio capítulo (3º de la primera parte): «donde se declara con autoridades de la Sagrada Escritura haber sido esta nuestras Indias manifiestas a los israelitas: y haber pasado a ellos las flores de Salomón, y se comienza a describir cómo proceden del Patriarca Ophir con otras curiosidades» (p. 92).

hace referencia a los viajes que los judíos realizaban a una tierra incógnita y misteriosa llamada Ofir, topónimo al que le habría dado nombre el propio Ophir, hijo de Iectán —nieto de Sem, el hijo mayor de Noé— (*Génesis,* 10, 29), quien habría poblado el Nuevo Mundo entrando por el noroeste, de donde traerían todo tipo de riquezas, especialmente oro fino, piedras preciosas y marfil. Fue el propio Colón quien, después de su tercer viaje, identificó Haití con Ofir, sentando las bases para que un buen número de pensadores de la época se sumara a esta topografía fantástica, apoyada por toda suerte de etimologías y juegos filológicos, que trataron de emparentar a Perú con Ofir[5].

Uno de los pilares fundamentales del pensamiento científico y racionalista del siglo XVI, el padre José de Acosta, había tratado de dar respuesta a dos de los grandes misterios de la época en su *Historia natural y moral de las Indias* (1590). ¿De dónde procedían originariamente aquellos pueblos?, y ¿cómo pudieron cruzar la inmensidad del océano en una época lejana en que no existían los instrumentos de navegación apropiados? En los primeros capítulos de su obra, Acosta considera que los descubrimientos recientes indicarían la proximidad de la tierra en las zonas polares, que los antiguos ya habían pronosticado la existencia de pueblos inmensos no descubiertos todavía (Plinio o Séneca) y que en la propia Biblia se insinúa la presencia del Nuevo Mundo. En sus opiniones Acosta siempre procede con suma cautela y cuidado, analizando la realidad y las hipótesis de lo ocurrido como si fueran silogismos de un plan universal perfectamente ejecutado por mano divina. De hecho, cuando se pregunta cómo pudieron llegar los hombres a ese mundo, considera la doble posibilidad del mar —de forma voluntaria o por accidente— y la tierra, y concluye que «otras explicaciones que se puedan dar no son sino ficciones poéticas o fábulas desechables» (I, 16). Descarta que la llegada al Nuevo Mundo en época lejana se produjera de forma ordenada y voluntaria, porque los navegantes no conocían esos mares inmensos, no disponían de las herramientas adecuadas, al punto de que no se conocían ni la piedra imán ni la aguja de marear, dos instrumentos fundamentales a los que el propio Acosta dedica el capítulo XVII de su *Historia natural.* Un poco más adelante, en el capítulo XIX, sostiene que los primeros pobladores llegaron posiblemente como consecuencia del azar, arrastra-

---

[5] Ver Durand, 1979.

dos por alguna tormenta de violencia extrema, haciéndose eco, incluso, de la teoría del piloto anónimo que debió informar a Colón en su época residente en las Azores.

La hipótesis que maneja como más acertada es la de la entrada por tierra, porque cree que la distancia entre el Viejo y el Nuevo Mundo sería más o menos alcanzable en alguno de los extremos de la esfera terráquea y apuesta porque los primeros habitantes hicieron su entrada caminando por algún punto del Polo Norte. Para Acosta los primeros pobladores debieron ser los descendientes de Noé, y por tanto, descendientes remotos de Adán y Eva (I, 20). Con la valentía que caracteriza todos sus posicionamientos con respecto al mundo americano, el jesuita español se plantea las dos hipótesis de mayor calado en la época: el origen judaico de la población americana o la posible procedencia de la Atlántida, descrita por Platón como un espacio tan grande como África y Asia juntas. Sobre la segunda propuesta Acosta es contundente: «no puedo creer que Platón pueda contar aquel cuento de la isla Atlántida como verdadera historia [...] todo lo que trata Platón de aquella isla no se puede tener en veras, si no es a muchachos y viejas» (I, 22).

Tampoco se siente especialmente cómodo con el posible origen judaico de los pueblos americanos. Esta hipótesis, alimentada por numerosos historiadores de la época, tiene su origen en el libro 4 de Esdras, texto considerado por la Iglesia como apócrifo, donde se cuenta cómo las diez tribus fueron cautivadas por Salmanasar, rey de los asirios y trasladadas a un espacio geográfico no determinado, adonde no había llegado el género humano, y que era bañado por las aguas del Éufrates. Los exégetas de la época llegaron a analizar los parecidos y las coincidencias entre los judíos y los indios para sonrojo del cura salmantino que llegó a sostener: «no veo que el Éufrates apócrifo de Esdras dé mejor paso al Nuevo Orbe que le daba la Atlántida encantada y fabulosa de Platón» (I, 23).

Por su parte, fray Juan de Torquemada, en su obra *Las Monarquías Indianas,* publicada originariamente en Sevilla (1615), hace también gala de un amplio conocimiento en geografía, historia, exégesis bíblica y religiones precolombinas, resultando de gran interés los capítulos VIII al X. En principio considera que los primeros habitantes llegaron posiblemente por mar, bien por azar, bien de forma intencionada (I, VIII). Las dudas las plantea el propio Torquemada cuando se trata de situar el origen de los animales. Estos procederían, claro está, del Arca de Noé y según su versión, algunas aves pudieron llegar volando, como las águilas, las cigüeñas o las golondrinas, pero no las gallinas y otras aves de corral que sólo pudieron llegar en las embarcaciones (I, VIII). No obstante, el principal inconveniente a esta tesis la plantea el propio Torquemada cuando tiene en cuenta el retraso en las artes de marear de los tiempos pasados y el desconocimiento de los principales instrumentos de navegación. Considera, incluso, que algunos hombres hubieran llegado por mar, como el famoso piloto anónimo que reveló el secreto a Cristóbal Colón, aunque es difícil imaginar que tantas criaturas como hay en el mundo no pasaran por tierra, sobre todo teniendo en cuenta la proximidad de las zonas polares.

Sobre los pueblos originarios que poblaron el Nuevo Mundo, Torquemada se queja como tantos pensadores de la época de la falta de documentos tanto en nuestra tradición como en la de los indígenas. Sí tiene claro que «debieron ser gente antiquísima, de aquella que se repartió y dividió luego después del Diluvio» (I, IX). Y aunque tiene dudas sobre el origen último de estos pueblos, rechaza con contundencia el posible origen judío[6], cartaginés[7] o la quimera platónica de la Atlántida.

Otro autor que nos interesa para el caso es el insigne jurista Juan de Solórzano y Pereira, que fue durante diecisiete años Oidor de la

---

[6] Los defensores del origen judío basaron su hipótesis en cinco puntos: 1) el testimonio del libro 4 de Esdras donde se cuenta que las diez tribus de Israel que fueron cautivadas por el asirio Salmanasar llegaron a un territorio nunca antes poblado, que sería el Nuevo Mundo; 2) la profecía de Oseas según la cual los hijos de Israel iban a ser tantos como arena tiene el mar, refiriéndose a la multiplicidad de pueblos existentes en el continente americano; 3) las similitudes entre las lenguas aborígenes y el hebreo. De la misma forma que las lenguas romances son la «corrupción» del latín, las lenguas indígenas serían los restos de una antigua lengua hebrea común para todos esos pueblos; 4) los ritos y ceremonias de los pueblos indígenas, similares a los descritos en las Sagradas Escrituras; 5) la idiosincrasia de estos pueblos, a los que caracterizan los defensores de esta hipótesis como medrosos, miedosos, cobardes, ceremoniosos y mentirosos.

[7] Torquemada considera disparatada la hipótesis lanzada por Alejo Venegas del Busto, quien a partir de un texto de Aristóteles, llega a sostener que los mercaderes cartagineses cruzaron las Columnas de Hércules (estrecho de Gibraltar) para poblar alguna zona del Nuevo Mundo.

Audiencia de Lima y dejó importantes obras con un gran valor histórico, político y jurídico. De entre todas ellas destacamos su *Política Indiana* (1628), donde se ocupa del tema y da a conocer su conocimiento de las obras de Gregorio García y José de Acosta. Para Solórzano todos los hombres proceden de Adán y Eva en un primer término, y más tarde del patriarca Noé. Descarta las teorías, peregrinas y fantásticas a su parecer, según las cuales el arca pasaría por el Nuevo Mundo dejando ejemplares de todos los seres vivos o que los indios se salvaran del Diluvio, refugiándose en los altos de las cordilleras o que las criaturas que pueblan aquel mundo indómito llegaran gracias a la ayuda de los ángeles. Se lamenta, como ya hicieran otros autores, de la falta de testimonios fidedignos de los propios indios para explicar su origen (I, V).

Solórzano se hace eco de toda una ristra de opiniones, en apariencia descabelladas, que situarían el origen del hombre —y en especial, del hombre americano— en la putrefacción de la tierra[8], en la manipulación humana de ciertos elementos químicos, en la unión contra natura con diferentes animales o incluso en la propia intervención demoníaca[9]. Considera una patraña la teoría platónica de la Atlántida, y se muestra receptivo con la idea de que pudieron ser descendientes

---

[8] «Algunos han intentado decir que por ventura se engendrarían los primeros pobladores de estas provincias, de la tierra o de alguna putrefacción de ella, ayudada del calor del sol, movidos de la doctrina de Avicena que sintió que esto era posible, la cual, por lo menos en cuanto a la formación del cuerpo, procura defender nervosamente Andrés Cesalpino. Pero está reprobada esta razón por graves teólogos y filósofos, los cuales convienen en que de la putrefacción pueden criarse animales que se llaman imperfectos, o insectos, como moscas, gusanos, ratas, ratones y otros de este género, según lo enseñan Aristóteles y otros autores. Pero no los perfectos, especialmente el hombre, que es perfectísimo y en quien es de fe que para tener y merecer nombre de tal, ha de proceder de semen prolífico de sus padres y del que de todos, Adán» (Libro I, cap. V. Citado por García Añoveros, 2005, p. 31).

[9] Resulta de gran interés la reconstrucción que realiza Carlo Ginzburg del proceso inquisitorial llevado a cabo contra el molinero Domenico Scandella, más conocido como Menocchio, en la Italia de finales del siglo XVI, en su obra *El queso y los gusanos*; este personaje, inquieto e inteligente, representante de la cultura popular y magnífico ariete de la cultura de las clases subalternas, confiesa bajo tortura sus particulares teorías sobre el origen del hombre y su aparición en el mundo, algunas de las cuales son coincidentes con las descartadas y rebatidas por Solórzano.

de Túbal, el nieto de Noé, quienes después de asentarse en España se trasladaran hasta aquellos territorios de ultramar. Tampoco cree que los judíos pudieran cruzar un piélago tan inmenso de agua del que no se tenían noticias. Alistándose con las posiciones de Acosta, Solórzano plantea la entrada de los primeros pobladores por alguno de los dos polos, inclinándose por el Ártico, porque todavía en esta fecha la tierra de los patagones resultaba un misterio para la cosmografía de la época.

Cerramos este breve recorrido panorámico con la incorporación de quien es, con toda seguridad, el teórico más importante de la época, fray Gregorio García, quien había publicado su obra *Origen de los indios del Nuevo Mundo e Indias Occidentales* en 1607. Este fraile jienense, nacido en torno a 1556 o 1561, fue capaz de articular un verdadero compendio enciclopédico sobre todas las teorías de la época que trataban de abordar esta cuestión, y lo hace de una manera monográfica, con rigor y exhaustividad, partiendo siempre de una visión ecléctica y totalizadora. Lo sorprendente en el desarrollo de esta singular obra es que Gregorio García dedica la mayor parte de sus argumentos a explicar las posiciones de otros autores y casi por obligación y bajo consejo de «hombres doctos» decide al final del texto postular sus propias hipótesis a las que parece conceder poca importancia. El resumen sería éste:

1) Los primeros habitantes llegaron por mar, orientándose por la altura del Polo, por la posición de las estrellas y por algún instrumento de navegación. Supone que los primeros navegantes debieron tener noticias de aquellas tierras.

2) Siguiendo a Acosta, considera que llegaron no por voluntad propia, sino arrastrados por las mareas o por las tormentas.

3) Los primeros pobladores llegaron caminando, sin determinación, a lo largo de los siglos.

4) Considera la posible procedencia cartaginesa, tal y como defiende Alejo Venegas.

5) Que procedan de las diez tribus de los judíos que fueron cautivados por Salmanasar, rey de Asiria.

6) Cita a Arias Montano y su teoría de que los habitantes de Nueva España y Perú proceden del mítico Ophir.

7) Siguiendo a Gómara y a Agustín de Zárate recrea la leyenda de la isla Atlántida, cuyas dimensiones colosales permitieron la llegada de los europeos a las islas de Barlovento, y de allí poblar la tierra firme.

8) Esta hipótesis deriva de la anterior, porque recoge la posibilidad de que tales viajes a las Indias se produjeran en época posromana, cuando parte de la península hablaba ya lengua castellana.
9) Que procedan de los griegos.
10) O que tengan su origen en los pueblos fenicios.

A las propias tesis dedica menos espacio de lo esperado, quizás porque él mismo ve demasiada confusión en un asunto para el que no hay apoyatura textual ni en las Sagradas Escrituras, ni en la literatura patrística, ni en los textos indígenas.

La primera de sus hipótesis contempla la posibilidad de que puedan proceder de China o de Tartaria, dada la distancia calculada entre Asia y América, conforme a la cartografía del momento. Apoya esta idea en las semejanzas, analogías y paralelismos que encuentra en las creencias religiosas, los calendarios astronómicos, el sistema de escritura, los ritos funerarios o la fisonomía imberbe de los hombres. A esta idea añade más adelante otra tesis según la cual los primeros pobladores pudieron llegar de diferentes sitios en diferentes épocas y por medios y caminos muy diversos:

> los indios que hoy hay en las Indias Occidentales y Nuevo Mundo ni proceden de una sola nación y de las del mundo viejo, ni tampoco caminaron o navegaron para allá los primeros pobladores por el mismo camino y viaje ni en un mismo tiempo ni de una misma manera sino que realmente proceden de diversas naciones, de las cuales unos fueron por mar forzados y echados de tormenta y otros sin ella y con navegación y arte particular buscando aquellas tierras de que tenían alguna noticia. Unos caminaron por tierra buscando aquella de la cual hallaron hecha mención en autores graves; otros, aportando a ella acaso o compelidos de enemigos circunvecinos o yendo cazando para comer como gente salvajino, que ese es el discurso que hace el Padre Acosta acerca de nuestro intento[10].

Para Gregorio García este origen poligenésico quedaría demostrado con la diversidad de pueblos, de hablas, de costumbres y ritos que se certifica en su vasta geografía.

---

[10] Fray G. García, *Origen de los indios del Nuevo Mundo e Indias Occidentales*, p. 311.

El testamento de Adán. Diego Andrés Rocha y el sentido
providencial de España

El tema del origen de los indios tenía en el siglo XVII no sólo un valor antropológico y etnológico, sino también importantes implicaciones en el ámbito del derecho, la política y la economía. Defender una u otra posición era legitimar la posesiones de ultramar, para recuperar un espacio del mundo que ya perteneció a la Corona española en tiempos remotos, tal y como defendieron con ahínco los defensores del providencialismo hispánico. Como recuerda John Elliott, fue el monarca francés Francisco I quien, en un tono insolente ante el embajador imperial, solicitó ver el testamento de Adán, cansado de litigar por los intereses de ultramar que estaban siendo legitimados para la Corona española por la curia vaticana[11].

De Diego Andrés Rocha sabemos hasta la fecha muy poco, más allá de algunos datos ocasionales recogidos por José Alcina Franch en su introducción a la obra y que parecen situar su nacimiento accidental en Sevilla, en torno a 1615, mientras sus padres esperaban embarcarse para Perú; de hecho, su padre, don Jerónimo de Rocha llegó a ser catedrático en la Universidad de San Marcos de Lima y uno de sus miembros fundadores. El propio Diego Andrés estudió jurisprudencia en esta universidad y tras numerosos avatares y desempeñar diferentes cargos de importancia en el Virreinato de Nueva Castilla llegó a ser Oidor en Lima.

El *Tratado único y singular del origen de los indios occidentales del Pirú, México, Santa Fe y Chile*[12] consta de cuatro partes. En la primera de ellas, Rocha, siguiendo el modelo de fray Gregorio García, hace un recuento de las diferentes hipótesis que tratan de explicar este enigma histórico y etnológico; en la segunda plantea la tesis de que los primitivos españoles, herederos del mítico Túbal, fueron los encargados de poblar el Nuevo Mundo, para lo que establece todo tipo de paralelismos, la mayoría de ellos disparatados, entre los míticos pobladores de la Península Ibérica y los indios occidentales; en la tercera se hace eco de una posible repoblación del territorio americano por par-

[11] Elliott, 1984, p. 125.
[12] La edición que he seguido es la de Alcina Franch, 1988. Cito siempre por esta edición en el propio texto.

te de las tribus perdidas de Israel, que habrían llegado hasta aquella *terra incognita* a través de los siglos y los continuos peregrinajes de sus gentes; finalmente, en la última parte rebate las opiniones contrarias a sus planteamientos, retomando y sintetizando buena parte de la información ofrecida a lo largo de la obra, tratando de frenar los previsibles ataques de sus adversarios y contrincantes que debían de conocer sus opiniones por cauces muy diversos.

En todo momento el cronista se lamenta de la ausencia de letras por parte de los indígenas u otros testimonios sobre la memoria de sus pueblos, que de alguna forma hubiera arrojado alguna luz sobre un asunto tan turbio en su propia definición, aunque sí señala los testimonios de la Antigüedad que de una u otra forma anuncian la existencia de un nuevo mundo, como se desprende de las citas que aporta de San Clemente, San Jerónimo, Orígenes, Tertuliano, Luciano, Plutarco o del propio Séneca en su *Medea* (I, 16). Señala además las consecuencias derivadas del paso de los siglos, que afectaría no sólo a las costumbres y ritos, sino también a la lengua hablada, que estaría en una fase de corrupción a partir del primitivo vasco hablado por los descendientes de Túbal (II, 2, 3), afectaría también a la presencia de ciertos rasgos fisonómicos, como la barba de los hombres o el color de la piel, o a la distancia variable entre los continentes, reflexionando, con enorme sagacidad, sobre la posible existencia de gigantescas extensiones de hielo que pudieron servir de puentes naturales o corredores interoceánicos para facilitar el paso de un continente a otro a través del Polo Ártico.

Antes de defender sus propias hipótesis, siguiendo el modelo de fray Gregorio García, Rocha resume y rebate las seis propuestas que él considera más interesantes[13]. A la hora de construir su discurso, el cronista no duda en utilizar de forma indiscriminada los textos bíblicos, especialmente la *Vulgata*, al punto que encontramos en su crónica 140 referencias al Antiguo Testamento, 27 al Nuevo Testamento y 11 a los libros III y IV de Esdras, muchas de ellas erróneas en su localización y en su propia interpretación, como un caso evidente de manipulación bíblica al servicio de los intereses políticos de la coro-

---

[13] Las seis tesis que rebate son las siguientes: 1) el origen cartaginés (I, 4-9); 2) el origen fenicio (I, 10-11); 3) el origen chino y tártaro (I, 12); 4) el origen en la Atlántida (I, 13); 5) el origen ofirita —de Ofir, biznieto de Noé— (I, 14) y 6) el origen en Polonia (I, 15).

na española[14]. Como la mayor parte de los autores, Rocha considera que la repoblación del Nuevo Mundo se produjo después del Diluvio Universal (*Génesis,* 10)[15], y en ella tendría un papel destacado Túbal, hijo de Jafet y nieto de Noé, cuyos descendientes pasarían a las Indias Occidentales gracias a la proximidad de la Atlántida (II, 1). Estos descendientes de Túbal serían los primitivos españoles, lo que explicaría las semejanzas entre los indios americanos y los primitivos peninsulares, idea que ya había sostenido algunas décadas antes el historiador Gonzalo Fernández de Oviedo[16]. Diego Andrés Rocha considera:

> *Que estas Indias occidentales, después del diluvio universal, se comenzaron a poblar por los descendientes de Jafet, hijo de Noé; de Jafet descendió Túbal, quien pobló a España,* como dice el P. Moret en la Historia de Navarra, lib. 1, cap. 4, y sus descendientes la ocuparon y poblaron y de ellos, como estaban vecinos a la isla Atlántida, vinieron poblando por ella y llegaron a tierra firme, que corre por la parte de Cartagena (de Indias)... Que éstos fuesen los primeros lo dicta la razón, y también la cercanía del continente de Cádiz con Cartagena de estas Indias, pues de aquél a éste se continuaba la isla Atlántida por mil leguas y más, como con evidencia se probó (p. 66. La cursiva es mía).

Sin embargo, estas opiniones no eran del todo desinteresadas. El patriotismo que exhibe el cronista le lleva a buscar argumentos teológicos de todo tipo para justificar las posesiones españolas de ultramar, aludiendo, incluso, de forma más o menos velada, a la bula *Piis dilectorum* del Papa Alejandro VII (15 de noviembre de 1659) por la que se hacían extensibles a la Iglesia americana las preces y privilegios concedidos al clero español[17], legitimando así las posesiones es-

---

[14] Ver León Azcárate, 2004.

[15] El cronista se hace eco de la leyenda, recogida por Antonio de Herrera, que trataría de demostrar la existencia de indígenas en el continente americano que se salvaron del Diluvio Universal: «Lo primero, cuenta Antonio de Herrera, en su Historia de las Indias, decad. 5, lib. 3, cap. 6, que estos indios tuvieron tradición de sus mayores, que al principio del mundo hubo un Diluvio, que cubrió toda la tierra y que se habían escapado en esta América algunos en las cuevas de los altos montes si bien otros indios referían que sólo se habían escapado seis personas en balsas, y que de éstos, disminuidas las aguas, se volvió a propagar esta América» (p. 108).

[16] *Historia general y natural de las Indias* (1535), parte I, libro II, capítulo III.

[17] Ver el capítulo IV del *Tratado único y singular del origen de los indios*, p. 211.

pañolas de ultramar. Sostiene, incluso, que el Descubrimiento y Conquista (o Reconquista) son un premio dado por Dios al rey católico por haber expulsado a moros y judíos de la península:

> Permítaseme por vasallo el decir algo del gran rey Católico, D. Fernando [...] para que todos los reyes copien de aquel gran gobierno el acierto del suyo, a quien premió Dios, según discurro, con nuevos y dilatados mundos por el ardiente celo con que limpió las Españas, echando de ellas los judíos, libertándolas de los moros y entablando el tribunal del Santo Oficio contra la herética probedad y apostasía con que se conservan nuestros reinos limpios en la fe, y por restituirle Dios las Indias (p. 114).

Entre los múltiples argumentos que desgrana Rocha en su obra llama la atención el paralelismo que establece entre la conquista de la Tierra Prometida por parte de Israel y la conquista del Nuevo Mundo protagonizada por los españoles, comparando al monarca Fernando el Católico con un segundo Moisés, capaz de «reencontrar» para las glorias patrias esta nueva tierra de promisión, donde abunda la leche y la miel, alejando a sus gentes de los enredos pestíferos de la idolatría y poniéndolos a salvo del cautiverio y las patrañas del demonio:

> Dije arriba cómo había Dios elegido a los españoles y a nuestro monarca como segundo Moisés para esta conquista de las Indias, y hallo en ella muchas señales de aquellas estaciones que hicieron los israelitas a la tierra de Promisión, de la cual se dice en el Éxodo, cap. 3, que era tierra ancha, dilatada y espaciosa y muy fértil de leche y miel, todo se verifica en estas Indias (p. 151).

De la misma forma que Moisés había liberado a los israelitas de la opresión de Egipto, el rey católico había hecho lo propio con los indígenas, salvándolos del pecado mortal en que vivían y rescatándolos para la Iglesia[18]. Lo curioso de este paralelismo es que Rocha parece

---

[18] El texto de Rocha en el que trata de justificar este curioso paralelismo dice así: «la similitud no ha de ser en todo, y basta que una y otra conquista concuerden en los casos y sucesos, que los efectos hayan sido unos mismos, y así como los de la tierra de promisión fueron para alivio de los israelitas, para su libertad, lo mismo sucedió aquí en las Indias para libertar a los americanos de la servidumbre del demonio, y como unos y otros eran de un origen, a aquellos los libertó de Egipto para darles la tierra de promisión y a éstos del demonio para

olvidar, quizás de forma intencionada, que Moisés no llegó a entrar en la Tierra Prometida, lo que sí hizo su sucesor, Josué, personaje con el que podría compararse, en un plano simbólico, el monarca español[19].

Con los mapas y documentos cartográficos de la época, Rocha considera que la distancia entre las Indias y España no fue un factor determinante, porque otros lugares, como África, Noruega o Groenlandia quedarían más próximos al Nuevo Mundo[20]. Sin embargo, lo que convierte a la península en un lugar privilegiado para las primeras repoblaciones es el hecho de que la misteriosa isla Atlántida, tal y como la describe Platón en el *Timeo*, se iniciaba en las antiguas Columnas de Hércules (actual Gibraltar), alcanzando las islas Hespérides, que él sitúa en Cuba, la Española y las islas de Barlovento. Con estas dimensiones fabulosas e hiperbólicas, la desaparecida Atlántida cubriría buena parte del océano que lleva su nombre, presentando unos números y unas dimensiones muy superiores a la suma del mundo conocido[21]. Aprovechando este gigantesco pasillo, los españoles entraron en el continente americano en tiempos del legendario Héspero, el no-

meterlos en la Iglesia y hacerlos aptos del reino de los Cielo y así profetizó Isaías en el cap. 2, en las finales palabras, que abriría Dios caminos por el mar para recoger el residuo de su pueblo, que había quedado de los asirios, a semejanza de los tiempos antiguos cuando sacó a los israelitas de la tierra de Egipto» (p. 154). La cita que da de Isaías es incorrecta, como recuerda León Azcárate en su minucioso estudio, tratándose de Isaías 11, 15-16 (p. 106).

[19] León Azcárate realiza un exhaustivo rastreo por los historiadores y cronistas de los siglos XVI y XVII que equiparan a Moisés (o a Josué) con los grandes protagonistas de la conquista. Ver la nota 19 de su artículo, p. 103.

[20] «La gran confusión que en todos los autores ha habido, sobre buscar el paso a estas Indias de los que vinieron de las otras tres partes del mundo a poblarlas, me ha gastado mucho tiempo de lectura y contemplación. Y cogiendo este negocio desde sus principios, hallo que muy insignes escritores han sido siempre de parecer que esta América se comunica por algunas partes con las otras tres del mundo, o por lo menos, que se divide de ellas con algunos estrechos de mar cortos y fáciles de navegar [...]. Pero niego haber sido más fácil el venir a estas Indias desde el Asia que desde España, porque aunque hoy se halle tan gran golfo, habrá tres o cuatro mil años, cuando había la Isla Atlántida, era más fácil la entrada de españoles y cartagineses sin rodear el gran círculo de tierra que anduvieron por la parte de Méjico, con que se queda satisfecha la primera duda» (pp. 190 y 211).

[21] Rocha se hace eco de una hipótesis, muy extendida en su época, que explicaría el surgimiento del Mediterráneo como una consecuencia del hundimiento de la Atlántida: «el P. Eusebio Nieremberg en su *Filosofía*, lib. I, cap. 22, donde,

veno rey después de Túbal, completando así una secuencia característica de la conciencia mítica, en la que un tiempo fabuloso queda tren-
zado en una geografía fantástica.

En el intento de organizar una cronología sobre la repoblación del
continente americano, Rocha establece tres momentos importantes:

> Aunque las primeras entradas a la América fueron de españoles poco
> después de Túbal y los mismos en tiempo de Héspero, que todo esto su-
> cedió ha más de tres mil y quinientos años, cuando no se había anegado
> la isla Atlántida, y de estos mismos españoles entroncados con los carta-
> gineses, entraron a las Indias cuando vino Hannon con ellos, habrá tiem-
> po de dos mil años, pero sin duda que en estas *tres transmigraciones* entrarían
> otras naciones que comerciaban en España, de que vino la diversidad de
> algunos nombres de lugares y de alguna división de lenguas (p. 207. La
> cursiva es mía).

Aunque habla de tres transmigraciones, en el texto sólo encontramos dos; la tercera, a la que ha dedicado buena parte de su obra, se
refiere lógicamente al destino de las diez tribus perdidas de Israel a las
que se sumarían las otras dos que quedaron en Tierra Santa y que a
lo largo de un nuevo «éxodo» llegaron a territorio mexicano, siendo
el origen de los antiguos toltecas[22].

Llama la atención la defensa que Rocha hace del origen judaico
de parte de la población americana, en una época dominada por el
Barroco y el espíritu de la Contrarreforma, donde las tensiones anti-
semitas están a la orden del día no sólo en España, sino también en
buena parte de la Europa cristiana. Quizás como un escudo protec-

---

contando los estragos que ha hecho el mar, da por sentado el que refiere Platón,
de que se sorbió el Océano la isla Atlántida, que era mayor que Europa y Libia,
y aún más abajo, da a entender que el mar Mediterráneo, habiendo sido tierra
seca, se anegó, sobrepujando el Océano entre Cádiz y Gibraltar, haciendo aquel
estrecho; lo cual, sin duda, sucedió por haber tragado aquel mar una isla tan grande, que ocupando sitio dentro de sus ondas, había que buscar el agua otro lugar
donde asentarse, y se hizo un tan gran mar como el Mediterráneo» (pp. 57-58).

[22] «Los indios Toltecas, primeros pobladores de Méjico, fueron las tribus, y así
concuerdan con lo que tienen pintado en sus Historias, como es el que vinieron
desterradas de sus tierras, que tardaron ciento cuatro años en llegar a Méjico, que
pasaron por un estrecho de mar en balsas, a que se allega la forma de las vesti-
duras y el color de ellas» (p. 196).

tor contra posibles lecturas heréticas de su texto, el cronista defiende que estos judíos nada tuvieron que ver con la crucifixión de Jesucristo, puesto que salieron de Israel con destino al Nuevo Mundo mil años antes del nacimiento del Mesías[23]. Calcula que de los seiscientos mil israelitas que fueron deportados por Salmanasar, al menos trescientos mil llegarían a las costas americanas, como lo probaría, según su particular sentido etimológico, un sinfín de topónimos de origen hebraico entre los que cabría destacar el nombre de México, que para Rocha, citando la autoridad de Las Casas, es un nombre hebreo y no duda en señalar que la lengua que hablan en Cuba, en Jamaica y en otros puntos de las Antillas es un «hebraico corrompido».

Las razones que argumenta Rocha para demostrar este doble origen hispanojudaico de la población americana resultan, en muchos casos, un verdadero catálogo de disparates. Para demostrar las analogías y paralelismos con los primitivos españoles recurre a cuestiones tan peregrinas como el carácter guerrero de los pueblos, la importancia del metal en las armas, las inclinaciones idolátricas, el comercio con objetos, los infanticidios, los augurios con animales, los cabellos largos de los hombres y las diademas de las mujeres, los ritos funerarios, la poligamia, la carencia de letras y de historias escritas, las construcciones navales, las leyes y costumbres hereditarias, los tributos pagados a los jefes y caciques, y un número nada desdeñable de términos léxicos, cuyos étimos procura rastrear en ambas orillas del océano.

No menos curiosa resulta la comparación entre los pueblos americanos y los primitivos judíos expulsados por Salmanasar, tal y como aparecen caracterizados en el Libro IV de Esdras. Rocha considera que la gramática de las lenguas indígenas y el hebreo tienen una base común y que hay lenguas, como el quechua, que se pronuncian de una

---

[23] «Engáñese los que piensan que sólo por descender mucha parte de estos americanos de las tribus, por este origen contraen infamia, como discurrió el P. Calancha en su *Crónica*, lib. I, cap. 6, porque aunque es verdad que están justamente notados los judíos y excluidos de todas honras, esto se entiende de los que descienden de aquellos judíos que concurrieron y aprobaron la muerte de nuestro Redentor y Señor Jesucristo y dijeron que su sangre cayese sobre ellos y sus hijos, éstos son los infames, pues crucificaron a su Dios y Salvador. Pero los que no concurrieron en esta infamia, como fueron estos americanos, y las diez tribus que más de mil años antes del Nacimiento de Nuestro Redentor habían venido a esta América por el destierro de Salmanasar, éstos no contraen alguna infamia» (p. 175).

manera muy parecida. Este parecido lo hace extensible a los trajes de hombres y mujeres, a las costumbres de ambos pueblos, caracterizados como tímidos, cobardes, pusilánimes, incrédulos, idólatras, ingratos y afeminados. Los sacrificios de niños y mujeres, los ritos y ajuares funerarios, las edificaciones sagradas, la circuncisión de los varones, el rechazo a las mujeres estériles, el miedo atávico al incesto, el castigo del adulterio femenino, las manifestaciones de dolor o la obligación de las viudas de casarse con un pariente del difunto llevan al cronista a afirmar que «reconocidas tantas conveniencias de ritos entre estas dos naciones de hebreos e indios parece pertinencia el no darles esta descendencia de los hebreos» (p. 166).

Llega a señalar el paralelismo en los prodigios que marcan el recorrido de ambos pueblos, con la presencia de una mujer que llora toda la noche, anunciando la derrota inminente de los mexicanos a manos de Hernán Cortés, y lo relaciona con los lamentos de Sión, madre de los israelitas, cuyo llanto recogido en Esdras anuncia la destrucción de las tribus[24].

El Arca en el Nuevo Mundo

La preocupación por el origen de los indios lleva implícita otra cuestión, no menor, como es la del origen de muchos de los animales americanos. El hecho de que muchas de las especies que encuentran los conquistadores no contaran con su correspondiente correlato en la fauna europea, fue un escollo importante para los tratadistas de

---

[24] «Tengo también observado para entender que estos americanos, principalmente los de Méjico, descienden de las diez tribus, los prodigios que Dios obró con ellos y las señales del Cielo que tuvieron significándoles el fin de su Monarquía y que Dios les entregaba a otras gentes y naciones. En Méjico, cuando entró el gran capitán Cortés, se observaron diez prodigios bien singulares que les indicaba el fin de su Monarquía, que podrán verse en el P. Torquemada en el lib. 2 de su *Monarquía Mejicana* en el cap. 90; y entre los prodigios uno era el oírse de noche la voz de una mujer que a grandes voces lloraba la destrucción de sus hijos Mejicanos; esto mismo sucedió con las diez tribus antes de su destierro, como consta en el lib. 4 de Esdras, cap. 9 al fin, donde dice, se le apareció una mujer llorando la destrucción de las tribus y luego, explicando la visión en el capítulo 10, núm. 44, dice que esta mujer era *Sión*, madre de los Israelitas y de las tribus que salieron luego desterradas» (p. 173).

la época, que trataron de resolver este enigma con teorías tan peregrinas, y a veces tan disparatadas, como las utilizadas para explicar la
presencia del hombre en aquel vasto continente. De las muchas propuestas ofrecidas en las crónicas de los siglos virreinales, cabe destacar
la postura, siempre racionalista y cuidadosa del padre Acosta, que le
dedicó uno de los capítulos de su *Historia natural*[25], argumentando que
los animales debieron entrar en el Nuevo Mundo aprovechando la
proximidad de los continentes.

Casi en el extremo contrario encontramos al malagueño Miguel
Cabello Valboa, quien llegó a sostener la presencia a lo largo de los siglos de lluvias milagrosas que habrían arrastrado por los aires todo tipo
de objetos y animales. Haciendo gala de una deliciosa e ingenua erudición, el cura de Archidona documenta lluvias extraordinarias de fuego, de piedras, de lana, de sangre y leche, y de otras lindezas como
ladrillos cocidos, cobre, sardinas, trozos de carne y algún que otro be-
cerro volador[26].

Es en este contexto en el que tenemos que situar el pensamiento
pendular de Diego Andrés Rocha, a mitad de camino siempre entre
lo racional y lo mágico, cuyas explicaciones científicas quedan extra-
ñamente suspendidas en el vacío al final de su obra, en favor de otro
tipo de aseveraciones donde tienen cabida los prodigios y los mila-
gros. Un siglo más tarde que Valboa, el cronista hispanoperuano no
cree en las lluvias milagrosas, sino en la intervención directa de un
ejército de ángeles portadores, capaces de repoblar los campos, las co-
linas, los bosques y las selvas con un sinfín de animales que quedaron
a resguardo del Diluvio entre los maderos del Arca:

> Concluyo esta parte con decir que, así como por ministerio de ánge-
> les fueron traídos todos los animales a la presencia de nuestro padre Adán
> para que les pusiera a cada especie su nombre [...] que también por mi-
> nisterio de los ángeles fueron traídos los animales al arca para librarlos del

---

[25] Se trata del capítulo XXI: «En qué manera pasaron bestias y ganados a las
tierras de Indias». Acosta concluye este asunto de la siguiente manera: «Yo he hecho diligencia en averiguar esto, pareciéndome que era negocio de gran momento, para determinarme en la opinión que he dicho, de que la tierra de Indias
y la de Europa y Asia y África tienen continuación entre sí, o a lo menos llegan
mucho en alguna parte» (Libro I, capítulo XXI, p. 115).
[26] Cabello Valboa, *Miscelánea Antártica*, p. 114.

diluvio, y que, habiendo cesado, por el mismo ministerio de ángeles fueron vueltos a las partes en que fueron criados [...] lo mismo se debe decir de los animales domésticos de este Perú y los demás fieros que fueron criados en él y que, pasado el diluvio, fueron vueltos por ministerio de los ángeles a estas regiones donde fueron criados y de donde fueron llevados al arca, pues hemos de entender que también antes del diluvio había en estas partes gente, por haber dicho Dios a Adán y a su descendencia que llenasen toda la tierra y no había de haber hecho en vano esta parte del mundo que es mayor que las otras tres juntas, aunque todos los hombres que antes del diluvio había en esta América, perecieron en el diluvio universal (p. 230).

El fragmento citado no es sólo una solución milagrosa —diríamos angelical— para explicar la presencia extraña de animales nuevos y raros, que no se conocieron en la vieja Europa, también es la prueba textual que certifica la ideología y la credulidad de un hombre del setecientos, que busca respuestas a sus preguntas analizando los arcanos de la Historia, que interpreta, con la tenacidad de un hermeneuta neoescolástico, las escrituras sagradas y profanas y que trata de enderezar los renglones torcidos de la Naturaleza, ajustando la esquiva realidad a los preceptos religiosos que lo caracterizan como hombre del Barroco. Rocha utiliza la mullida red teológica de su tiempo para no caer en el vacío teórico de los enigmas insolubles o ser engullido por las controversias y polémicas casi siempre enconadas que trataron de explicar la procedencia y singularidad de aquellos nuevos hijos de Adán, que nada tenían que ver con quienes sobrevivieron acomodados entre los viejos maderos de la mítica Arca de Noé.

BIBLIOGRAFÍA

ACOSTA, J. de, *Historia natural y moral de las Indias*, ed. y estudio introductorio J. Alcina Franch, Madrid, Historia 16, 1987.

ALCINA FRANCH, J., *Los orígenes de América*, Madrid, Alhambra, 1985.

BALLESTEROS GAIBROIS, M., *Cultura y religión de la América prehispánica*, Madrid, Biblioteca de Autores Cristianos, 1985.

BRADING, D. A., *Orbe indiano. De la monarquía católica a la república criolla, 1492-1867*, México, FCE, 1993.

CAMACHO DELGADO, J. M., «La *Miscelánea Antártica* de Miguel Cabello Valboa. El palimpsesto bíblico de un cura de Archidona», en T. Barrera (coord.),

Herencia cultural de España en América: poetas y cronistas andaluces en el Nuevo Mundo. Siglo XVI, Sevilla, Universidad de Sevilla, 2007, pp. 107-130.

CABELLO VALBOA, M., *Miscelánea Antártica*, ed. y estudio introductorio L. E. Valcárcel, Lima, Universidad Nacional Mayor de San Marcos-Instituto de Etnología, 1951.

DELUMEAU, J., *Historia del Paraíso*, Madrid, Taurus, 2005 (3 vols.). 1. *El jardín de las delicias*; 2. *Mil años de felicidad*; 3. *Lo que queda del Paraíso*.

DURAND, J., «Perú y Ophir en Garcilaso Inca, el jesuita Pineda y Gregorio García», *Revista Histórica*, Lima, 3, 2, 1979, pp. 35-55.

ELLIOTT, J., *El Viejo Mundo y el Nuevo (1492-1650)*, Madrid, Alianza, 1984.

— *Imperios del mundo atlántico. España y Gran Bretaña en América (1492-1830)*, Madrid, Taurus, 2006.

ESTEVE BARBA, F., *Historiografía Indiana*, Madrid, Gredos, 1992.

FERNÁNDEZ MARCOS, N. y E. FERNÁNDEZ TEJERO, *Biblia y humanismo. Textos, talantes y controversias del siglo XVI español*, Madrid, Fundación Universitaria Española, 1997.

GARCÍA, G., *Origen de los indios del Nuevo Mundo e Indias Occidentales,* estudio introductorio de J. M. García Añoveros *et al.*, Madrid, Consejo Superior de Investigaciones Científicas, 2005.

GERBI, A., *La naturaleza de las Indias Nuevas*, México, FCE, 1978.

GIL, J., *Mitos y utopías del Descubrimiento*, Madrid, Alianza Universidad, 3 vols., 1. *Colón y su tiempo*; 2. *El Pacífico*; 3. *El Dorado*, 1989.

GINZBURG, C., *El queso y los gusanos. El cosmos según un molinero del siglo XVI*, Barcelona, Ediciones Península, 2001.

GONZÁLEZ SÁNCHEZ, C. A., *Los mundos del libro. Medios de difusión de la cultura occidental en las Indias de los siglos XVI y XVII*, Sevilla, Universidad de Sevilla, 2001.

GREENBLATT, S., *Marvelous Possessions. The Wonder of The New World*, Chicago, The University of Chicago Press, 1992.

GRUZINSKI, S., *Les quatre parties du Monde. Histoire d'une mondialisation*, Paris, La Hartinière, 2004.

IMBELLONI, J., *La Segunda Esfinge Indiana. Antiguos y nuevos aspectos del problema de los orígenes americanos*, Buenos Aires, Librería Hachette, 1942.

LEÓN AZCÁRATE, J. L. de, «El tratado sobre el origen de los indios del Nuevo Mundo de Diego Andrés Rocha (1681): un ejemplo de manipulación política de la Biblia», *Religión y Cultura*, 50, 2004, pp. 93-118.

MARAVALL, J. A., *Antiguos y modernos. Visión de la historia e idea del progreso hasta el Renacimiento*, Madrid, Alianza, 1986.

MEXÍA, D., *Primera parte del Parnaso Antártico de obras amatorias,* ed. facsimilar e introducción de T. Barrera, Roma, Bulzoni Editore, 1990.

MORALES PADRÓN, F., *Andalucía y América*, Málaga, Fundación MAPFRE, 1992.

OVIEDO, J. M. (ed.), *La edad del oro. Crónicas y testimonios de la conquista del Perú*, Barcelona, Tusquets/Círculo de Lectores, 1986.

PEASE, F., «Las crónicas y los Andes», *Revista de crítica literaria latinoamericana*, XIV, 28, 1988, pp. 117-158.

RAMOS, G. (comp.), *La venida del Reino*, Cuzco, Centro de Estudios Regionales «Bartolomé de Las Casas», 1994.

ROCHA, D. A., *El origen de los indios*, ed. y estudio introductorio J. Alcina Franch, Madrid, Historia 16, 1988.

APROXIMACIÓN A *TARDES AMERICANAS* DE JOSÉ JOAQUÍN GRANADOS Y GÁLVEZ

Virginia Gil Amate
Universidad de Oviedo

El diálogo *Tardes americanas*[1] de José Joaquín Granados y Gálvez apenas había ocupado lugar, no ya en el interés sino en el mero recuento de obras, de los especialistas en las letras virreinales. Apenas había motivado el texto referencias dispersas, algunas de ellas equívocas o contradictorias y otras claramente guiadas por prejuicios ideológicos de nuestra época que guardan escasa relación con los debates político-culturales del mundo hispánico dieciochesco[2]; además este silencio contrastaba con la valoración de sus coetáneos, si tenemos en cuenta el «sumo aprecio mío, y de cuantos los han leído [los manuscritos de Granados]»[3] que Beristain de Souza dedicaba a las obras de Granados.

---

[1] José Joaquín Granados y Gálvez, *Tardes americanas: Gobierno gentil y católico: Breve y particular noticia de toda la historia indiana: Sucesos, casos notables y cosas ignoradas, desde la entrada de la Gran Nación Tulteca a esta tierra de Anahuac, hasta los presentes tiempos. Trabajadas por un Indio y un Español*, 1778. Las citas del presente trabajo pertenecen a esta edición que no tiene numeradas las páginas de la dedicatoria, las censuras y el prólogo. Para evitar notas innecesarias, la localización de capítulo y página se consignará a continuación de la cita. Otras ediciones facsimilares: 1984 (pról. R. Moreno de los Arcos); 1987 (pról. H. Labastida).

[2] Una reflexión sobre los puntos de vista utilizados por la crítica contemporánea sobre las obras producidas durante el virreinato puede encontrarse en Becerra, 2004, pp. 38-43.

[3] Beristain de Souza, *Biblioteca Hispano-Americana Septentrional*, t. II, p. 57.

La recuperación crítica que se está haciendo de este texto, su reciente salto «al primer plano de la atención académica»[4] amplía el corpus literario novohispano y su estudio resulta particularmente interesante porque permite analizar tres estratos —literario, histórico y político— de la cultura del último cuarto del siglo XVIII a través de la percepción de un español peninsular que desarrolló su carrera eclesiástica, es decir, toda su vida adulta, en Nueva España.

José Joaquín Granados y Gálvez[5] nació en Sedella, Málaga, en 1734. Cuando todavía era corista de la orden de San Francisco, entre 1751 y 1754, se trasladó a Nueva España para establecerse en la Provincia de San Pedro y San Pablo de Michoacán, donde terminó sus estudios y fue guardián y predicador. En 1788 fue consagrado obispo de Sonora y ejerció su cargo hasta su traslado a la sede de Durango en 1794, donde murió al día siguiente de llegarle las bulas obispales.

El año de impresión de *Tardes americanas*, 1778, la sitúa en un lugar singular puesto que su reconstrucción de la antigüedad mexicana, adaptando el sistema de Boturini[6] a la tradición historiográfica franciscana sobre el mundo indígena, no solo se produce antes de la aparición de la *Storia antica del Messico* de Francisco Javier Clavijero sino que muestra la temprana recepción y asimilación en suelo americano de dicho sistema historiográfico sin necesidad de estar en Europa para acceder a él[7].

Por lo demás, la obra de Granados se hace eco de los vaivenes políticos, de los conflictos de la Iglesia y de todos los más relevantes asuntos culturales de la época, de los temas que llenaron el contenido de la polémica sobre el Nuevo Mundo a lo largo del siglo XVIII, al debate hispánico sobre las lenguas y las culturas indígenas; de la política borbónica en Ultramar a la sublevación de la América anglosajona y, en el curso de la demostración de sus tesis, no encontramos tan claramente definida, como en ocasiones se ha querido ver, una línea patriótica que pertenezca en exclusiva a los criollos frente a otro planteamiento encarnado en los peninsulares. Aun a pesar de que en *Tardes americanas* subyazca una

---

[4] Ver Gutiérrez Cruz, 1992, p. 286.

[5] Para los datos biográficos que utilizamos, ver Gómez Canedo, 1971; Labastida, 1987; Moreno de los Arcos, 1984; Zamora, 1992.

[6] Boturini Benaduci, *Idea de una nueva Historia General de la América Septentrional*.

[7] Para el estudio de la presencia de la obra de Boturini en Clavijero ver Rovira, 2001, pp. 103-116.

visón idílica de la perpetuación de las Indias bajo la monarquía católica, que responde a que la obra de Granados representa el postrero eslabón de la utopía franciscana en América. Al contrario que Mariano Cuevas[8], que no encontró especiales méritos en Granados, y Horacio Labastida, empeñado en demostrar que el trasfondo político de *Tardes americanas* responde a un esquema social reprobable en el que el

> «español desempeña en América las divinas labores de la salvación. El indio evangelizado encuentra ahora en su pasado una grandeza que no lo vuelve a la gentilidad, y sí, por el contrario, acrecienta su fidelidad a la verdad revelada. El criollo, por su lado, sabedor de los valores inmanentes en su mando, acepta el origen trascendental de las jerarquías, y ocupa en consecuencia el sitio que en ellas le corresponde»[9],

Sergio Nicolás Gutiérrez Cruz observa importantes novedades en el tratamiento de asuntos centrales en el contexto social novohispano, sobre todo en lo relativo a la necesidad de integración de los diferentes estamentos poblacionales para dotar de un sentido, y de un sentimiento, orgánico a Nueva España, que es posible plantear precisamente por el armazón que la ficción le facilita a su autor, con ello, Granados dará cuenta «de un mundo ya perdido, el pasado esplendor indígena. Pero, también, es el exponente de un mundo que se pierde, el feneciente poder hispánico»[10].

Granados y Gálvez opta por un género literario, el diálogo, para dar forma a la reconstrucción y proyección histórica que realiza. Las razones de su elección podemos hallarlas diseminadas, y más o menos veladas, tanto en la introducción como en las dedicatorias. Una de sus motivaciones tiene que ver con la difusión que busca para los asuntos americanos; la literatura le permite la agilidad y amenidad que persigue para la divulgación de sus conocimientos: «he procurado vestir con alguna hermosura aun los pasajes históricos, porque no los condenen a la pena del desprecio por desnudos», dirá en la dedicatoria a Miguel de Gálvez. Otra, fundamental, está relacionada con la dificultad que entraña, según su experiencia, la elaboración de un discurso sobre la historia americana, basado, en parte, en escollos comunes a

[8] Cuevas, 1947, p. 289.
[9] Labastida, 1987, p. LXXIII.
[10] Gutiérrez Cruz, 1992, p. 295.

cualquier labor historiográfica (la oscuridad del pasado cuando reconstruye las antigüedades indianas y la vehemente interferencia del presente cuando el hilo historial se aproxima a su época); y en parte, a la conflictividad de los grupos poblacionales de Nueva España, donde el origen peninsular del autor metido a historiador de América es labor, también según su experiencia, no exenta de riesgos.

Tardes americanas surge porque el autor ha encontrado la salida del laberinto, al que lo conducían el tema y la recepción, en la aparente ligereza del género dialéctico, que permite el desdoblamiento de la figura del autor en varios personajes, en este caso dos hablantes y un amanuense. Tanto en la dedicatoria como en el prólogo insistirá en el carácter de artificio literario que sostendrá a las noticias históricas:

> Alentada la cobardía de mi ánimo en vista de tan raro exceso de dignación, presento a la grandeza de V. Exc. el humilde dote de mis pobres sudores, disfrazados con el honesto traje de un *Indio*, y un *Español* (Dedicatoria).

> Alegres y regocijados con la invención, y últimamente persuadido el Indio por el Paisano, de que no hay Lías feas, cuando hay Jacobos enamorados, nos regresamos, por entrar la noche, a nuestras respectivas ubicaciones: ellos a estudiar lo que habían de dictarme, y yo a cercenar el papel, cortar las plumas y adiestrar la mano (Introducción).

El «disfraz», la «invención» son necesarios también para cumplir con otro de los objetivos, subyacentes a la escritura de esta obra, ligado a la idea de la historia como maestra de vida, es decir, Granados se propone realizar una historia útil y utilitaria que contenga en su misma construcción variadas enseñanzas y consejos para el presente, así como proyecciones para el futuro. Por eso no puede circunscribirse a las fronteras del discurso histórico, porque su intención es reflexionar y opinar al curso de la escritura de los hechos, siendo esta la mejor forma, en frase de Mayans, para «explicar agradablemente los propios pensamientos»[11]. Es esto lo que podría aclarar la ambigua acotación que introduce en la Dedicatoria después de un hiperbólico retrato del ministro de Indias, José de Gálvez, y sobre todo tras una deliberada elaboración, a juzgar por los informes que de Gálvez llegaban a la

---

[11] Mayans y Sicard, *Retórica*, p. 616.

península y de la abierta oposición a sus planes de reforma[12], del positivo recuerdo que ha dejado su paso como visitador general:

> Estas brillantes cualidades dejaron tan grabadas sus memorias en los agradecidos pechos de todos los indianos, que no hay (y crea V. Exc. mi ingenuidad como la más interesada en sus cultos y veneraciones) uno ni ninguno, que intente borrarlas del terso papel del amor, y del reconocimiento (Dedicatoria).

La zalamera alusión a su «ingenuidad» «interesada» pone tan en cuestionamiento el panorama novohispano retratado, como sirve de declaración expresa de que su discurso está impregnado de opinión personal, y es, precisamente, este cariz político de su escritura el que hace que la obra de Granados y Gálvez pueda emparentarse con el voluminoso corpus proyectista generado durante el reinado de Carlos III. Su diálogo colinda en intención con las «representaciones», «informes», «memoriales», «discursos», etc. que forjaban el amplio catálogo de remedios ofrecidos a la monarquía católica[13], pero va más allá, también en este caso, al adentrarse en una definición literaria para su obra, como prueban, tanto el género elegido como las frases de estirpe cervantina intercambiadas por los hablantes en el ocaso de la penúltima Tarde:

> *Indio*: De esta manera me he fingido yo muchas veces la hermosa arquitectura de mi indiano edificio, como le dije a Vm. Y si la pintura le fuere desapacible, convengase a que yo lo pinto como lo quiero.
> *Español*: Ya sé que todo es pintar como querer, y que no hay quien pinte a la Patria como la ama... (p. 483).

Granados escoge la literatura, en su sentido de ficción, no en el de escritura que tenía en el XVIII, para decir no solo lo que puede sino lo que debe y quiere, planteando posibilidades de realidad para Indias en el margen de su obra.

El estilo de Granados combina las leyes neoclásicas de la mímesis (realizar una «pintura» verbal) con la voluntad dieciochesca (en su caso

---

[12] Ver Brading, 1993, principalmente pp. 509-529; Villas Tinoco, 1991, pp. 135-197; Ruiz de la Barreda, 1992, pp. 69-109; Navarro García, 1995.

[13] Granados y Gálvez aparece consignado entre los autores de ensayos políticos en Ezquerra, 1962, pp. 209-210.

a veces ilustrada, otras iluminada) de adecuar lo americano a su color ideológico, intentando forzar la realidad, sobre todo la venidera, a los cauces establecidos en el discurso verbal. Por eso, definitivamente, debe desdoblarse en personajes, no solo porque es buen medio para encaminar sus conocimientos sino porque de este modo consigue dar rienda suelta a su opinión e interpretar, a partir de ella, el hilo historial.

Tardes americanas sigue las fórmulas, establecidas en buena parte de los diálogos clásicos, que dividían la sustancia argumentativa en *praeparatio* y *contenio*. Así, tenemos una introducción, titulada «Introducción que sirve de prólogo», donde se realiza la localización escénica y la presentación de los personajes, del asunto a tratar, de la intención y de los fines que persigue el diálogo, para, a continuación, pasar al desarrollo de la argumentación repartida en diecisiete secciones o «Tardes». El título de esa primera parte resulta bastante significativo en cuanto a la miscelánea de discursos que Granados hace en su obra, puesto que esta surge de la conjunción de la labor historiográfica con la voluntad de proyección política y con la forma ficcional elegida. El preámbulo a la conversación propiamente dicha es tanto una «introducción» literaria, en la que se presenta a los personajes y se crea el clima de colaboración y entendimiento que guiará a los tres sujetos involucrados, como un «prólogo» donde el historiador fija las variadas fuentes utilizadas y los límites temporales y temáticos de la historia mexicana a reconstruir.

No se corresponde en *Tardes americanas* la medida amena y cuidada que aparece la Introducción con el cierre apresurado de la obra. Si Mayans consideraba necesaria (aunque no obligatoria) una «reflexión» final para los diálogos «directos»[14], en el de Granados se echa en falta esta parte. En su lugar tenemos un cierre abrupto que coincide con el término de la Tarde XVII, para agregar, de manera deshilvanada, una «nota final del Indio».

Por el contrario, la estructura del razonamiento respeta las normas neoclásicas de equilibrio y claridad. De las diecisiete sesiones o «Tardes» que lo componen, las ocho primeras versan sobre asunto indígena, distribuyendo sus temas entre la historia de la formación y desarrollo del Anahuac y las noticias sobre las esferas política, social y cultural de los mexicas desde la antigüedad hasta el presente de la obra. Las nueve Tardes restantes se centran en el orden hispánico. De ellas una se dedica a la

---

[14] Mayans y Sicard, *Retórica*, p. 611.

conquista, tres a la monarquía católica, cuatro a la historia eclesiástica y una al talento de los criollos. La percepción del movimiento global de la historia responde al modelo agustiniano de expansión providencial del reino de Dios, que en el caso particular de Nueva España dividirá la cronología en dos grandes épocas, la indígena y la hispánica, siendo el paso entre una y otra la conquista. Queda así perfectamente equilibrado el discurso: ocho secciones para el mundo indígena, una de cesura ocupada por la conquista y las ocho restantes para el orden hispánico.

La aparición de los personajes se localiza en Pinal de Amoles, pero no se opta[15] por la descripción geográfica sino por su representación literaria, siguiendo el modelo ciceroniano, como *locus amoenus*. Caminando por las «frescas riberas» de un río, los dos españoles se encontrarán con el indio. El esmero con el que se compone la preparación de la conversación cumple con la relación de correspondencia[16] existente entre el ambiente amistoso en el que puede desarrollarse la argumentación del razonamiento y el cuidado con que el autor presenta los elementos de la mímesis conversacional.

Según esbozamos, en el desarrollo de la argumentación de *Tardes americanas* intervienen dos hablantes, un indio y un español, pero la desmembración del sujeto autorial no se reduce a esa dualidad protagonista de la conversación propiamente dicha, sino que es tripartita puesto que hay un tercer personaje, el «Cura», narrador en la Introducción y amanuense de todo lo dicho en la ficción conversacional. En este personaje se sostienen y muestran las funciones pertinentes al diálogo como género literario, la mímesis de una conversación que sin embargo es un ejercicio de escritura, con reiteradas marcas en el texto en forma de notas al pie, dibujos o grabados. Así, Granados lleva a la práctica literaria la preceptiva teórica, sobre la conjunción del habla y la escritura que Mayans destacaba, en el apartado dedicado al diálogo de su *Retórica* (1757), como la esencia de la conversación perfecta o diálogo:

> El *estilo* del *diálogo*, generalmente hablando, debe ser mejor que el de la *conversación* y el de las *cartas*; porque en aquéllas y en éstas el asunto es

---

[15] Sobre todo si tenemos en cuenta los epítetos que a Amoles le dedica Horacio Labastida, 1987, pp. XXVIII-XXXI.
[16] Gómez, 2000; sobre el caso particular de la América Hispánica ver Vian Herrero, 1993, pp. 193-215.

necesario, o casi necesario; en la *conversación*, repentino; pero en el *diálogo* es elegido de propósito, y aunque se supone que se habla repentinamente, se sabe que se escribe de pensado, dando una idea de la *conversación* más perfecta[17].

Las características de los tres personajes están claramente detalladas en la Introducción, donde la situación y las intervenciones vienen referidas por el narrador. En principio son definidos por el grupo poblacional al que pertenecen y de ahí se extraerá el gentilicio con el que se denomina a los hablantes: «Indio» y «Español». No obstante, hay un interés por delimitar la clase de indio y de español representados en el texto, y la realización de esas semblanzas ocasiona que los personajes sean interdependientes. Así, del que realiza las funciones de amanuense conocemos su procedencia malagueña por su relación de paisanaje con el hablante español —«... desde que salí para estos reinos de Málaga, nuestra amada patria...»—. Sus otras características las señalará él mismo: es un español peninsular de largo arraigo en Nueva España —«en los veinte y cuatro años que en servicio de Dios, y de Vm. cuento en este Reino», le referirá a su «Paisano»— allí se ha desarrollado su carrera eclesiástica desde las iniciales labores ligadas al púlpito hasta adquirir los grados de administrador y coadjutor. Aunque el paisano lo llama «Cura», no es sacerdote sino fraile de una orden religiosa puesto que él mismo alude a su «sagrada religión». Sin embargo, esa será la denominación con la que se reconozca a este personaje, que se completa con el tratamiento de calidad que los hablantes le dan: «V. R.», si el que apela es el Paisano y «V. P. Padre», si el Indio.

Por su parte, del «Paisano», el «Español» cuando comience el razonamiento, sabemos su procedencia malagueña y debemos suponerle, por sus palabras, una larga radicación en Indias, ya que dice pertenecer al grupo de «los europeos indianos». Este personaje tiene una inclinación natural hacia «todo género de letras y noticias» y dedica sus pocos ratos de ocio al estudio de asuntos americanos sin haber conseguido, hasta el momento, canalizar sus conocimientos históricos en obra alguna. No se le otorga ningún tratamiento religioso, ni de otra índole, que marque un rango o preeminencia con respecto a los otros dos, reduciéndose la cortesía al genérico «Vm.»

---

[17] Mayans y Sicard, *Retórica*, p. 616.

Finalmente, y a diferencia de los otros dos personajes, la descripción del «Indio» se realiza a partir de sus propias palabras, sumadas a la percepción que de él tienen los dos españoles. Procede de Pinal de Amoles, su lengua vernácula es el otomí pero habla y traduce del nahuatl, de la que llama idioma «chichimeco», quizá refiriéndose a su competencia en diferentes dialectos del norte de México, y del tarasco[18]. En su dominio lingüístico entra también el latín y el castellano, lengua en la que se expresará, en sus más cultos registros, durante las conversaciones con los otros dos personajes. La minuciosidad y amplitud de su presentación indica que su figura necesita una mayor acreditación, tal vez por eso, una vez asentado su espíritu cristiano y su formación bajo la tutela franciscana, se insistirá en su capacidad intelectual:

> ... sus prendas y virtudes [dice el Cura] son acreedoras a más distinguidas expresiones que las mías. Jamás traté hombre de su clase más atento, más cristiano, más humilde ni comedido; a que se agrega haberle dotado Dios de unas potencias claras, e instruido en todo género de ciencias, artes y facultades. Nada se le esconde a su estudio y penetración, poseyendo una cierta dominacion y despotismo sobre todas ellas (Introducción).

Así como en sus grandes conocimientos de historia indígena, «tan alto y excelente que no tiene que envidiar a muchos que blasonan de sabios y eruditos», y en sus facultades de historiador, donde las cualidades destacadas de su estilo se ajustan al gusto ilustrado, al preponderar la sencillez, el orden y la claridad en detrimento de la exhibición verbal barroca:

> Encanta y embelesa con su narración, porque a más de la prontitud en referir los pasajes y ajustar las épocas, es ingenuo, claro, breve, verídico y poco amigo del hipérbole, de los tropos, de las frases, ni de la admiración impertinente. De suerte, que muchas veces he pensado para mí, que si como este Indio anhela solo a recogerse dentro de la espera de su abatimiento, levantara los vuelos de la pluma hasta donde alcanza la hermosura

---

[18] En la Introducción el Indio dice tener «registrados, y traducidos del mexicano, náhual y chichimeco al elegante idioma otomí» diferentes documentos, pero resulta poco claro si él ha sido el traductor. Sin embargo, ya muy avanzado el diálogo declara que viene trabajando en una obra en la que pondrá «en método con alguna genuina declaración lo escrito en las lenguas náhual, otomí y tarasca en los primeros años de la Conquista...» (XVIII, p. 535), con lo que se corrobora el amplio dominio lingüístico que define a este personaje.

y facundia de su lengua, entregando a los moldes lo que dicta de preciosas noticias, leeríamos en nuestros tiempos una obra pulcra, válida, acre, sublime, varia, elegante, pura, figurada, espaciosa y difundida con grande elogio y alabanza, como lo pide Plinio en su Epístola 20 (Introducción).

Definidos los rasgos de los protagonistas, la conversación no tendrá un carácter catequístico por lo que no se establecerá una jerarquía en cuanto a la preeminencia de un hablante sobre otro. Al contrario, la igualdad de los personajes se sustenta en un sofisticado artificio literario merced al cual todos remiten a la persona de Granados: con el Cura y el Español comparte concretas referencias biográficas como ser oriundo de Málaga y llevar largo tiempo radicado en la Nueva España. Ha tenido una carrera eclesiástica idéntica a la del Cura, según se va detallando en la Introducción; y, al igual que el Español, es pariente de José de Gálvez, según lo declara el propio personaje en medio de la loa al Ministro de Indias que desarrolla en la Tarde XVI[19]. Comparte, finalmente, con ambos su curiosidad por la historia mexicana y su vinculación afectiva y vivencial a Nueva España.

Al Indio, además de una muy franciscana identificación con el humilde estamento ocupado por los indígenas, lo unen su competencia lingüística y el gusto por el estudio de las antigüedades indígenas; fuera de la Introducción y ya avanzado el diálogo, la identificación pasará a mayores al anunciarse que este personaje trabaja en la elaboración de una obra titulada *América triunfante* (XVII, p. 534), siendo este uno de los títulos consignados por Beristain de Souza entre los manuscritos de Granados y Gálvez[20].

Los datos aludidos se combinan con los guiños verbales en los que los hablantes establecen vínculos con el amanuense, así el Español se declara «huésped» del Cura, el Cura «socio» del Indio y el Indio no duda en confesar que jamás ha sido «dueño» de nada porque todo le

---

[19] Ante el comentario del Indio por la encendida defensa que el Español ha hecho de la figura del visitador Gálvez, éste contesta: «Cuando el amor a la patria no fuera tan dulce, que hasta el morir por ella es gloria, y el amoroso vínculo del parentesco, que para humilde confusión de mi nada y abatimiento, nos enlaza, pudiendo lisonjearme con el poeta: *Utera jam dudum generoso sanguine mecum, / Unum de numero me memor esse tuo.* No fuera bastantes a mover la justicia para su vindicación», XVI, p. 462.

[20] Beristain de Souza, *Biblioteca Hispano-Americana Septentrional*, t. II, p. 57.

pertenece al Cura. La ironía se redondeará cuando este, tan activo en la Introducción para promover el diálogo (de ahí su dualidad de «Padre», como sacerdote y como progenitor del artefacto verbal) y para titular la obra («bautizándola», tal cual le corresponde a un cura), se repliegue al segundo plano tras la función y nombre de «Amanuense» al comenzar la conversación que, paradójicamente, lo convierte en trasunto del propio autor, al ser el que escribe, pero lo aleja, en el espejismo de la ficción, de la responsabilidad que otro tipo de yo autorial asumiría en una representación política o en un tratado histórico:

> … nos regresamos, por entrar la noche, a nuestras respectivas ubicaciones: ellos a estudiar lo que habían de dictarme, y yo a cercenar el papel, cortar las plumas y adiestrar la mano (Introducción).

Prácticamente todos los elementos de la Introducción remiten al modelo ciceroniano[21], así el lugar ameno que sirve de marco al diálogo, la colaboración entre los hablantes, el hecho de que la verdad no siempre necesite ser averiguada sino simplemente expuesta, o el ambiente relajado al situar las charlas por la tarde, una vez que los hablantes han concluido sus obligaciones, arco temporal que sirve de paso para limitar la extensión de cada bloque temático, puesto que la conversación finaliza cada vez que llega la noche, cumpliendo así con la preceptiva del género[22]. Sí difiere, por el contrario, del referente clásico en la relevancia de los hablantes, ya que los elegidos por Granados carecen de autoridad inmanente; no lo hace con respecto a la posible censura de lo hablado, puesto que los personajes del franciscano se muestran tan temerosos del severo juicio de los lectores como lo estaban los de Cicerón, que preferían la opaca comodidad de la mediocridad al brillo que los expusiera ante los censores. En *Tardes americanas* el humor aderezа la presentación de un Indio y un Español, sujetos como vimos, en el parecer de Granados, de vulnerable credibilidad en el Nuevo Mundo, dispuestos a hablar sobre la historia americana:

> Vm. por Español, y yo por Indio, vendremos a ser el blanco de los pellizcos, arаños, tarascadas y mordiscones, aun de los que no tienen uñas y les faltan los dientes (Introducción).

---

[21] Ver Gómez, 2000, pp. 102-107.
[22] Ver Mayans y Sicard, *Retórica*, p. 611.

Este temor intenta ser contrarrestado indicando que la conversación se mantendrá en Nueva España, sobre asuntos mexicanos, pero sus receptores están en España seleccionados entre los amigos del Español:

> ... no tenemos que temer [dice el Español] ni a los que nos calumniaren con sus palabras, ni persiguieren con sus obras. Fuera de que, aunque el agua se coge de este río, ya tengo dicho que no es para que se beba aquí, sino para que la guste mi Patria; y sea turbia o clara, amarga o dulce, la ha de recibir piadosa, como que es fino obsequio de hijo a madre (Introducción).

Funciona entonces un juego de avales donde el Indio se convierte en garante de la autenticidad de las noticias dadas, y el Español, al no ser individuo sospechoso para sus lectores españoles, podrá acreditar al Indio frente a nefastos juicios sobre la capacidad de los indígenas. Solventado el problema en la metrópoli, al finalizar la Introducción, el propio Cura/Amanuense volverá a avisar sobre el nulo prestigio de los hablantes en el Nuevo Mundo; aun así, deciden emprender la aventura verbal:

> ... al que leyere con sana intencion sus cláusulas le agradarán; y la irrisión que causaren (por ser estudio de un Indio y un Español) la castigará con rectitud la dignidad de los sujetos de quienes hablan (Introducción).

Ahora bien, el diálogo nunca se plantea, ni siquiera en las intervenciones de los paisanos malagueños, con la perspectiva de los extranjeros a Nueva España sino de los no aceptados como habitantes novohispanos de pleno derecho. Puede intuirse algo de ello en el hecho de que los mismos que se sienten cuestionados en la tierra en la que viven, y sobre la que conversan, consideren sin ambages de origen, sean étnicos o geográficos, a Carlos de Sigüenza y Góngora «honor de nuestro patrio suelo americano» (IV, p. 146).

El respeto que se profesan los hablantes no impide que, en ocasiones, se produzcan subidas de tono relacionadas con los temas tratados nunca con faltas de cortesía entre ellos. Por ejemplo, cuando el Indio presenta al monarca chichimeca *Xihuilpopoca,* se refiere a su condición de haber nacido «de madre sin concurso de varón» (IV, p. 146), el Español indaga en este asunto sin contemplaciones por su similitud

con la concepción de Cristo, no admitiendo ni por asomo el paralelismo. Sus duras palabras provocarán que el Indio, que antes ha narrado sin juzgarla la creencia indígena, le señale ejemplos parecidos en
los protagonistas de la historia grecolatina, para pasar a continuación
a silogismos broncos —«Lo que podemos hacer es, si a Vm. parece,
darle a Trajano la madre de *Xihuil*, y a *Xihuil* el padre de Trajano; como
quieren los griegos que se verificara en sus Eurípides y Demóstenes
con el padre de Eurípides, por más que muriera el uno antes que na-
ciera el otro» (IV, p. 149)—, y terminar, jocosamente, devolviéndole al
Español sus críticas, ya que él no aspiraba más que a dar a conocer el
pasado. La fe cristiana del Indio de Granados es tan firme como la del
Español, su personaje se ha configurado no como una alegoría del indio precolombino, ni de aquel que se ha conservado al margen, sino
del indio integrado, formado en Nueva España, depositario de una
memoria milenaria y dotado de altas facultades intelectuales, eso que
en nuestros días sería juzgado como un aculturado y que para Granados
era una construcción verosímil, por ello puede permitirse una gruesa
mofa de la cosmogonía mexica:

… y haciendo unos cuantos casamientos de esta naturaleza, quedarán
empadrados, y por consiguiente libre de censura la madre de *Xihuil*; a la
que juzgo como a cierta Melchora, que habiendo parido más hijos que
Lía, negaba haber conocido varón, por lo que le cantaron esta coplilla:

> No sé que tienes de monja,
> Melchora, según tu arte,
> a ningún varón conoces,
> y todos te llaman madre (V, p. 149).

El diálogo, por tanto, no solo es noticioso sino animado, en ocasiones, y amistoso, siempre, lanzándose los hablantes coplillas y refranes con los que zanjar cuestiones espinosas. Si el Español replica por
el politeísmo de los antiguos reinos indígenas, el Indio no dudará en
cantarle:

> Por más que a mi casa notas
> de que en ella cuecen habas,
> en la tuya y las ajenas
> se cuecen a calderadas (VII, p. 202).

Y si el Indio da cuenta de la ley tolteca que impedía que los rei-
nados se alargaran más de cincuenta y dos años, por lo que los mo-

narcas longevos debían ceder su corona y perder su condición, el Español no puede reprimir su pasmo:

> Pues a mi fe que entra bien aquel refrancillo, que para dejar de serlo no fuera príncipe yo (VIII, p. 203).

Aparentemente ambos hablantes están dispuestos a admitir la opinión ajena si en el razonamiento ha sido superior el argumento de uno sobre otro. Es este uno de los fines ulteriores del diálogo, porque la disputa razonada acaba con los prejuicios que impiden el verdadero conocimiento:

> *Español*. [...] y siendo así como lo cuentas [las coronaciones de los monarcas indígenas], que no pongo duda, no sé qué les falta para la admiración a estas ceremonias tan ordenadas, justas, y debidas a la grandeza y a la majestad.
> *Indio*. Bendito sea Dios que llegué a oír una vez elogios de gente tan inculta y bárbara.
> *Español*. Es cierto que hasta aquí mucho concepto me debían de tal; pero desde que logro la diversión de estos ratos contigo, voy deponiendo mi dictamen (VIII, p. 215).

Claro que a lo largo del diálogo lo que puede observarse es que determinadas verdades previas al razonamiento priman de manera abusiva sobre la pretendida cualidad dialéctica del texto. El hecho de que el hablante Indio se caracterice por sus posturas conservadoras mientras el Español sea más moderno, no debe despistar al lector puesto que es el Indio el depositario del conocimiento en este diálogo, el hablante fuerte, mientras el Español suele ser el que guía la conversación con sus preguntas, y aunque, en ocasiones, muestre su disconformidad con el planteamiento del Indio, nunca se convierte en una impugnación de la postura del otro hablante sino en una mera disensión parcial destinada a procurar la reacción argumentativa del Indio, cuyos planteamientos, finalmente, serán acatados, y las más de las veces, alabados, por el Español.

Alto es el juicio que merecen los indígenas en este diálogo; por el contrario, a lo largo del razonamiento irán cayendo aquí y allá algunas alegaciones contra los españoles americanos, pero estas tendrán siempre un cariz ambiguo y estarán integradas en una conversación que dedica la Tarde XV a la loa de los talentos criollos. Esta medidísima imprecisión entre la crítica velada y la exaltación discursiva permite que Fray Joseph de Arias[23], uno de los censores criollos de la obra, pueda considerar el fin último del diálogo, más que la difusión de noticias históricas, la reivindicación de los nacidos en América, fundamentalmente de los descendientes de europeos, no siendo ajenas sus palabras, para mayor ironía involuntaria, a los prejuicios que Granados achaca a los criollos:

> ... hallé, que no es el fin, como parece, precisamente instruir en genealogía, cronología y sucesos antiguos y presentes de estos reinos; no explicar obscuros caracteres, que para comunicación racional, y archivo de la memoria, como de alfabeto usaban los indios; no pintar la disposición, y grandeza de sus edificios y palacios, que componían populosos lugares, y magníficas cortes; no su comercio rico, ni su político y militar gobierno; no los errores, idolatrías, supersticiones, inhumanidades de su gentílica abominable religión. Nada de eso es el fin.
>
> Este es, según parece, recomendar a la antigua gentilidad cuanto es lícito; y después de entrado el evangelio, abogar por los indios cristianos en el tribunal de la justicia y misericordia; y exaltar con mil honores a los criollos, que somos descendientes de europeos; destruyendo las falsas imaginaciones de la ignorante vulgaridad, que cree a estos antiguos indios más bárbaros que los que lo han sido, y son en las demás naciones, y que de tal suerte menosprecia a los criollos, que haciéndoles favor, les concede saber la doctrina cristiana, mera capacidad para las letras, mediano valor, ingenio, y cultura en armas, artes, gobierno, y otras prendas, con que se ven exccelentemente adornados muchos hombres en otros reinos del Antiguo Mundo, hasta llegar a imaginarlos individuos en cierto modo inferiores de la especie humana, y por la mayor parte menos nobles que cuantos nacen en España, y en las otras partes de la Europa.

Abundando en su juicio este censor, que en definitiva ofrece una reseña criolla y coetánea de *Tardes americanas*[24], llega a trastrocar el en-

---

[23] José de Arias nació en Querétaro, ingresó en la orden de San Francisco y fue lector jubilado, guardián, custodio y provincial de la Provincia de San Pedro y San Pablo. Cultivó la música, componiendo diversas piezas y escribió poesías en latín y castellano entre las que se encuentran varios *Panegíricos* latinos a la Purísima Concepción de María. Ver Beristain de Souza, *Biblioteca Hispano-Americana Septentrional*, t. I, pp. 168-169; y Zamora, 1992, p. 721.

[24] Domergue, 1981.

granaje ficcional construido por Granados ya que para él los lectores privilegiados del texto deben ser los criollos, no privándose de destacar el origen foráneo del autor:

> Este es el intento principal de esta obra, que yo alcanzo: lo demás son medios eficaces del autor, que con su vastísima erudición en historias sagradas y profanas, e instrucción en todo género de letras, consigue el utilísimo fin de varios vulgares desengaños. Por los cuales algunos insignes europeos, todos los criollos y americanos debemos un eterno agradecimiento y alabanza al autor, que gloriosamente nos vindica de injurias y nos exalta con generales y particulares honras. Séale retribuición la complacencia que esperamos, de que al mismo tiempo que los lectores vean las causas bien seguidas de los clientes, admiren la destreza superior del abogado: alaben su espíritu imparcial, pues siendo europeo, que acá llamamos gachupín, emplea sus tareas trabajosas en abogar por la nación americana...

Claro que nada de ello puede cambiar el hecho de que los criollos han sido excluidos del diálogo como hablantes y desestimados, en la ficción conversacional, como lectores privilegiados de la obra por las mofas que de ella podrían hacer. Ya dijimos que la Introducción, además de ser la zona discursiva destinada a presentar los elementos y el clima del diálogo posterior, funciona como aparato de justificación y autodefensa del texto. Podría argüirse que no es una característica novedosa y, efectivamente, no lo es la función pero sí la conjunción de tonos empleados en *Tardes americanas* que van de la leve socarronería a la grave ortodoxia. Los personajes prevén los ángulos de ataque desde los que puede ser contestado el diálogo. De la maledicencia, ya lo hemos visto, se defienden con la selección de lector; de la censura oficial, lo harán por medio de la calculada imprecisión entre la crítica a las medidas generales de tutela sobre los espíritus cultivados:

> Ahora podré entregar a los moldes mi trabajo [dice el Paisano], para que su lectura se haga clara, inteligible y menos molesta a mi paisanaje; burlándome de los golpes de la censura, aun en unos tiempos como los presentes, que los juicios de los lectores se miran tan delicados y escrupulosos. (Introducción);

y las suaves frases dedicadas al órgano de control. Así cuando el Indio se alarma ante la idea de que la conversación vaya a ser registrada por

escrito y deba pasar por «unos tribunales tan serios, como son los de
estas partes», celosos al extremo de tomar «residencia aun de los de-
fectillos más leves de nuestras diversiones y entretenimientos»
(Introducción), no caben muchas dudas de que los miembros de tan
recto tribunal no iban a sentirse ofendidos por estos comentarios donde lo que en última instancia se reconocía, contra toda evidencia, era
la rigurosidad («seriedad», dice Granados) de sus actuaciones[25]; aunque
lo que Granados estaba previendo era la reacción ante una conversación que se extendía en asuntos políticos y religiosos de plena actualidad, del uso de las lenguas indígenas, al derecho de los criollos a
ostentar altos cargos en Indias, de la reclamación de calma y mesura
en la acción de gobierno, marcada por las continuas novedades borbónicas, de la escisión de las colonias anglosajonas, así hasta llegar a
debatir la necesidad del matrimonio interétnico que formara una sociedad integrada de los dispares grupos novohispanos. Quizá no le ayu-
dó mucho este libro a su autor en su carrera eclesiástica, porque el
poderoso José de Gálvez adquirió cierta fama nepotista en el ejercicio de los distintos cargos que ostentó y, sin embargo, Granados no
fue consagrado obispo hasta el año en que murió el ministro, nueve
después de publicada *Tardes americanas*.

Más allá de las hipótesis, Granados no podía ser ajeno al hecho de
que la dinastía borbónica no había conseguido fijar un criterio censor que sirviera de guía objetiva a los autores. El último intento de
redactar una ley sobre el asunto, de cuya necesidad no dudaban los
nombres más destacados de la ilustración hispánica, o al menos un código del censor, se había llevado a cabo en 1770 y el expediente había sido sobreseído. Así que más allá de la fórmula legal censoria,
declarada, como no podía ser de otro modo, en la Introducción de
Tardes americanas —«Pues cree, le respondió el paisano [al Indio], que
nada me asusta lo que a ti te intimida. En no oponiéndose a la fe,
buenas costumbres y regalías de su Majestad lo que hablaremos, no
tienen los jueces jurisdiccion en nuestra libertad»—, no existía un re-
glamento de actuación, por lo que la censura del XVIII ha sido considerada por Lucienne Domergue «más que dura e intransigente,
arbitraria, caprichosa, "voluntariosa", amenaza difusa, vago espanta-

---

[25] Para una reflexión general sobre la censura en la América Hispánica a partir del estudio de casos particulares ver Rovira, 1999.

jo»[26], y la concreta de la Inquisición, tan, al menos retóricamente, temida por Granados, no estaba mejor organizada según François López, por lo que «residía su eficacia en el terror que inspiraba, no en su celo ni en su vigilancia»[27]. Ahora bien, es digno de señalar el hecho de que Granados muestre sus recelos mientras otros, o bien porque creyeran que no estaban transitando un terreno peligroso o bien por su ortodoxa inmersión en el sistema, alabaron la censura imperante en México, tal cual hace, en el prólogo XVIII a su *Biblioteca Mexicana* Eguiara y Eguren[28]. Por supuesto, Granados trata de acogerse a los límites de la libertad y, más allá de que los compartiera en su totalidad, los practicará en ejercicio previo de autocensura, el camino más trillado por los autores del periodo ilustrado en el orbe hispánico, ya que los hablantes establecen seguir las «leyes de la razón» como segura guía para no errar en temas sustanciales —«Mucho más echaremos la llave del seguro, si nuestros sudores se ajustan con las leyes de la razón» (Introducción)—. Cuando la razón irrumpa de otro modo en el debate, no ya como razón natural moderadora de la opinión sino como fiel con el que dirimir la cuestión tratada, los hablantes la aceptaran a regañadientes, pensando que determinados asuntos debían ser acatados sin mayor discusión, sujetos a la *autoritas* o a la fe, claro que este mismo hartazgo frente a la razón ilustrada puede verse en los hablantes de *El Nuevo Luciano* de Eugenio de Santa Cruz y Espejo[29], un autor más moderno en sus opiniones estéticas.

Sin embargo, el diálogo, que es cauce para la opinión, no es el mejor género para amordazarlas; en este punto se confundió Granados, de modo que al acercarse a temas espinosos, por ejemplo, la emancipación de la América anglosajona, los hablantes no podrán reprimir sus ganas de decir algo al respecto no desconociendo, en este caso, que los límites se circunscribían al absoluto silencio. En otro tema candente, el derecho de los criollos a obtener honores y cargos, este sí susceptible de debate, pero en el que había una línea oficial marcada por las distintas normativas ensayadas, los hablantes tomarán partido y

---

[26] Domergue, 1980, p. 213.

[27] López, 1995, p. 77. López se refiere en concreto a la vigilancia del Santo Oficio sobre los libreros en España y América, aunque a lo largo del trabajo abunda en la arbitrariedad y falta de eficacia de los tribunales eclesiásticos.

[28] Eguiara y Eguren, 1984, p. 189.

[29] Santa Cruz y Espejo, *Obra educativa*.

este será similar al expuesto en las reclamaciones que a España llegaban desde el Nuevo Mundo. Lo usual en *Tardes americanas*, consiste en que al regresar el discurso a los márgenes aceptables como válidos, las ironías, los comentarios leves o los razonamientos extensos ya andan campando por sus fueros. En más de una ocasión esta será la forma de dejar constancia de juicios, a veces contrarios, y casi siempre reguladores, de lo que en realidad han dicho los personajes. Esa escritura entre líneas produce un texto de dos niveles en cuanto a los asuntos que tratan materias de Estado: en un estrato estaría la absoluta celebración de la política borbónica, en otro las coordenadas ideológicas de Granados, muchas veces contrarias a la acción gubernativa, al encontrarse molesta con tanto cambio, ansiosa de calma jurídica e institucional para Indias. Un ejemplo ilustrativo será la rotunda declaración de la «suprema inmunidad de la Iglesia» contenida en la loa inaugural a José de Gálvez, donde no deja de apuntar su condición de «defensor acérrimo [de la Iglesia] y reverente cultor de sus ministros», cuando precisamente las reformas efectuadas o proyectadas por el otrora visitador general y, desde 1776, ministro de Indias, afectaban de pleno al poder tradicional de la Iglesia en América[30].

Como todos los autores cristianos, Granados concebirá la historia ajustada a un plan divino general; esta es la perspectiva que utilizarán sus hablantes cuando se centren en el caso particular de México, así las noticias diseminadas en el diálogo no disentirán sino que se harán concordar con la verdad evangélica. Indudablemente esta estructura de comprensión de cualquier asunto caracteriza la obra y la mentalidad que la sostiene. En principio, ya desde las iniciales Tardes dedicadas a la antigüedad indiana observamos una utilización de conceptos y palabras comunes a la época en la que se redacta el diálogo[31] (*luz, razón, ilustración, bien público, felicidad, despotismo, principio de sociabilidad*, etc.) milimétricamente adaptadas al pensamiento cristiano. Así los conceptos de «luz» y «razón» pierden parte de su carga emancipadora porque emanan de la naturaleza, creada por Dios, única maestra de sabiduría y conducta; o, en la noción de perfectibilidad individual y social, Granados hace una labor de ajuste para que la «luz» que guía esa senda provenga de una evolución natural, lo que no lo acerca a

---

[30] Ver Brading, 1994.
[31] Ver Álvarez de Miranda, 1992.

ningún planteamiento civil o *rousseauniano*, sino a la tradicional visión del ser humano iluminado por la gracia divina. Claro que este planteamiento, acorde en su matriz con la ortodoxia católica, tiene interesantes ramificaciones en la obra. Si por un lado el Indio apreciará que los máximos valores de la humanidad radican en que, guiada por la razón natural, haya podido llegar a ser «sociable, culta y científica» (IV, p. 132), no dejará por ello de anhelar una Arcadia feliz en su ingenuidad, valorando la sencillez y la moralidad por encima de la sabiduría y el interés y, por tanto, ensalzando a las antiguas monarquías indígenas por no hallar en ellas «inclinación a la avaricia» al vivir «conforme a las leyes de la razón y del desinterés»:

> Llamáronse aquellos siglos dorados, porque a la sencillez seguía la menos malicia, que en comparación de éstos reina en los corazones de los hombres [...]. Debían hallarse mejor con la ignorancia que con el raciocinio, cuando éste desordena con sus máximas la sencillez de las costumbres (IV, pp. 76-77).

Todo ello se ajusta a la tradición franciscana que concebía al indígena americano como un ser humilde, desprendido y espiritual en contraposición a la codicia y la soberbia europea, al hombre material[32].

Granados desarrolla hasta las últimas consecuencias la concepción de unos indígenas dotados de todas las potencialidades humanas, por eso en el diálogo se afirma que la disposición personal o la trayectoria de una civilización no viene marcada por linaje alguno. El valor absoluto de la gracia anula de este modo los lazos relativos de la consanguinidad, y la figura simbólica de origen no es tanto el padre como el bautismo:

> Ningun influjo [dice el Indio] tienen las inclinaciones de los padres en las pasiones y temperamentos de los hijos; a cada cual se las da la naturaleza, según su disposición y textura: de padres ebrios, nacen hijos sobrios y temperados; de padres soberbios, hijos humildes; de padres locos, hijos cuerdos; y de padres nada justos, hijos virtuosos. El ascenso a la fe verdadera, y piedad devota de la voluntad hacia lo bueno, se le debe a la sangre: ésta es un hábito infuso o cualidad sobrenatural, que eleva a la

---

32 Ver Baudot, 1983 y Maravall, 1982, pp. 79-110.

criatura infinitamente más allá de todo lo que puede influir la naturaleza: el Bautismo es el Padre (V, p. 128).

Esa es la vía por la que *Tardes americanas* se aleja del determinismo de los enciclopedistas y, en paralelo, se ocupa de desvanecer los prejuicios cristianos que operan en contra de la condición o del desarrollo intelectual de los indígenas, que en la época volvía a ser una cuestión debatida:

> Pueden haber sido cogidos algunos [dice el Indio] en tibieza de religión; pero del particular no se ha de inferir un universal, ni tampoco asegurar que ese vicio lo heredan de sus antiguos: porque cuando no pesaran lo dicho, bastara el decurso de casi tres siglos para borrar toda imagen de sospecha contra la fe, cuando sabe borrar aun el vínculo más apretado de parentesco. Estas sombras tienen privados a los míos de que se limen, pulan y cultiven, y constituidos en la fatal condición de bárbaros, ignorantes y brutos (V, pp. 128-129).

Una vez igualadas todas las criaturas de Dios, Granados establecerá diferencias entre sectores letrados y populacho asilvestrado, no entre indígenas y españoles. Aquí la deriva que toma el debate es interesante puesto que los hablantes hallarán en la organización socioeconómica los factores que influyen en la formación indígena, pero no se hará desde presupuestos generales sino a partir de amenos ejemplos, donde, ni en los pueblos de indios ni en las haciendas, consiguen una vida digna (V, pp. 124-125). Como el discurso elegido por Granados no es el histórico, no se limita a presentar lo que pasó y pasa sino que sus hablantes pueden proponer soluciones al calor de la conversación. Ambos saben que la mejora moral solo puede producirse igualando su condición social a la de los españoles y para ello el Indio da medidas concretas reclamando respeto y consideración humana y jurídica, asignando maestros y consiguiéndoles rentas acordes con sus necesidades vitales (V, p. 129). Indudablemente Granados toca en este punto un tema ya tratado por otros autores en cuanto a la cualidad probada de los antiguos indios y la necesidad de mejorar la situación de los indios contemporáneos, pero no cae ni por asomo en lo que Jacques Laffaye[33] describió, para el caso de Sigüenza y Góngora,

---

[33] Laffaye, 1977, p. 116.

como la alabanza de un pasado indígena mitificado, sin visos de continuidad alguna en el presente, y Antonio Lorente define, con contundencia, destacando la presentación de un indio «muerto» en detrimento del indio «vivo»[34] convertido ya en un lugar común como la forma que tomaba la alabanza indígena a partir del siglo XVII. Muy al contrario, en el diálogo de Granados no se esconde el estado deplorable en el que han de vivir los indígenas, pero no por ello los condena a la uniformidad del abatimiento moral:

> No por esto quiero decir [dice el Indio] que todos los indios presentes tengan un mismo carácter de rusticidad; porque muchos que han gozado del comercio culto y racional, poseen unos dotes muy sobresalientes de agilidad, penetración y exactísimo juicio (V, p. 126).

Y a la nómina de indígenas ilustres posteriores a la conquista une los coetáneos, por si no bastara con el artificio de que el que habla, de forma tan elevada en el diálogo, es un «indio»:

> Muchos conozco yo en el día constituidos en dignidad sacerdotal, cuyos ingenios pueden servir de admiración a nuestro siglo (V, p. 127).

Por tanto la defensa que Granados hace del indígena es efectiva, no limitándose a fijar un pasado más o menos glorioso, no ajustándose, tampoco, al modelo paternalista que atraviesa los discursos panegiristas desde Las Casas al arzobispo Lorenzana; este último, apenas unos años antes de la aparición de las *Tardes americanas,* volvía a cristalizar una imagen de los naturales de América como un grupo no tanto humano como angelical, y por lo mismo, ajeno al devenir histórico, llamándoles «párvulos», «inocentes», «pusilánimes» y «miserables»[35], y, finalmente, la obra de Granados no niega o elude a los indígenas como parte consustancial de la sociedad del Nuevo Mundo,

---

[34] Lorente Medina, 1996, p. 19.

[35] «[la fidelidad al Monarca] en los indios adquirida, alimentada con la Católica Religión, y aumentada con las honras, privilegios y favores con que su Majestad, como tan grande, favorece a estos párvulos, como tan prudente a estos inocentes, como tan magnánimo a estos pusilánimes, y como tan rico y poderoso monarca a estos miserables», Lorenzana, «Dedicatoria», *Historia de Nueva-España*, p. 2, párr. 2.

tal cual harán tantos discursos americanos de finales del siglo XVIII en adelante. Podemos unir la reivindicación indígena con el hecho de que el Indio combatirá las dudas relativas a la capacidad de los criollos y a su derecho a ostentar las más altas magistraturas en cualquier parte del imperio. Incluso, y esto es más importante porque escapa del tópico conversacional y se adentra en la configuración emocional del personaje, considerará una ofensa a su «nación» cualquier comentario negativo sobre los españoles americanos. No cabe duda de que esta puede resultar una reacción absurda, incongruente o meramente imaginaria, en término históricos, de lo que un indio del siglo XVIII podía pensar del estamento de los criollos, pero otro cariz toma la cuestión en términos literarios, al haberse desdoblado en dos hablantes, español peninsular e indígena, un autor español de origen asentado desde su juventud en Nueva España: es este sujeto histórico el que asume los problemas de América como propios, los plantea sin concebir que su postura pueda ser una confrontación con España y se muestra en desacuerdo con opiniones y medidas que atenten contra la población americana. No otra cosa fue José Joaquín Granados y Gálvez, sino uno de ellos, unido a Indias por su punto de vista situado en América, no por un sentimiento atávico emanado de la tierra de origen.

BIBLIOGRAFÍA

ÁLVAREZ DE MIRANDA, P., *Palabras e ideas: el léxico de la Ilustración temprana en España (1680-1760)*, Madrid, Real Academia Española, 1992.

BAUDOT, G., *Utopía e historia en México: los primeros cronistas de la civilización mexicana (1520-1569)*, Madrid, Espasa-Calpe, 1983.

BECERRA, E., «Hacia la descolonización de la colonia. Testimonio, crítica literaria y tradición ancilar latinoamericana», en *América Sin Nombre* (C. Alemany y E. Mª Valero Juan, coords., *Recuperaciones del mundo precolombino y colonial*), núm. 5-6, diciembre 2004, pp. 38-43.

BERISTAIN DE SOUZA, J. M., *Biblioteca Hispano-Americana Septentrional*, 3 vols., México, Oficina de Alejandro Valdés, 1819.

BOTURINI BENADUCI, L., *Idea de una nueva Historia General de la América Septentrional*, Madrid, Imprenta de Juan de Zúñiga, 1746.

BRADING, David A., *Orbe indiano. De la monarquía católica a la república criolla, 1492-1867*, México, FCE, 1993.

— *Una Iglesia asediada: el obispado de Michoacán*, México, FCE, 1994.

CUEVAS, M., *Historia de la Iglesia en México. 1700-1800*, México, Patria, 1947, 5 vols.

DOMERGUE, L., «La Academia de la Historia y la censura en tiempos de las Luces», en E. Rugg y A. M. Gordon, coords., *Actas del VI Congreso Internacional de Hispanistas*, Toronto, Department of Spanish and Portuguese University of Toronto, 1980, pp. 211-214.

— *Tres calas en la censura dieciochesca*, Toulouse, Universitè de Toulouse-Le Mirail/Institut d'Études Hispaniques et Hispano-Amèricaines, 1981.

EGUIARA Y EGUREN, J. J. de, *Prólogos a la Biblioteca Mexicana*, trad. y estudio de A. Millares Carlo, México, FCE, 1984.

EZQUERRA, R., «La crítica española sobre América en el siglo XVIII», en *Revista de Indias*, año XXII, 87-88, enero-junio 1962, pp.159-283.

GÓMEZ, J., *El diálogo renacentista*, Madrid, Ediciones del Laberinto, 2000.

GÓMEZ CANEDO, L., ed., pról. y notas, *Sonora hacia fines del siglo XVIII. Un informe del misionero franciscano Fray Francisco Barbastro, con otros documentos complementarios*, Guadalajara, Librería Font, 1971.

GRANADOS Y GÁLVEZ, J. J., *Tardes americanas: Gobierno gentil y católico: Breve y particular noticia de toda la historia indiana: Sucesos, casos notables, y cosas ignoradas, desde la entrada de la Gran Nación Tulteca a esta tierra de Anahuac, hasta los presentes tiempos. Trabajadas por un Indio y un Español*, México, Nueva Imprenta Matritense de D. Felipe de Zúñiga Ontiveros, 1778.

— pról. R. Moreno de los Arcos, México, Condumex, 1984.

— pról. H. Labastida, México, UNAM/Grupo Porrúa, 1987.

— Barcelona, Linkgua ediciones, 2007.

GUTIÉRREZ CRUZ, S. N., reseña de *Tardes americanas* de José Joaquín Granados y Gálvez, *Relaciones*, 51, verano 1992, t. XIII, pp. 286-296.

LABASTIDA, H., Prólogo a *Tardes americanas* de Granados y Gálvez, México, UNAM, 1987.

LAFFAYE, J., *Quetzalcóatl y Guadalupe. La formación de la conciencia nacional en México*, México, FCE, 1977.

LÓPEZ, F., «El libro y su mundo», en J. Alvárez Barrientos, F. López e I. Urzainqui, *La república de las letras en la España del siglo XVIII*, Madrid, CSIC, 1995, pp. 63-124.

LORENTE MEDINA, A., *La prosa de Sigüenza y Góngora y la formación de la conciencia criolla mexicana*, México, FCE, 1996.

LORENZANA, F. A., *Historia de Nueva-España, escrita por su esclarecido conquistador Hernán Cortés, aumentadas con otros documentos y notas por el ilustrísimo señor don Francisco Antonio Lorenzana, Arzobispo de México*, México, Imprenta del Superior Gobierno del Br. D. Joseph Antonio del Hogal, 1770.

MARAVALL, J. A., «La utopía político religiosa de los franciscanos en América», en *Utopía y reformismo en la España de los Austrias*, Madrid, Siglo XXI, 1982, pp. 79-110.

MAYANS Y SICARD, G., *Retórica*, en G. Mayans y Sicard, *Obras Completas*, ed. A. Mestre Sanchís, t. III, Valencia, Ayuntamiento de Oliva/Diputación de Valencia/Consellería de Cultura, 1984.

MORENO DE LOS ARCOS, R., Prólogo a *Tardes americanas* de Granados y Gálvez, México, Condumex, 1984.

NAVARRO GARCÍA, L., *Las reformas borbónicas en Indias, el plan de Intendencias y su aplicación*, Sevilla, Universidad de Sevilla, 1995.

ROVIRA, J. C., *Varia de persecuciones en el XVIII novohispano*, Roma, Bulzoni, 1999.

— «De Boturini a Clavijero: Giambattista Vico en la recuperación dieciochesca del mundo indígena americano», en D. Meyran, ed., *Italia, Amérique Latine, influences reciproques*, Roma, Bulzoni, 2001, pp. 103-116.

RUIZ DE LA BARREDA, R., «El sistema de intendencias en la Nueva España: los fundamentos de un fracaso político», en F. J. Rodríguez Garza y L. Gutiérrez Herrera, coords., *Ilustración española, reformas borbónicas y liberalismo temprano en México*, México, UNAM, 1992, pp. 69-109.

SANTA CRUZ Y ESPEJO, E., *Obra educativa*, ed. Ph. L. Astuto, Caracas, Biblioteca Ayacucho, 1981.

VIAN HERRERO, A., «El diálogo literario en América en el siglo XVI», en A. Deyermond y R. Penny, eds., *Actas del Primer Congreso Anglo-Hispano*, t. II, Madrid, Castalia, 1993, pp. 193-215.

VILLAS TINOCO, S., «Los Gálvez en la política de Carlos III», en *Los Gálvez de Macharavialla*, Málaga, Junta de Andalucía, 1991, pp. 135-197.

ZAMORA, H., «Escritos franciscanos americanos del siglo XVIII», en *Archivo Ibero Americano. Actas del IV Congreso Internacional sobre Los franciscanos en el Nuevo Mundo (Siglo XVIII)*, año LII, 205-208, enero-diciembre 1992, pp. 691-766.

HERNANDO PIZARRO A TRAVÉS DE LA MIRADA PIADOSA DE TIRSO DE MOLINA: *LA LEALTAD CONTRA LA ENVIDIA*

Julián González-Barrera
Universidad de Sevilla

En toda expedición al Nuevo Mundo iba un fraile o sacerdote que tenía la responsabilidad de predicar la palabra de Dios en cada sitio y así apartar a los indígenas de los vicios, pecados y malas costumbres que tanto horrorizaban a los españoles: sacrificios humanos, antropofagia, bestialismo... Desde los primeros años, en este esfuerzo evangelizador aparecen involucrados los frailes de la Orden de la Merced, cuya presencia en América se documenta bien temprano[1]. Sin em bargo, será en el Perú donde los padres de la Merced establecerán lazos más estrechos con los conquistadores y, especialmente, con Francisco Pizarro y sus tres hermanos.

Durante la gobernación del marqués, se favoreció a los mercedarios con casas, encomiendas y repartimientos de indios, que se convirtieron en su mesa, sustento y garantía en aquellas tierras. A la muerte de Francisco Pizarro, sus hermanos continuaron fortaleciendo los vínculos entre la familia y la Orden, que se convirtieron en sus más fieles deudores. Por consiguiente, no nos puede extrañar que los frailes fueran siempre devotos pizarristas, incluso en los peores momentos,

---

[1] Ya en el segundo viaje de Colón aparece el primer mercedario en América: fray Juan de Solórzano, capellán del Almirante. Poco después, otro fraile de la Merced, fray Bartolomé de Olmedo, será uno de los compañeros de Hernán Cortés en su conquista de la Nueva España.

como demuestra la carta que fray Pedro Muñoz «el Arcabucero» le dirigió a Gonzalo Pizarro el seis de abril de 1547, en plena rebelión contra la Corona: «Creo como soy cristiano que ha de quebrantar la cabeza vuestra señoría a todos sus enemigos»[2].

Poco tiempo atrás, el mismo Vicario Provincial del Perú, fray Francisco de Bobadilla, que había sido elegido como árbitro entre Francisco Pizarro y Diego de Almagro para solventar la disputa sobre la ciudad del Cuzco, fue acusado ante el emperador de defender al marqués con excesiva pasión. Pizarristas y almagristas, que habían sido compañeros en la conquista del Imperio Inca, luchaban ahora por dilucidar dónde tendría su asiento administrativo el opulento Cuzco, si en la gobernación de Nueva Castilla —Pizarro— o en la de Nueva Toledo —Almagro—. Su sentencia, dictada el 15 de noviembre de 1537, era tan favorable al marqués que provocó una inmediata apelación y que el adelantado de Chile no reconociera su autoridad. En ella se demandaba a Diego de Almagro la devolución de la ciudad, tomada a la fuerza, el regreso a casa de sus ejércitos y la liberación de Hernando Pizarro. Todo a cambio de esperar una sentencia definitiva del Consejo de Indias y el avituallamiento de un navío a Diego de Almagro para que pudiera enviar procuradores a la Corte. El fallo provocó un gran malestar entre sus seguidores. En estos términos, se quejaba el tesorero Espinell en una carta dirigida al emperador:

> [Los almagristas] se habían comprometido a acatar su sentencia creyendo que tenía justicia [...] y que el fraile no era demonio, como después se mostró [...], con la horrible y espantosa sentencia [...] no solamente no apagó el interés al fuego de don Francisco Pizarro, sino que encendió el amortiguado que dio él, irregular, contra su regia y orden de hecho y contra derecho[3].

Juez o parte, lo cierto es que los oficiales del Consejo le acabarían dando la razón, pues en una real cédula entregada a Almagro en enero de 1538 se dictaminaba que la ciudad del Cuzco estaba dentro de las doscientas setenta leguas concedidas a Francisco Pizarro. Por supuesto, en su *Historia general de la Orden*, Tirso de Molina solo

---

[2] Madrid, Real Academia de la Historia, 9-9-5/1831.
[3] Armas Medina, 1950, p. 10.

tiene palabras de aplauso, regalo y homenaje para fray Francisco de Bobadilla:

> Si este gran fraile viviera algunos años adelante, ni al dicho adelantado le despeñaran sus trágicos sucesos, ni el marqués tuviera el infeliz fin, no merecido, que la envidia y la pasión le acarrearon, ni su hermano Gonzalo ocasionara con su inconsiderado arrojamiento las malicias, que porfían asta agora en desacreditarle [...] Fue nuestro Bobadilla el provincial primero que vio el nuevo orbe, alivio de las persecuciones y riesgos de Pizarro, y a quien libró el cielo la paga de tan útiles servicios, que los temporales no podían equivaler a sus excelentes méritos[4].

Los Pizarros favorecerán a los frailes de San Pedro Nolasco no solo en el Perú, sino también allá en España, con numerosas mercedes, dádivas y prebendas. En Trujillo, el mismo convento en el que Tirso de Molina fuera comendador entre 1626 y 1629, fue levantado gracias a la generosísima donación de Francisca Pizarro Yupanqui, hija del marqués, que en su acta fundacional (6 de mayo de 1594) confiesa la predilección de la familia por la Orden de los frailes mercedarios:

> Por la afición particular que tengo a esta orden y la que tuvo el marqués don Francisco Pizarro, mi padre, que tan devoto fue de esta sagrada religión, llevando consigo a la pacificación y conversión del Pirú religiosos de esta orden, fundando casas en Trujillo, Quito y la Ciudad de los Reyes[5].

Y todo, según parece, tiene su origen en la fervorosa devoción mariana que la familia compartía con los padres de Nuestra Señora de la Merced. Después de salvar el Cuzco del asedio inca, los españoles recobran su fortaleza en un dramático asalto final. Una vez tomada la plaza fuerte, lo primero que hacen los hermanos es honrar a la Virgen y a Santiago apóstol: «Luego mandó Hernando Pizarro enarbolar en lo alto una bandera con la insignia de Nuestra Señora y del glorioso Apóstol Santiago»[6].

---

[4] Tirso de Molina, *Historia general de la Orden*, vol. 1, pp. 462-463. Para saber más sobre la figura de fray Bobadilla, ver Pérez, 1924, pp. 39-50.

[5] Madrid, Archivo Histórico de Protocolos, Pº. 1805, fols. 205-219v.

[6] Pizarro y Orellana, *Varones ilustres del Nuevo Mundo*, p. 289. La Virgen era Nuestra Señora de la Victoria, patrona de Trujillo (Extremadura).

Vistos tales antecedentes, fue una decisión natural que la familia Pizarro se fijara en Tirso de Molina, un fraile mercedario, para escribir una serie de comedias acerca de los hermanos que habían dado origen al linaje: Francisco, Gonzalo y Hernando. Todo dentro de una campaña para recuperar los derechos al marquesado que la rebelión de Gonzalo Pizarro (1545-1548) había hecho desaparecer bajo la mancha del deshonor, la infamia y la vergüenza: «La obra [...] se escribió por encargo y con un solo fin: la reivindicación de los héroes y la exaltación de sus descendientes»[7].

Los intentos de Juan Hernando Pizarro, sucesor de la casa de Francisco Pizarro, habían comenzado en 1625 con un memorial dirigido a Felipe IV, reclamando la restauración del título de *Marqués en Indias* otorgado por el emperador:

> En 1535, a 10 de octubre, Carlos V en una carta que enviaba a Francisco Pizarro por conducto de Hernando, premiaba sus fatigas concediéndole «alguna cantidad de tierra en la provincia del Collao, o de los Atavillos, con título...» además de «20.000 vasallos en esas provincias, con título de marqués...»[8].

Asimismo, el esfuerzo de la familia no solo se centraba en fiestas teatrales o medidas jurídicas, sino que también en aquel tiempo un pariente cercano, Fernando Pizarro y Orellana, catedrático de leyes en la Universidad de Salamanca, redactaba una serie de semblanzas biográficas sobre los conquistadores más famosos: *Varones ilustres del Nuevo Mundo* (1639). Y entre todas ellas, en un lugar destacado, figuraban las vidas de los cuatro hermanos Pizarro —Francisco, Hernando, Gonzalo y Juan—, ensalzadas para mayor gloria del buen nombre familiar.

Las fechas no nos pueden llamar a engaño. A pesar de que el repertorio histórico de Pizarro y Orellana no se publica hasta 1639, la censura está firmada por fray Domingo Cano el 2 de septiembre de 1631, lo que probaría que el volumen estaría concluido o en fase avanzada en los años que el fraile mercedario residió en Trujillo (1626-1629), donde hubiera tenido acceso al borrador de la obra, sin duda, facilitado por el mismo autor. Como ya demostrara Otis H. Green, esta obra tendrá una importancia capital, pues sirvió de libro de ca-

---

[7] Dellepiane de Martino, 1952-1953, p. 50.
[8] Dellepiane de Martino, 1952-1953, p. 54.

becera a Tirso de Molina para la composición de su trilogía de comedias genealógicas sobre los Pizarros: *Todo es dar en una cosa* (1626-
1629), *Amazonas en las Indias* (1629-1631) y *La lealtad contra la envidia*
(1626-1629)[9], dedicadas a Francisco, Gonzalo y Hernando, respectivamente:

> The fact that Tirso did not limit himself to the numerous accounts of
> the Conquest that were readily available but consulted the manuscripts
> and papers of the Pizarros' chief advocate is of itself additional evidence
> connecting his trilogy with the restoration of the marquisate in 1631[10].

La batalla legal se presentaba complicada. Los descendientes estaban al tanto de que, para vencer la resistencia del conde-duque de
Olivares, primero tendrían que acallar el recuerdo funesto que había
dejado el ajusticiamiento de Almagro por parte de Hernando y la rebelión sangrienta de Gonzalo en el Perú. Una traición que había aca-
llado los corrales[11]. Fue una revuelta que había provocado una repulsa
popular que pronto se convertiría en proverbio, como reflejó Mateo
Alemán en su *Guzmán de Alfarache*: «Álzansenos a mayores, como
Pizarro con las Indias»[12].

Los trabajos de la familia no cayeron en saco roto. En 1628, se presenta un segundo memorial ante el rey, que recibiría una respuesta
satisfactoria. En 1630, Felipe IV dispuso que se devolviera el título de
marqués a Juan Hernando Pizarro, a cambio de renunciar al emplaza-
miento en Indias y a los veinte mil vasallos que Carlos V había concedido al conquistador del Perú. Al año siguiente, el nuevo marqués ele-
gía el lugar de La Zarza, cerca de Trujillo, como asiento de su
marquesado, pues había pertenecido en su día a Gonzalo Pizarro, padre

---

[9] Seguimos la datación de las comedias propuesta por Miguel Zugasti, 1993,
vol. 1, pp. 21-22.

[10] Green, 1936, p. 204.

[11] Morínigo, 1946, pp. 237-239.

[12] Alemán, *Guzmán de Alfarache*, vol. 2, p. 222. Parece claro que esta expresión no es original del autor del *Guzmán*, sino que ya circulaba como refrán o
frase hecha, pues Correas así la recoge en su *Vocabulario de refranes y frases proverbiales* (1627): «*alzarse como Pizarro con las Indias*: el otro día comenzó este refrán y
ya es muy notorio y su historia muy sabida, con que me excuso de alargarme en
él, si bien había ocasión de dolernos del valor tan mal logrado de aquellos conquistadores y su mala fortuna».

de los cuatro hermanos. No mucho tiempo después, en 1637, Juan Hernando Pizarro compraba toda La Zarza y la rebautizaba como «La Conquista», pasando a ser reconocido como el primer marqués de la Conquista. El honor de la familia había quedado restaurado finalmente. De esta manera lo celebraba el fraile mercedario en *Amazonas en las Indias*:

> Al marqués de la Conquista
> vuestra Estremadura aguarda,
> luz del crédito español,
> nuevo Alejandro en las armas[13].

Dentro de la *Trilogía de los Pizarros*, que apareció publicada en la *Parte cuarta* de las comedias de Tirso (1635), recalaremos en el análisis de *La lealtad contra la envidia*, tercera en el orden de impresión, pero no la última en ser escrita, como ya demostrara en su día Nancy L. Kerrington[14] y, posteriormente, desarrollara Miguel Zugasti:

> La alteración del orden (*Todo-Amazonas-Lealtad* en lugar de *Todo-Lealtad-Amazonas*) no fue un capricho, sino que obedece a un criterio tan contundente como es la cronología interna, mucho más determinante para el lector que su fecha de escritura: *Todo*, último cuarto del siglo XV; *Amazonas*, 1540-1548; *Lealtad*, 1535-61. De esta manera se seguía lo mejor posible el desarrollo natural de los hechos[15].

Esta comedia está dedicada a Hernando Pizarro, una figura controvertida que sufrió prisión por más de veinte años y cuya memoria, todavía medio siglo después de su muerte, sufría el ostracismo de quienes arrastran la mancha del deshonor. Por lo tanto, Tirso de Molina necesitó de todo su talento como poeta, sus conocimientos como historiador y, por qué no decirlo, imaginación, para devolverle las alas a este ángel caído[16]. Para conocer los mecanismos que empleó Tirso de

---

[13] Tirso de Molina, *La «Trilogía de los Pizarros»*, vol. 3, pp. 174-175.

[14] Kerrington, 1966.

[15] Zugasti, 1993, p. 45. Para saber más sobre el orden de escritura de la trilogía de comedias, ver Zugasti, 1993, vol. 1, pp. 39-47.

[16] No es un secreto que en la Comedia Nueva no se respetaba el principio aristotélico de historia igual a verdad y poesía igual a mentira. Para Lope de Vega y, por ende, sus seguidores, era lícito desviarse de la historia para adentrarse en una fábula poética que adornara los hechos reales que se ponían encima del es-

Molina para contar esta historia —¿o fábula?—, nos centraremos en tres aspectos claves del conquistador: su carácter, su rivalidad con Diego de Almagro y sus amores con Isabel de Mercado.

HERNANDO PIZARRO: EL HOMBRE DETRÁS DE LA MÁSCARA TEATRAL

De los cuatro hermanos Pizarro, que Fernández de Oviedo calificara como «tan soberbios como pobres, y tan sin hacienda como deseosos de alcanzarla»[17], solo Hernando era hijo del matrimonio de don Gonzalo Pizarro y doña Elvira de Mendoza y Vargas[18]. Por lo tanto, el único legítimo. Como los otros tres, participó en la conquista del Imperio Inca, destacándose como un hombre astuto, valiente y esforzado. Nombrado capitán general por su hermano, su relación con Francisco Pizarro tuvo que ser genuinamente estrecha, pues en el segundo testamento del marqués se le nombra como heredero de todos sus bienes si sus hijos, Gonzalo y Francisca, muriesen sin descendencia:

> Es mi voluntad que si, lo que Dios no quiera, ambos los dichos mis hijos don Gonzalo Pizarro y doña Francisca Pizarro murieren dentro de la pupilar edad o después sin dejar hijos o descendientes legítimos por cualquier vía y manera que sea o entraren en religión o en ella hicieren profesión, sustituyo al comendador Hernando Pizarro mi hermano para que haya y herede el dicho mayorazgo y los otros mis bienes según y de la manera que dicho[19].

cenario. De tal forma que historia y poesía se consideraban como uno, habiendo historia en verso y poesía en prosa. El mismo Tirso de Molina reconocía la invalidez del precepto aristotélico en *Los cigarrales de Toledo*, dando, por enésima ocasión, la palma de la victoria a su verdadero maestro, Lope de Vega: «¡Cómo si la licencia de Apolo se estrechase a la recolección histórica, y no pudiese fabricar, sobre cimientos de personas verdaderas, arquitecturas del ingenio fingidas!» (p. 224). Por lo tanto, el fraile mercedario se veía legitimado, desde un doble punto de vista: ético y estético, para hacer ficción cuando fuera necesario y así salvaguardar el buen nombre de Hernando Pizarro.

[17] Fernández de Oviedo, *Historia general y natural de las Indias*, vol. 5, p. 33.

[18] Para algunos historiadores, el nombre de la madre no es Elvira, sino Isabel: «[Gonzalo Pizarro] de su mujer legítima doña Isabel de Vargas, [tuvo] al comendador don Hernando Pizarro, a Inés y a Isabel de Vargas» (Naranjo Alonso, 1983, p. 273).

[19] Lohmann Villena, 1986, p. 316.

En *La lealtad contra la envidia*, Tirso de Molina presenta a Hernando ya al comienzo del primer acto, durante una fiesta de toros, donde se señala enseguida como un gran rejoneador. Metáfora de la guerra, no existía en aquella época manera más apropiada de presentar ante el público a un soldado, a un aventurero, a un conquistador:

> CAÑIZARES   Este es Fernando Pizarro.
> OBREGÓN   ¿Quién?
> CAÑIZARES   El Marte perulero,
> el que ha dado a Carlos quinto
> un nuevo orbe que dilata
> y de mil leguas de plata
> le trae al César su quinto;
> el más airoso soldado
> que Italia y que Flandes vio[20].

La inmediata relación de Hernando con el quinto real que se trajo desde el Perú no es una mención trivial. El fabuloso tesoro que llegó a España procedente de los despojos del Imperio Inca fue un acontecimiento que se recordaba todavía en tiempos de Tirso, cien años más tarde. El Perú había quedado como sinónimo de oro y peruano o *perulero* como de hombre inmensamente rico.

En 1534, enviado por Francisco Pizarro, arribaba al puerto de Sevilla el quinto real sacado de la conquista del Inca. A bordo de la nao Santa María del Campo, Hernando Pizarro traía consigo riquezas tan extraordinarias que causaron conmoción a lo largo y ancho de los vastos dominios españoles. No era para menos, se necesitaron decenas de hombres, veintisiete arcones y catorce bueyes para cargar el oro hasta la Casa de Contratación:

> Año de mil y quinientos y treinta y cuatro, a nueve de enero, llegó al río de Sevilla la segunda nao, nombrada Santa María del Campo, en la cual vino el capitán Hernando Pizarro, hermano de Francisco Pizarro, gobernador y capitán general de la Nueva Castilla. En esta nao vinieron para su majestad ciento y cincuenta y tres mil pesos de oro y cinco mil y cuarenta y ocho marcos de plata [...] Allende de la sobredicha cantidad trujo esta nao para su Majestad treinta y ocho vasijas de oro y cuarenta

---

[20] Tirso de Molina, *La «Trilogía de los Pizarros»*, vol. 4, pp. 20-21.

y ocho de plata entre las cuales había una águila de plata que cabrán en su cuerpo dos cántaros de agua y dos ollas grandes, una de oro y otra de plata que en cada una cabrá una vaca despedazada; y dos costales de oro que cabrá cada uno dos fanegas de trigo, y un ídolo de oro del tamaño de un niño de cuatro años, y dos atambores pequeños. Las otras vasijas eran cántaros de oro y plata, que en cada uno cabrán dos arrobas y más[21].

En cambio, en su *Historia general del Perú*, el Inca Garcilaso reduce la descripción apabullante de Jerez a una corta cuenta de moneda: «Trajo para su majestad cien mil pesos de oro y otros cien mil en plata, a buena cuenta del quinto que le había de pertenecer del rescate de aquel rey»[22].

El propio Hernando Pizarro era consciente de la inmensa fortuna que entregaba, porque cuando se presentó al Emperador, cuentan que después de besarle la mano, le dijo: «Fui, vi y venció Dios, y vuestra majestad por nos»[23]. Este aforismo, cubierto por la bruma de la leyenda, deja sobre la mesa una de las aristas más discutidas de su personalidad: la arrogancia, que fue utilizada en su contra en el juicio por la muerte del Adelantado. Su retrato, en la pluma de un partidario de Almagro como fue Gonzalo Fernández de Oviedo, no resulta nada favorable, pues lo describe como un hombre arrogante —legitimado en la soberbia—, glotón —grueso— y bebedor —nariz encendida—:

E de todos ellos, el Hernando Pizarro sólo era legítimo, y más legitimado en la soberbia: hombre de alta estatura y grueso; la lengua y labios gordos, y la punta de la nariz con sobrada carne, y encendida; y éste fue el desavenidor del sosiego de todos, y en especial de los dos viejos compañeros Francisco Pizarro y Diego de Almagro[24].

No creemos que esta descripción descarnada fuera una semblanza fidedigna de Hernando Pizarro, pero no podemos dejar de pensar que había algo de verdad en las palabras del cronista madrileño. Su carácter severo con las leyes, desapacible para el extraño y arrogante en las formas no fue ocultado ni por su más fiel panegirista. Durante el cer-

---

[21] Jerez, *Verdadera relación de la conquista del Perú*, p. 243.
[22] Inca Garcilaso, *Historia general del Perú*, vol. 1, p. 93.
[23] Pizarro y Orellana, *Varones ilustres del Nuevo Mundo*, p. 257.
[24] Fernández de Oviedo, *Historia general y natural de las Indias*, vol. 5, p. 33.

co de Cuzco, no todos los españoles estaban contentos con el gobierno férreo de Hernando Pizarro:

> De alguno de ellos [los mensajeros] se certificó (porque hacía oficio de
> espía doble) que muchos de los vecinos del Cuzco estaban disgustados de
> la condición de Hernando Pizarro; porque apretaba mucho en el dona-
> tivo y servicio, que se estaba cobrando para su Majestad [...] que no sue-
> le este modo de proceder atraer muchos amigos[25].

En *La lealtad contra la envidia*, Tirso de Molina rechaza de plano
este rasgo de su personalidad, quizás porque verdaderamente no le diera crédito o porque lo achacara a su condición de soldado viejo, que
milicia y arrogancia siempre fueron de la mano en el Siglo de Oro.
Para el fraile mercedario, Hernando Pizarro no fue un arrogante, sino
todo lo contrario. No solo evita cualquier sesgo de altanería en el personaje, sino que lo presenta como un hidalgo cuerdo, templado y largo en el consejo, incluso ante el desafío de un galán enamorado, que
cree —de manera justificada— que el conquistador es su rival por el
amor de Isabel. En lugar de desnudar el acero, le contesta con buenas
razones y palabras de regalo, avisándole de lo precipitado de sus acciones:

> [HERNANDO]   quiero, en lugar de enojaros,
> serviros con dos consejos:
> el uno es que, en ocasiones
> semejantes, procuréis
> ser, antes que os empeñéis,
> señor de vuestras acciones,
> pues si contra el ofendido
> os arrojáis destemplado,
> el reñir desbaratado
> es lo mismo que vencido;
> el segundo, que primero
> que toméis resolución
> averigüéis la ocasión
> con que sacáis el acero,
> porque arriesgar vida y fama
> sin certeza del agravio

---

25 Pizarro y Orellana, *Varones ilustres del Nuevo Mundo*, p. 310.

ni es acción de pecho sabio
ni medrará vuestra dama[26].

Otro aspecto concreto de su personalidad que ha sido puesto en debate fue su lealtad hacia el rey, oscurecida bajo la sombra alargada de su hermano Gonzalo, traidor y rebelde. A pesar de que Hernando Pizarro dejaba en el Perú una lista interminable de pleitos, quejas y agravios, parece injusto dudar de su fidelidad, pues «tuvo un sentido más cabal que sus hermanos acerca de la responsabilidad de sus actos como capitán y mandatario del Católico Rey de España»[27]. Su lealtad, servicio y obediencia a la Corona fueron un lugar común que generó un buen número de historias, anécdotas y episodios acerca de su reverencia por la figura del emperador:

> Besando otro día la mano al César, le suplicó le diese licencia para ir a ganar de comer a reinos extraños; a cuya petición con gran severidad le volvió el rostro, de manera, que confesaba Hernando Pizarro muchas veces (cuando contaba estos sucesos) que con haber estado en el discurso de su vida muchas veces a punto de perderla, nunca a su intrépido corazón llegó temor, sino fue en aquella ocasión[28].

Desde su celda del castillo de La Mota, ya viejo, abatido y derrotado, Hernando Pizarro nunca perdió la ocasión para repudiar con ánimo de soldado viejo la rebelión de su hermano Gonzalo, aunque, curiosamente, fuera su prisión una razón personal que el tirano esgrimía ante todo aquel que quería escucharle. En 1547, escribía al gobernador Pedro de Valdivia de la siguiente manera:

> Hernando Pizarro, como dicho tengo, no creo que él saldrá de La Mota de Medina, porque ahora le tienen más aprisionado que nunca, que ni ve el sol ni luna, ni aun tiene quien le dé un jarro de agua; pues mire a Vaca de Castro, que aunque algunas cosas robó, volvió la tierra al rey, y la puso en justicia, y lo metió en otra fortaleza, y le quitó todas sus haciendas, y este es el producto que el rey da a quien le sirve[29].

---

[26] Tirso de Molina, La «Trilogía de los Pizarros«, vol. 4, pp. 51-52.
[27] Pérez de Tudela Bueso, ed., 1963, p. xxvi.
[28] Pizarro y Orellana, Varones ilustres del Nuevo Mundo, p. 246.
[29] Toribio Medina, Colección de documentos inéditos, vol. 8, pp. 150-151.

En *La lealtad contra la envidia*, cuando el alcaide de La Mota le comunica la traición de su hermano, el conquistador reacciona con incredulidad, pues juzga por imposible que un Pizarro levante banderas contra su rey y señor:

> [HERNANDO]   ¿Contra su rey don Gonzalo?
> ¿Mi sangre aleve en sus venas?
> ¡No es posible que sea mía,
> mintió la Naturaleza!
> ¿Pizarro y traidor? Alcaide,
> más fácil será que crea
> que el sol retrocede líneas,
> que el cielo desclava estrellas[30].

Como suele acontecer con las noticias de suma gravedad, pronto la sorpresa da lugar a la rabia, y ésta, por consecuencia natural, acaba convirtiéndose en ira, odio y deseo de venganza. Furioso, pide a voz en grito que el emperador le conceda permiso para castigar al traidor, que él promete volver a su celda en el plazo de un año[31]. Y es que, en el teatro barroco, la mancha del deshonor solo se puede lavar con sangre:

> ¡Ah cielo, ah fortuna, ah estrellas!
> Permítame el rey venganzas,
> deme a castigos licencia,
> harele pleito homenaje
> de dar a esta cárcel vuelta
> dentro un año, que yo solo
> ocasionaré materias

---

[30] Tirso de molina, La «*Trilogía de los Pizarros*», vol. 4, p. 165.

[31] Sin duda, al escuchar esta promesa solemne de volver a la cárcel después de servir a la Corona, el público de los corrales recordaría la famosa sentencia, atribuida al gran duque de Alba (1507-1582) en respuesta a un requerimiento del rey. Ya viejo y enfermo, estando en prisión por el matrimonio clandestino de su hijo, hecho a espaldas de Felipe II, fue llamado en 1580 para conquistar Portugal sin recibir a cambio el perdón, lo que le hizo suspirar: «El rey me manda conquistar reinos cargado de cadenas». El mandato para ir a Portugal no iba acompañado de la orden de liberación de la prisión que en el castillo de Uceda venía padeciendo el duque, y éste lo hace constar al decir «va a conquistar un reino, cargado de cadenas» (Domínguez Berrueta, 1944, p. 21).

al espanto, a las crueldades,
a la fama, a la experiencia,
de que si un Pizarro ha habido,
(uno solo, entre la inmensa
propagación de mi sangre)
que a su príncipe se atreva,
hay otro que, derramando
la que envilece sus venas,
miembros bastardos castiga,
manchas limpia, infamias venga[32].

Más allá de la tensión dramática de este soliloquio, tan característico del teatro barroco, lo cierto es que, incluso si queremos considerar a Hernando Pizarro como un hombre sin alma ni bandera, no es posible que recibiera con una sonrisa las nuevas acerca de la rebelión de su hermano, puesto que no favorecía en nada a su, ya de por sí, delicada situación. A pesar de que también recayera sobre él la sombra de la sospecha, nos encontramos ante un hombre que cumplió siempre con sus obligaciones ante su rey y señor, como bien reconocía un admirador de Almagro como Cieza de León:

> E con esto no tenemos que decir de Hernando Pizarro más que dicen que, antes que se partiese, Gonzalo Pizarro le dijo que para qué iba a España, que mejor sería aguardar lo que viniese con las lanzas en las manos, y que Hernando Pizarro le respondió airadamente diciendo que era mancebo y no conocía al rey. Y cierto es que el tiempo que Hernando Pizarro estuvo en el reino trató bien a los señores naturales y se mostró celoso del servicio del rey; y así es público entre los antiguos de acá[33].

Su lealtad hacia el emperador originó cantidad de pequeñas historias, como ya hemos apuntado con anterioridad, pero existen pocas más reveladoras que la que cuenta Pizarro y Orellana. Muchos años después de la muerte de su hermano Gonzalo, su culpa, rechazo y vergüenza alcanzaba incluso a sus sobrinos. A doña Inés Pizarro, que intentó en vano reparar el honor de su padre, la despachó como quien se libra de un huésped indeseado:

---

[32] Tirso de Molina, *La «Trilogía de los Pizarros»*, vol. 4, p. 169.
[33] Cieza de León, *Obras completas*, vol. 2, p. 154.

No sólo no se halló culpado Hernando Pizarro en la desdicha de Gonzalo Pizarro su hermano, pero tan advertido que teniendo color con los papeles para asistir a doña Inés Pizarro su hija (que desde las Indias venía a defender la honra de su padre) no la vio, y con desesperación, dejando de tratar de sus intentos, como sola y huérfana, se retiró a su tierra; donde después se casó muy bien, y murió sin dejar hijos, ni quien volviese por su causa, como en otros lugares se ha referido[34].

El estigma de la infamia sangraba por la gravedad de la traición. Ya lo proclama Tirso de Molina en boca de Hernando: «Dos muertes me dio el rigor / con solo un golpe cruel: / vos en el alma, Isabel, / y mi hermano en el honor»[35]. No era una licencia poética del mercedario, la mancha de la deshonra fue tan grande que quienes deseaban vivir en Indias se veían obligados a declarar que no eran «parientes de Gonzalo Pizarro ni de los exceptuados a pasar a Indias»[36].

HERNANDO PIZARRO Y DIEGO DE ALMAGRO:
EL PRINCIPIO DE SU DESGRACIA

La primera guerra civil del Perú, la llamada guerra de las Salinas, estuvo a punto de costarle a la Corona española la pérdida de las tierras recién conquistadas. Desde el bando almagrista, se dijo que había sido la soberbia de Hernando la causante de la discordia entre quienes habían sido antiguos socios, amigos y camaradas[37]. Desde el lado pizarrista, se apeló a una enemistad provocada por la codicia del Adelantado, que deseaba trocar la tierra pobre, áspera y sin pacificar del Chile por las riquezas de la ciudad del Cuzco:

> Por lo cual decía Almagro que le pertenecía el dominio de aquella imperial ciudad [Cuzco]. Estas medidas y razones impertinentes imaginaron Almagro y los de su bando para precipitarse a desamparar el reino de Chile y volverse al Cuzco y al Perú, donde tantos males se causaron con su vuelta[38].

---

[34] Pizarro y Orellana, *Varones ilustres del Nuevo Mundo*, p. 341.
[35] Tirso de Molina, La «*Trilogía de los Pizarros*», vol. 4, p. 174.
[36] *La conquista de la Nueva Castilla*, p. xi.
[37] Fernández de Oviedo, *Historia general y natural de las Indias*, vol. 5, p. 32.
[38] Inca Garcilaso, *Historia general del Perú*, vol. 1, p. 206.

Las rencillas entre Pizarro y Almagro venían de antaño, por el reparto del fabuloso tesoro del Inca, y acabarían provocando un enfrentamiento civil en el que ambos se emplearon a sangre y fuego. En mitad de una revuelta indígena, la guerra de las Salinas acarreó grandes daños, desgracias y calamidades al Perú. Aunque el Adelantado de Chile estuviera convencido de que el Cuzco entraba en su jurisdicción, conforme a lo establecido por los pilotos de su parcialidad en el informe del 17 de abril de 1537[39], también le constaba el precio: la guerra total contra Francisco Pizarro. No es extraño que luego, contemplando impotente el saqueo de la ciudad, anduviera pesaroso del paso dado:

> Y aunque Almagro tenía gran cuidado en mandar que no se hiciese ningún insulto ni robo, no aprovechó, porque algunos soldados se aprovechaban de lo que podían haber. Los capitanes Vasco de Guevara y Juan de Saavedra estaban guardando la ciudad como Orgóñez se lo había mandado, y también amonestaban a los españoles que no robasen ni hiciesen ningún daño. El Adelantado, cuando supo que Hernando Pizarro no había mandado quebrar las puentes, en alguna manera le pesó por haber con mano armada entrado en la ciudad[40].

La lucha entre almagristas y pizarristas coincide con el levantamiento del príncipe Manco Inca contra los españoles. Cuando Diego de Almagro divisa a lo lejos la ciudad del Cuzco, se la encuentra bajo el asedio de miles de guerreros. Sin duda, fue una posición incómoda para el Adelantado, puesto que, por un lado, llegaba para luchar contra los Pizarros y, por otro, no podía consentir que los incas reconquistaran ni un palmo de tierra y, mucho menos, la ciudad imperial. Durante el cerco del Cuzco, los tratos que se llevaron a cabo entre Almagro y el Manco Inca fueron utilizados por los pizarristas para acusarle de traidor y denunciar un pacto con el príncipe indígena, que incluía el exterminio de todos los españoles del Cuzco. Pizarro y Orellana deja caer la sombra de la sospecha sobre Almagro con una misteriosa carta de la que no se revela su contenido: «El indio llegó con la carta [de Hernando Pizarro] a tiempo que entraban donde estaba el Inga tres españoles de los de don Diego de Almagro con otra

[39] Toribio Medina, 1889, vol. 4, pp. 385-397.
[40] Cieza de León, *Obras completas*, vol. 2, p. 16.

carta suya»[41]. En este asunto, se enfrenta a la opinión de la inmensa mayoría de los historiadores del Quinientos, como López de Gómara, que declara en su *Historia general de las Indias* que el Adelantado no era ningún traidor:

> Cuando al Cuzco llegaron, en lo ver cercado de los indios; y él trató con el Inga la paz, diciendo, si alzaba el cerco, que le perdonaría lo hecho, como gobernador, y si no, que lo destruiría, que a eso venía. Mango respondió que se viesen, y que holgaba de su venida y gobernación[42].

Sólo Agustín de Zárate es algo tibio cuando narra los tratos entre incas y almagristas. Nos cuenta que hubo un intercambio de cartas donde existe una clara voluntad por parte del Adelantado de contentar al Manco Inca, pero no revela qué le promete a cambio de abandonar el sitio del Cuzco. Sabemos, por su «Inventario y tasación de libros»[43], que el jurista de la Universidad de Salamanca tenía en su biblioteca un ejemplar de la obra de Agustín de Zárate; por lo tanto, es bastante probable que Pizarro y Orellana sacara el tema de la carta del relato del contador de mercedes, ya que es el único que deja en el aire hasta dónde llegaron los conciertos entre los incas y los españoles de Chile:

> Almagro se carteó con el Inga, prometiéndole de perdonarle todo lo que había hecho si fuese su amigo y le favoreciese, porque aquella tierra del Cuzco era de su gobernación y que volvía a apoderarse della[44].

El resto de los cronistas del Perú asegura que las negociaciones del Adelantado fueron una maniobra dilatoria para apaciguar al Manco Inca. Sobre la lealtad inquebrantable de Diego de Almagro se reafirma Cieza de León, que incluso deja entrever que el intercambio de cartas fue un intento del Adelantado para engañar al príncipe inca y levantar el cerco de la ciudad de manera inmediata:

[41] Pizarro y Orellana, *Varones ilustres del Nuevo Mundo*, p. 308.
[42] López de Gómara, *Historia general de las Indias*, vol. 2, p. 54.
[43] Ver *Apéndices* en Vázquez, 1984.
[44] Zárate, *Historia del descubrimiento y conquista del Perú*, p. 486.

El Adelantado deseaba tanto ver la tierra pacífica y los indios sosegados que, por ver este su deseo cumplido, les hacía entender que no deseaba otra cosa más que haber muerto a los cristianos que estaban en el Cuzco, y así lo respondía en cartas que le escribió al Inca [...] Y partiéronse estos mensajeros del Inca, y fueron a darle cuenta de su embajada, diciéndole: «El Sol te ha querido, ¡oh, Inca!, guardar, en no haber ido a entregarte en las crueles manos de nuestros enemigos, porque ciertamente ya te hubieran tirado la vida; ¿sabes lo que pasó en nuestra presencia?, que del Cuzco vinieron cuatro cristianos, e, haciendo muestras de los querer matar, los prendieron, y luego que fueron venidos delante la presencia de Almagro, se holgó tanto con ellos, como si fueran sus propios hermanos y compañeros»[45].

Antonio Herrera y Tordesillas sustenta también la idea de que los conciertos entre el Adelantado y el Manco Inca fueron solo una artimaña para ganar tiempo y retirar el inmenso ejército que amenazaba a los pocos españoles del Cuzco. Incluso nos relata una escaramuza entre Hernando Pizarro y unos indios de guerra fuera de la ciudad, donde los soldados de Almagro, allí presentes, no hacen el más mínimo gesto por defender a los guerreros del Manco Inca:

Y caminando la vuelta de Urcos, descubrieron la gente de Saavedra, y de más cerca una gran tropa de indios, con dos castellanos de a caballo, [...] y acercándose más los indios, decían a los Pizarros muchas injurias y tiraban multitud de dardos y piedras, y pareciendo a Hernando Pizarro que ya no se podía sufrir tan poco respeto, mandó cerrar con los indios, los cuales, por el daño que recibían, se fueron retirando, adonde con el mayor golpe de ellos los dos castellanos se estaban quedos[46].

No dudamos de que el príncipe inca intentara aprovecharse de la enemistad entre los españoles para sembrar la discordia y ofrecer un acuerdo al Adelantado. Sin embargo, no parece que consiguiera ninguna de sus pretensiones: Diego de Almagro no participa en el asalto de la ciudad y Hernando Pizarro no solo rechaza el ataque, sino que además reconquista su fortaleza. Su juventud, inexperiencia y carácter colérico le llevaron a precipitarse sobre los muros del Cuzco, sin antes alcanzar una alianza con el adelantado de Chile:

---

[45] Cieza de León, *Obras completas*, vol. 2, pp. 8-9.
[46] Herrera y Tordesillas, *Historia general*, vol. 12, p. 77.

Este Mango entró en el señorío de diez y ocho años, y al principio dio muestras de ser hombre de buena inclinación, pero después salió muy cruel; cuando comenzó la guerra, todos los indios, que andaban sirviendo a los castellanos, le fueron a servir; pero entendido que los mandaba ahorcar, se volvieron y fueron de grandísimo provecho para muchas cosas[47].

En *La lealtad contra la envidia*, Tirso de Molina sigue con fidelidad el testimonio de Pizarro y Orellana e incluso va más allá, descubriendo el contenido de la misteriosa carta. En ella, retrata a Almagro como un pérfido traidor, capaz de cualquier cosa con tal de apoderarse del Cuzco. La actitud del dramaturgo no nos puede sorprender; al fin y al cabo, los almagristas siempre fueron los enemigos de los Pizarros y, por consiguiente, de los frailes mercedarios, aliados naturales de los conquistadores de Trujillo. Además todo héroe necesita de un villano. A pesar de que no aparece sobre el escenario en toda la comedia, su capitán, Juan de Rada[48], lee la carta —en prosa— en su nombre:

> Don Diego de Almagro, mariscal adelantado del Pirú, a Mango Inga, príncipe del Cuzco: salud, etc. La amistad antigua que los dos hemos profesado, los desafueros que con vuestra Alteza los Pizarros han hecho, el gobierno que me pertenece de esta provincia y el deseo de que vuestros indios os vean coronado, me saca de Chile, me guía al Cuzco y me asegura la victoria contra nuestros enemigos. Aperciba vuestra Alteza sus ejércitos, que yo avisaré a su tiempo para que los dos en recíproca amistad poseamos este imperio, muertos los que nos le estorban. El mensajero merece entero crédito y él informará por extenso lo que no fío de la pluma. Guarde Dios a vuestra Alteza, etc. De mi campo, a 1º de mayo, año 1534. El Adelantado[49].

---

[47] Herrera y Tordesillas, *Historia general*, vol. 12, pp. 71-72.

[48] Juan de Rada o Juan de Herrada fue un conquistador de Hernán Cortés: «Juan de Herrada fue un buen soldado que hubo ido en nuestra compañía a las Honduras cuando fue Cortés; y después que vino de Roma fue al Perú, y le dejó don Diego de Almagro por ayo de su hijo don Diego el mozo; y este fue tan privado de don Diego de Almagro, y fue el capitán de los que mataron a don Francisco Pizarro el viejo, y después maese de campo de Almagro el mozo» (Díaz del Castillo, *Historia verdadera de la conquista de Nueva España*, p. 740).

[49] Tirso de Molina, *La «Trilogía de los Pizarros»*, vol. 4, pp. 122-123.

No hacía falta nada más. La furia mosqueteril se encendería con aquellas palabras sacrílegas para la época. Tirso se granjeaba el apoyo del patio para los hermanos Pizarro. Mientras, ajeno a estos tratos, Hernando es avisado de la traición de Almagro por unos indios amigos; no obstante, no se quiere creer que el Adelantado se pueda aliar con el Manco Inca en contra de su rey y señor: «No creas de su lealtad / que, contra su rey y Dios, / ejecute acción tan loca»[50]. En términos similares se había expresado Pizarro y Orellana al contar la incredulidad del conquistador:

> Esta nueva trajeron los Indios amigos de Hernando Pizarro, dando a entender que entre el Inga y don Diego de Almagro había grande amistad, y que traían resolución de destruir a todos los españoles que estaban en el Cuzco, mas nunca se pudo persuadir [de] esto [...] Aunque le decían todas estas cosas no las podía creer, por parecerle que no había de intentar una cosa tan contra razón y justicia en deservicio manifiesto de Dios y de su rey[51].

Herrera y Tordesillas destaca los días de honda incertidumbre que se debieron vivir en la ciudad, sitiados por incontables enemigos y bajo la vigilancia amenazante de un ejército español del que nadie conocía sus verdaderas intenciones:

> por las amenazas y insolencias de los indios, estuvo Hernando Pizarro muy confuso, no acabando de juzgar cuál sería el propósito de Almagro; [...] Los indios [...] le solicitaban [a Juan de Saavedra] para que fuese a matar aquellos pocos castellanos del Cuzco; tanto deseaban la división y discordia entre los cristianos[52].

A pesar del esfuerzo de Tirso por retratarlo como a un traidor, la historia nos enseña que dudar de la lealtad del Adelantado sería como hacerlo de Hernando Pizarro. En aquellas tierras tan remotas, los grandes conquistadores tenían la conciencia de ser los representantes de algo más trascendente. Para estos valientes hombres la empresa de la conquista americana estuvo regida por la codicia del oro o la ambi-

---

[50] Tirso de Molina, *La «Trilogía de los Pizarros»*, vol. 4, p. 121.
[51] Pizarro y Orellana, *Varones ilustres del Nuevo Mundo*, p. 308.
[52] Herrera y Tordesillas, *Historia general*, vol. 12, p. 76.

ción de dar lustre a un linaje manchado, pero por encima de todo se hallaba la misión de servir a Dios y al rey, ganando nuevas almas para el cielo y nuevos vasallos para su príncipe natural[53]. Como así se lo reconoció el Papa Adriano VI a Cortés y sus conquistadores:

> [El Papa] decía en la carta que, demás del gran servicio que hacíamos a Dios Nuestro Señor y a su Majestad, que su santidad, como nuestro padre y pastor, tendría cargo de rogar a Dios por nuestras ánimas, pues tanto bien por nuestra mano ha venido a toda la cristiandad; y aun nos envió otras santas bulas para nuestras absoluciones[54].

Así se expresaba el propio Diego de Almagro en una carta dirigida al Emperador en abril de 1531:

> que desde el dicho tiempo a esta parte yo he servido mucho a sus Majestades a mi costa y misión en la conquista y descubrimiento y población de estos reinos de Castilla del Oro así por mar como por tierra ayudando a hacer navíos en esta mar del Sur siendo como he sido uno de los conquistadores y pobladores que a su Majestad bien han servido en estos dichos reinos, etc.[55].

Otro momento célebre en las guerras civiles entre almagristas y pizarristas fue la captura de Hernando y Gonzalo Pizarro en la toma del Cuzco. La captura de los hermanos se produjo después de una ruptura de la tregua por parte de los almagristas, ansiosos por apoderarse de la ciudad antes de que comparecieran los refuerzos procedentes de la Ciudad de los Reyes:

> Y según lo que después sucedió, fue con cautela, para después dar sobre seguro asalto en la casa de Hernando Pizarro, y entrarse en la ciudad.

---

[53] Basta recordar el episodio protagonizado por el capitán Pablo de Meneses durante las guerras civiles del Perú. Exiliado en Panamá tras la muerte del virrey Núñez de Vela, fue uno de los primeros en recibir y jurar lealtad al presidente La Gasca que, enviado por el Emperador, venía a apaciguar el virreinato y a expulsar del poder al rebelde Gonzalo Pizarro. Cuentan que este conquistador viejo lloraba como un niño cuando le ofreció su espada a La Gasca, porque Dios le volvía a dar la oportunidad de defender a su rey una vez más.

[54] Díaz del Castillo, *Historia verdadera de la conquista de Nueva España*, pp. 619-620.

[55] Toribio Medina, *Colección de documentos inéditos*, vol. 4, p. 63.

Y así se ejecutó, pues a medianoche se entraron por las puertas de golpe apellidando: «¡Almagro y mueran los traidores!».Y no hallando en parte alguna resistencia, acudieron a la casa de Hernando Pizarro, que estaba seguro con su hermano, y algunos criados, juzgando (por su corazón leal) que se habían de guardar las treguas y no quería creer a quien le decía otra cosa [...] Apretáronse tanto que poniéndole por medio, que llegaba el fuego junto a los pasos que guardaba Gonzalo Pizarro, y que su puerta se había quemado: por no morir abrasado se hubo de dar a prisión[56].

Si bien los cronistas de uno y otro lado discrepan acerca de los motivos que llevaron a Diego de Almagro a violar la tregua, todos se ponen de acuerdo en relatar lo sucedido de la misma manera. Poco después de firmar la paz, el Adelantado asalta el Cuzco por sorpresa, de noche y con la premura de quien sabe que su situación ventajosa acabaría en cuanto llegaran los soldados enviados por el marqués. El ataque tiene tanto éxito que no encuentran resistencia alguna en la ciudad, por lo que se encaminan a la carrera hacia la casa del conquistador, al que sorprenden desapercibido, medio desnudo y durmiendo en su cama: «Como Hernando Pizarro estuviese confiado en las treguas asentadas, estaba en su cama; cercáronle aquellas casas»[57].

En la comedia, Tirso nos cuenta la captura de los hermanos a través de un indio, que acude al Manco Inca para pedirle albricias por la noticia. El príncipe inca se alegra mucho de la victoria de Almagro y los suyos, pues piensa que solo Hernando Pizarro puede vencer a sus guerreros:

INDIO   Aposentado en el Cuzco
el Almagro y sin temor
el Pizarro de que hubiese
en lo propuesto traición,
a su confianza y sueño
los ojos encomendó
[...]
Acometiole de noche,
pero intrépido salió
con un estoque y rodela
el estremeño león,

---

[56] Pizarro y Orellana, *Varones ilustres del Nuevo Mundo*, pp. 312-313.
[57] Cieza de León, *Obras completas*, vol. 2, p. 15.

y aunque desnudo, de suerte
a sus contrarios pasmó
[...]
INGA   ¡Toca el arma, vuelta al Cuzco!,
que si Fernando murió
no temo a Almagro y su gente;
mi vitoria es su traición,
ya le juzgo destrozado[58].

Entonces es cuando Tirso de Molina aprovecha para finalizar el retrato del héroe. Ya nos ha enseñado que fue un vasallo leal, un cristiano devoto y un capitán valiente. Ahora toca completar el cuadro y otorgarle la cualidad que le faltaba: la discreción —cuyo significado áureo no se parece en nada al moderno—, es decir, el ingenio que le hace dar la vuelta a las situaciones más comprometidas. Para ello, se basa en un lance más legendario que histórico del que se hacen eco solo unos pocos cronistas. Sobre la estratagema que emplea Hernando Pizarro para ser liberado, Tirso de Molina parece seguir al pie de la letra a Pizarro y Orellana —como viene siendo habitual hasta el momento—. Ni López de Gómara ni el Inca Garcilaso ni Agustín de Zárate mencionan nada sobre una partida de dados[59]:

Echó su fortuna en la suerte de un dado, y procuró que uno de los mayores amigos que tenía Almagro le ayudase a conseguirlo. Tratando pues con él de la crueldad que con él se usaba en el modo de su prisión, de lance en lance el amigo de Almagro quiso consolarle, y que se entretuviese en el juego. Hernando Pizarro le persuadió en el discurso dél que jugasen largo; trabaron de forma el juego, que de propósito Hernando Pizarro perdió muchos rejos de oro: no pudo pagárselos luego, si bien le dio algunos, y a entender la imposibilidad en que se hallaba para la paga, hasta que fuese a sus minas, que estando libre serían los primeros que cumpliese. Pues como al privado de Almagro le iba tan gran interés en la soltura de Hernando Pizarro, solicitábala con gran cuidado[60].

---

[58] Tirso de Molina, La «Trilogía de los Pizarros», vol. 4, pp. 131-134.
[59] El Inca Garcilaso sigue al pie de la letra el relato de López de Gómara acerca de la prisión de Hernando Pizarro (Historia general del Perú, vol. 1, p. 225).
[60] Pizarro y Orellana, Varones ilustres del Nuevo Mundo, p. 313.

Para López de Gómara y Herrera y Tordesillas es Diego de Alvarado y no Juan de Rada, como en la comedia, quien pide la libertad de Hernando ante el Adelantado. En este pasaje de *La lealtad contra la envidia* quedaría probado que Tirso de Molina sigue a Pizarro y Orellana porque es la única fuente donde se cuenta la estratagema tal y como la traza el mercedario en su comedia: Hernando Pizarro se deja ganar y ante la imposibilidad de poder pagar al estar encerrado enciende la codicia de su carcelero, al que le conviene que siga con vida.

RADA   ¿Cincuenta mil pesos de oro?
                ¡Cuerpo de Dios! ¿Es partida
                para no darle la vida?[61]

Para Herrera y Tordesillas, que sigue a su vez los escritos de Cieza de León, todo transcurre de manera contraria: Hernando Pizarro gana la partida, pero le perdona la deuda a Alvarado, para así granjearse su amistad:

> Diego de Alvarado visitaba a Hernando Pizarro y le consolaba, y jugando algunas veces le ganó ochenta mil pesos; y enviándoselos Diego de Alvarado, no los quiso recibir, suplicándole que se sirviese de ellos: liberalidad que le salvó la vida, porque desde entonces fue su amigo Diego de Alvarado, y en muchas ocasiones le defendió[62].

Ya en el tercer acto de *La lealtad contra la envidia* es cuando Tirso trata el arresto, juicio y prisión que sufrió Hernando Pizarro a su vuelta de las Indias. Nada más atracar en Sevilla, donde llegaba dispuesto a dar relación al Emperador de lo que había sucedido, los almagristas consiguieron que se le procesara por la muerte del Adelantado, aunque los cargos que se le imputaron fueron mucho más allá de una acusación de asesinato. Como buen jurista, Pizarro y Orellana nos brinda una extensa relación del juicio en sus *Varones ilustres*, agregando a cada causa su defensa y alegato. Los cargos presentados fueron tres:

---

[61] Tirso de Molina, *La «Trilogía de los Pizarros»*, vol. 4, p. 138.
[62] Herrera y Tordesillas, *Historia general*, vol. 12, p. 132.

[1] El más principal es de haber dado libertad a Mango Inga [...] la excusa y disculpa [...] era el haberlo hecho con orden del marqués [...] a nuestro modo de entender y escribir no pudo tener causa de mayor honra para acreditar la Conquista, que haber tratado a Mango Inga con mansedumbre.

[2] Fue también acusado nuestro valeroso capitán de haber hecho cortar la cabeza de Almagro [...] Y que ejecutó esto sin embargo de apelación [...] En consecuencia de esto pidió el fiscal los cincuenta mil ducados en pena de haber contravenido [...] Este delito excusan los abogados de Hernando Pizarro con asentar por llana la jurisdicción que tenía (en virtud de los poderes de su hermano) para gobernar la ciudad del Cuzco, que había conquistado, poblado y pacificado [...] los delitos que cometió Almagro de la primer cabeza a del *Crimen Laesae Maiestatis*, pues por fuerza de armas, con ejército formado, entró en distrito ajeno, levantando bandera contra el gobernador por su majestad [...] Y habiendo cometido tan graves delitos en la jurisdicción y distrito del marqués, no se puede dudar de haberse hecho de su jurisdicción, por lo cual le legítimamente castigar su lugarteniente.

[3] No haber confiscado los bienes de don Diego de Almagro y pues [...] por haber entrado con mano armada en el Cuzco, incurrió en pena de malcaso y aleve; como en ellos se declara[63].

A pesar de que el buen nombre de Hernando había quedado de alguna manera reparado con la recuperación del título en 1631, Juan Pizarro y Orellana reconoce que su abuelo sí fue culpable de ajusticiar a Diego de Almagro sin autoridad para ello, pues, como Adelantado real, solo podía ser condenado a muerte por el propio Emperador:

Y la condenación de poco más de dos mil ducados, que se le hizo cuando se sentenciaron sus cargos, mostró bien la justificación de sus procedimientos, pues sólo pudo haber alguna culpa, o exceso en el modo de fulminar la causa contra Almagro, que con aquella pena se castigó[64].

Condenado a prisión, estuvo encarcelado más de veinte años, primero en Madrid y luego en Medina del Campo, donde incluso llegó a casarse y a llevar una vida marital hasta que Felipe II decidió liberarlo. Abierta la veda, esta sentencia sería solo la primera de una lista

---

[63] Pizarro y Orellana, *Varones ilustres del Nuevo Mundo*, pp. 338-340.
[64] Pizarro y Orellana, *Varones ilustres del Nuevo Mundo*, p. 341.

interminable de pleitos que se le vendría encima durante aquellos años. Acerca de la prisión de Hernando Pizarro es el Inca Garcilaso quien defiende con mayor pasión al conquistador de Trujillo, haciendo gala de la afición familiar que siempre demostró por los Pizarros:

> Llegado Hernando Pizarro a España, le acusó Diego de Alvarado rigurosísimamente, pidiendo que le hiciesen justicia en una de las dos salas [...] donde su Majestad más fuese servido, porque lo desafiaba a batalla singular, donde le probaría con las armas que era quebrantador de su fe y palabra y que eran suyas las culpas que imponía a don Diego de Almagro. Acusole otras muchas cosas, que por excusar prolijidad las dejaremos [...] Decimos esto en confuso, por ser materia odiosa [...] Mas al cabo se moderaron y salió de la prisión Hernando Pizarro, el año de mil y quinientos y sesenta dos, habiendo estado en ella veinte y tres años, con gran valor de ánimo[65].

Sin embargo, parece claro que la sentencia no contentó a nadie. Del lado almagrista, no cesaron las quejas. Para los amigos, deudos y compañeros del Adelantado de Chile, las cuatro paredes donde estaba encerrado Hernando Pizarro parecían más el palacio de un gran señor que una prisión. El cronista Fernández de Oviedo, siempre cáustico con los Pizarros, se lamenta con amargura de las comodidades del conquistador en el alcázar de Madrid, donde estuvo un tiempo antes de ser trasladado al castillo de La Mota de manera definitiva:

> El cual, según aquí han dicho los que lo han visto detenido en la corte, fue su prisión de forma que mejor se puede llamar triunfo y gloria del mal que ha fecho por acá, que no pena para sus culpas ni satisfactoria justicia para los querellosos y ofendidos de él. La casa era el mismo alcázar de Madrid, donde el rey de Francia estuvo preso no ha muchos años, y con menos libertad su persona real. La mesa y plato de Pizarro era suntuosamente servida, y acompañada de muchos nobles caballeros, y él visitado y estimado de los altos y grandes señores muchas veces. Muchas maneras y diversidades de músicas y cantores le acompañaban. Levantábase a mediodía, y su aposento era muy entoldado de ricas tapicerías y doseles; sus vajillas colmadas y suntuosas, con diferenciadas piezas de oro y plata, como la pudiera tener un gran príncipe[66].

---

[65] Inca Garcilaso, *Historia general del Perú*, vol. 1, p. 244.
[66] Fernández de Oviedo, *Historia general y natural de las Indias*, vol. 5, p. 230.

JULIÁN GONZÁLEZ-BARRERA

Estos lujos, regalos y visitas continuaron en Medina del Campo —como veremos en el apartado siguiente—, quizás incluso en mayor medida después del casamiento con su sobrina, Francisca Pizarro, heredera universal de la maravillosa fortuna de su hermano Francisco. A pesar de que el proceso por la muerte de Almagro y los sucesivos pleitos le habían dejado arruinado, en 1555 encargaba a Cristóbal de Paredes, platero de Plasencia, un brasero de plata para su «celda» en el castillo de La Mota, probablemente pagado por su jovencísima esposa[67].

HERNANDO PIZARRO E ISABEL DE MERCADO: UNA INFELIZ HISTORIA DE AMOR

La cuestión sobre si Hernando Pizarro llegó a casarse con Isabel de Mercado es una incógnita que hoy en día sigue sin despejarse. La familia siempre tuvo un especial interés en dar prueba de que había habido matrimonio, clandestino sin duda, pero legítimo. No en vano, el título de marqués de la Conquista pasó muy pronto a la línea que descendía directamente de la hija del conquistador e Isabel, por lo que había que demostrar a toda costa que el linaje no tenía un origen bastardo, sino canónico[68].

La visión pretridentina de un matrimonio secreto que nos brinda Tirso de Molina en su comedia bien podría haberse correspondido con la realidad, ya que en aquellos años de encierro riguroso y amorosa convivencia, Isabel de Mercado dio a luz a varios hijos de

---

[67] La ejecución de bienes para el pago del brasero está fechada el 14 de agosto de 1555 (Valladolid, Archivo de la Real Chancillería, Registro de ejecutorias, caja 0837.0060).

[68] Los esfuerzos de la familia continuaron siglos después de la muerte de los amantes. En el Archivo Histórico Nacional se conserva una defensa del marqués de la Conquista sobre la legitimidad del matrimonio entre Hernando Pizarro e Isabel de Mercado, donde se intenta probar «con alardes poco comunes de ingenio [...] aunque con ninguna solidez» que el matrimonio aunque clandestino, «a la sazón se hallaba autorizado» (fol. 2v). El oficial de justicia no parece estar nada convencido con los argumentos del marqués: «Para ello se esfuerza inmensamente intentando apoyarse en doctrinas que no tienen exacta aplicación al asunto» (fol. 2v). El documento está sin fechar, pero va acompañado de tres árboles genealógicos donde se llega hasta el marqués Francisco Orellana Pizarro (Madrid, Archivo Histórico Nacional, Diversos-Colecciones, 35, n. 18).

Hernando, aunque solo uno de ellos sobreviviera: Francisca Pizarro Mercado, madre del autor de *Varones ilustres del Nuevo Mundo*:

A los cuatro o cinco años de prisión tuvo casamiento clandestino —y por tanto legítimo legal y canónicamente antes del Concilio de Trento— con doña Isabel de Mercado, de quien tuvo varios hijos y sólo sobrevivió Francisca Pizarro Mercado, hija legítima por este motivo[69].

Esta niña nació en los primeros años de cárcel, no al tiempo de la liberación de Hernando, como se nos cuenta en *La lealtad contra la envidia*:

[MERCADO]   Murió, ¡ay cielos!, mi Isabel
de congojas oprimida
que vuestros riesgos causaron
[...]
La herencia que me ha dejado
es un ángel en una hija
[...]
Criarela como vuestra,
pues la carta en que me avisa
que en secreto os desposó
su calidad legitima.
[...]
Pero ya en las tempestades
que os persiguieron prolijas
el Santelmo se aparece
que bonanzas certifica.
Filipo, prudente, santo,
[...]
libertad noble os concede[70].

Se tratara de sacramento divino o pecado mundano, lo cierto fue que la pareja llevó una vida en común durante los primeros años de prisión en el castillo de La Mota. Tan clara, pública y notoria fue su relación que obligó al Consejo de Indias a intervenir en lo que se había convertido en una dulce condena. El doctor Hernán Pérez es en-

---

[69] Naranjo Alonso, 1983, p. 274.
[70] Tirso de Molina, *La «Trilogía de los Pizarros»*, vol. 4, pp. 189-192.

viado a Medina del Campo el 24 de julio de 1548 y su declaración de lo que allí vio debió de dejar con la boca abierta a más de un miembro del Consejo de Indias:

> Entrado el dicho consejero en el aposento de la torre, donde estaba preso el dicho Hernando, halló en él dos camas, [...] y habiéndolas mirado, pareció en la una una mujer, que dijo ser llamada Isabel de Mercado, a la cual sacaron del dicho aposento; y tomándole su declaración a dicho Hernando [...] declaró [...] que tenía en la prisión para su servicio dos mujeres, una negra, llamada Catalina, y la otra blanca, llamada Isabel de Mercado [...] y que la dicha Isabel había parido, no una vez sola, dentro de la fortaleza[71].

Llegado el turno de Isabel, su declaración ante el doctor Pérez pondrá de manifiesto el amor profundo que sintió por el conquistador, con quien comparte celda, castigo y reclusión como si fuera otra prisionera. Si no habían pasado por el altar, no tenía ninguna obligación de guardar clausura y si era una mujer casada, hubiera hecho feliz a cualquier moralista del Quinientos:

> En fuerza de la declaración, que también a ésta se la tomó por dicho consejero, respondió a las preguntas: que habría cinco años, poco más o menos, se hallaba en dicha fortaleza, de la que en el primer año sólo salió dos veces, y en el segundo una vez a confesarse, y después no ha vuelto a salir[72].

Releyendo su testimonio, nos llama la atención el hecho de que ella declarase que «en el segundo año» había salido «una vez a confesarse» para después regresar al castillo, junto a su amante. Si no hubieran estado casados o al menos ella no tuviera su firme promesa de matrimonio, sería un acto de hipocresía sacrílega vivir en pecado, confesarse y regresar inmediatamente a lo que en aquella época se denominaba «ayuntamiento ilícito». Engañada o no, creemos que Isabel de Mercado contaba al menos con su palabra de casamiento, lo cual, en 1548, antes de que el Concilio de Trento prohibiese los matrimonios secretos, era tan legal, santo y canónico como pasar por una iglesia.

---

[71] Vázquez, 1984, p. 319.
[72] Vázquez, 1984, p. 320. Para saber más sobre el encierro doméstico en la España de los siglos XVI y XVII, ver Alcalá-Zamora, ed., 1999, pp. 174-176.

Por supuesto, Tirso no tenía ninguna duda al respecto. Es más, en un último servicio a la familia Pizarro, no solo legitima la unión entre los amantes, sino que ennoblece el origen de ella, falseando su nacimiento. Si bien el dramaturgo nos presenta a Isabel de Mercado como de noble linaje al convertirla en hermana del alcaide del castillo[73], al parecer su cuna fue humilde, huérfana desde niña y sin otro amparo que una tía que pronto renunciaría a su guardia y protección. De todos modos, parece ser que era hija de hidalgos, según lo descubierto por Rómulo Cúneo Vidal en un documento de probanza de nobleza de un nieto, Juan de Orellana Pizarro, donde se declara lo siguiente:

> Saben que Isabel de Mercado fue hija legítima de Francisco Fernández de Mercado, tenida por noble y hidalga y limpia de sangre.
>
> Saben que la dicha Isabel, muerto su padre, fue recogida por una su tía llamada doña Francisca de Mercado, la cual, compelida por la pobreza [...] y con la esperanza de remediarla, llevó a la fortaleza a su mencionada sobrina doña Isabel, la cual era hermosísima, y la entregó a Hernando Pizarro, hombre poderoso, confiada en que éste acabaría por hacerla su esposa.
>
> Que de estos amores, que tuvieron por teatro el castillo de La Mota, en donde la joven vivió oculta durante algún tiempo por temor de que sus deudos la matasen en castigo de su deshonra, nacieron un niño que murió en tierna edad, y una niña llamada doña Francisca Pizarro Mercado, la cual, legitimada, casó años más tarde en Trujillo con Hernando de Orellana[74].

El final de los días de Isabel de Mercado es bien distinto al descrito por el fraile mercedario, aunque no menos cruel, infeliz y desdichado. La traición de su hermano Gonzalo provoca que por orden real Hernando sea recluido en una celda, sin posibilidad de recibir visitas o correo. Temiendo una ejecución que podía llegar en cualquier momento, Isabel decide retirarse a un convento de Trujillo para morir en vida y así compartir de alguna manera el mismo destino:

---

[73] El personaje de Alonso de Mercado, hermano de Isabel y alcaide de La Mota, es completamente ficticio. En realidad, el alcaide del castillo se llamaba Hernán Vaca (Vázquez, 1984, p. 319).

[74] Cúneo Vidal, 1925, pp. 521-522.

[ISABEL]   Una novena le digo
que a Guadalupe ofrecí
por vos, y estando de allí
Trujillo cerca, un convento
podrá honestar el tormento
que es fuerza acabarme aquí.
Si en tan rigurosa empresa
preso el rey manda mataros,
¿qué más dicha que imitaros
muriendo, como vos, presa?[75]

Poco después, su hermano Alonso sale a escena para comunicarnos que ha muerto dando a luz a una niña. Nada más lejos de la realidad histórica. En 1551, llega a España doña Francisca Pizarro Yupanqui, la hija mestiza del conquistador del Perú, que fue reconocida enseguida como heredera universal de su inmensa fortuna. Hernando Pizarro, que no era solo su tío, sino también su tutor, la llamó a su presencia en Medina del Campo —en cuyo castillo de La Mota llevaba encarcelado ya más de una década—. Deslumbrado por la hermosura de la doncella y su esplendorosa herencia, no tardó mucho en despedir a una desconsolada Isabel y casarse con su sobrina, todavía en prisión. Enseguida, la hija del marqués se muda al castillo de La Mota donde vivirá con su marido hasta que es puesto en libertad por Felipe II el 17 de mayo de 1561. El cambio en el final de *La lealtad contra la envidia* está más que justificado. Tirso de Molina no se podía permitir manchar la reputación de un personaje que hasta entonces estaría siendo aplaudido en el corral de comedias. Desvanecida la sombra de la traición al rey, el mercedario no podía presentarlo ahora como un amante ingrato, que, al fin y al cabo, es otra clase de traición.

Sin lugar a dudas, fue un matrimonio de conveniencia, pues Hernando Pizarro necesitaba de las riquezas de su sobrina para hacer frente a una condena que le obligaba a pagar sesenta mil ducados, pues consta que fueron mandados ejecutar de los bienes de doña Francisca Pizarro, su mujer, el 31 de mayo de 1566[76]. Además, el fallo de la sentencia le había dejado en prisión, sin encomiendas y con la prohibición de volver a las Indias:

---

[75] Tirso de Molina, La *«Trilogía de los Pizarros»*, vol. 4, pp. 177-178.
[76] Herrera y Tordesillas, *Historia general*, vol. 13, p. 211, n. 2.

Con lo cual el fiscal pidió se diesen por perdidas y vacas sus encomiendas, y se incorporasen en la corona real; pues ya era cierto que se
había cumplido, no sólo el tiempo de la licencia, sino muchos años más,
y que el impedimento de la prisión, y condenación no les relevaba, pues
había sido por culpa suya, según la vulgar regla de derecho, y lo que en
otras cuestiones feudales semejantes juntan Rosental y Laurencio Silvano.
Y que aun cuando esto faltara, la sentencia que les prohibía el volver a
las Indias, virtualmente les privaba también de las dichas encomiendas,
pues estas no se pueden gozar sino residiendo y por los presentes[77].

Despechada, Isabel se recogió en el convento de las Beatas Fajardas
de Medina del Campo, desde donde se trasladaría, años después, al
monasterio de Santa Clara de Trujillo. Curiosamente, allí siguió reci-
biendo regalos por parte de Hernando Pizarro hasta que el conquistador supo que un clérigo le era muy devoto.

En definitiva, Tirso de Molina nos presenta a un hombre perseguido por su mala estrella, víctima de errores propios y ajenos, señalado por un destino que le brindaba al mismo tiempo la gloria y la
desgracia. Como aquellos héroes que se enfrentaron a los muros altos
de Troya, Hernando Pizarro se enfrenta a su *fatum* con la entereza de
quien acepta que la inmortalidad que concede la fama imperecedera
va siempre aparejada por un triunfo corto, desdichado y lleno de sacrificios. Sobre las tablas del escenario, el fraile mercedario interiori-
za sus propios monstruos —que él también sabía de acosos y
persecuciones— y nos brinda una españolización del héroe clásico,
que no sufre la ira de un dios caprichoso, sino que es vilipendiado
por la mano invisible de la envidia, tan común, presente y desmedida
en los españoles del Siglo de Oro como la valentía o el orgullo.

Como hemos venido demostrando, a Tirso de Molina le interesaba poco hacer historia, soslaya en escena los temas más conflictivos
como el ajusticiamiento de Almagro y rechaza la imagen de un conquistador implacable tocado por la soberbia. Movido por sus propios
intereses, el fraile mercedario descarna al personaje histórico de unos
defectos que a él le parecerían de escasa importancia. Buscó la tras-
cendencia mítica del personaje. Lo relevante a sus ojos era mostrar el
largo camino de un héroe que ha alcanzado el triunfo en el *agón* de
la empresa americana y que ahora, como ya ocurriera con Aquiles o

[77] Solórzano y Pereira, *Política indiana*, vol. 2, p. 324.

Ulises, le toca pagar el precio de su victoria. Sin embargo, al final nos demuestra que, al igual que los héroes homéricos, nada le podrá arrebatar la gloria inmortal de sus hazañas, ni siquiera la envidia:

[MERCADO] y aprenda el prudente cuando
envidiosos le persigan
en don Fernando, pues vence
la lealtad siempre a la envidia[78].

BIBLIOGRAFÍA

ALCALÁ ZAMORA, J. N., ed., *La vida cotidiana en la España de Velázquez*, Madrid, Temas de Hoy, 1999.

ALEMÁN, M., *Guzmán de Alfarache*, ed. J. M. Micó, Madrid, Cátedra, 2000, 2 vols.

ARMAS MEDINA, F. de, «El clero en las guerras civiles del Perú», en *Anuario de estudios americanos*, 7, 1950, pp. 1-46.

CIEZA DE LEÓN, P. de, *Obras completas*, ed. C. Sáenz de Santa María, Madrid, CSIC/Instituto «Gonzalo Fernández de Oviedo», 1984-1985, 3 vols.

La conquista de la Nueva Castilla, intr. S. Gilman, ed. F. Rand Morton, México, Andrea, 1963.

CORREAS, G., *Vocabulario de refranes y frases proverbiales (1627)*, ed. L. Combet y revisada por R. Jammes y M. Mir-Andreu, Madrid, Castalia, 2000.

CÚNEO VIDAL, R., *Vida del conquistador del Perú, don Francisco Pizarro, y de sus hermanos*, Barcelona, Maucci, 1925.

DELLEPIANE DE MARTINO, Á. B., «Ficción e historia en la trilogía de los Pizarros de Tirso», en *Filología*, 4, 1952-1953, pp. 49-168.

DÍAZ DEL CASTILLO, B., *Historia verdadera de la conquista de Nueva España*, ed. C. Sáenz de Santa María, Barcelona, Sopena, 1970.

DOMÍNGUEZ BERRUETA, M., *El gran Duque de Alba, don Fernando Álvarez de Toledo*, Madrid, Biblioteca Nueva, 1944.

FERNÁNDEZ DE OVIEDO, G., *Historia general y natural de las Indias*, ed. J. Pérez de Tudela Bueso, Madrid, Atlas (BAE, 117-121), 1992, 5 vols.

GARCILASO DE LA VEGA, I., *Historia general del Perú*, Lima, Librería internacional del Perú, 1959, 2 vols.

GREEN, O. H., «Notes on the Pizarro trilogy of Tirso de Molina», en *Hispanic Review*, 4:3, 1936, pp. 201-225.

---

[78] Tirso de Molina, *La «Trilogía de los Pizarros»*, vol. 4, p. 195.

HERRERA Y TORDESILLAS, A. de, *Historia general de los hechos de los castellanos en las Islas y Tierra firme del mar océano*, ed. Á. González Palencia y M. Gómez del Campillo, Madrid, Real Academia de la Historia, 1934-1957, 17 vols.

JEREZ, F. de, *Verdadera relación de la conquista del Perú y provincia del Cuzco, llamada la Nueva Castilla*, en *Crónicas iniciales de la conquista del Perú*, Buenos Aires, Plus Ultra, 1987, pp. 119-252.

KENNINGTON, N. L., *A structural analysis of the extant trilogies of Tirso de Molina*, tesis doctoral inédita, Chapel Hill, University of North Carolina, 1966.

LOHMANN VILLENA, G., *Francisco Pizarro. Testimonio. Documentos oficiales, cartas y escritos varios*, Madrid, CSIC, 1986.

LÓPEZ DE GÓMARA, F., *Historia general de las Indias*, Madrid, Calpe, 1922, 2 vols.

MORÍNIGO, M. A., *América en el teatro de Lope de Vega*, Buenos Aires, Instituto de Filología, 1946.

NARANJO ALONSO, C., *Trujillo, sus hijos y monumentos*, Madrid, Espasa-Calpe, 1983.

PÉREZ, fray P. N., *Religiosos de la Merced que pasaron a la América española*, Sevilla, Zarzuela, 1924.

PÉREZ DE TUDELA BUESO, J., ed., *Crónicas del Perú*, Madrid, Atlas (BAE, 164), 1963.

PIZARRO Y ORELLANA, F., *Varones ilustres del Nuevo Mundo: descubridores, conquistadores y pacificadores del opulento, dilatado y poderoso Imperio de las Indias Occidentales*, Madrid, Diego Díaz de la Carrera: a costa de Pedro Coello, 1639.

SOLÓRZANO Y PEREIRA, J., *Política indiana*, ed. M. Á. Ochoa Brun, Madrid, Atlas (BAE, 252-255), 1972, 4 vols.

TIRSO DE MOLINA [fray G. Téllez], *Los cigarrales de Toledo*, ed. L. Vázquez Fernández, Madrid, Castalia, 1996.

— *La «Trilogía de los Pizarros» de Tirso de Molina: Todo es dar en una cosa – Amazonas de las Indias – La lealtad contra la envidia*, ed. M. Zugasti, Kassel, Reichenberger, 1993, 4 vols.

— *Historia general de la Orden de Nuestra Señora de las Mercedes*, ed. M. Penedo Rey, Madrid, Provincia de la Merced de Castilla, 1973-1974, 2 vols.

TORIBIO MEDINA, J., *Colección de documentos inéditos para la Historia de Chile desde el viaje de Magallanes hasta la batalla de Maipo (1518-1818). Primera Serie*, Santiago de Chile, Ercilla/Imprenta Elzeviriana, 1888-1902, 30 vols.

VÁZQUEZ, L., *Los Pizarros, La Merced, el Convento de Trujillo (Cáceres) y Tirso: estudio crítico*, Zaragoza, Universidad de Zaragoza (separata de la Revista *Estudios*, 146-147), 1984.

ZÁRATE, A. de, *Historia del descubrimiento y conquista del Perú*, Madrid, Atlas (BAE, 26), 1947.

ZUGASTI, M., *La «Trilogía de los Pizarros» de Tirso de Molina: I. Estudio crítico*, Kassel, Reichenberger, 1993.

LO EJEMPLAR, LO SAPIENCIAL Y LO PRUDENCIAL EN *LA FLORIDA DEL INCA* DE GARCILASO DE LA VEGA

Eduardo Hopkins Rodríguez
Pontificia Universidad Católica del Perú

LO EJEMPLAR

La Florida del Inca (1605), de Garcilaso de la Vega, está dedicada a historiar la expedición de Hernando de Soto en el amplio territorio de la Florida, hoy parte de los Estados Unidos de Norteamérica, descubierto en 1512 por Juan Ponce de León, quien pensó que se trataba de una isla. Los españoles padecieron largamente por conquistarla. Después de la expedición de Hernando de Soto en 1539 la corona española decidió abandonarla. Entre los factores que influyeron en esta decisión se consideró la pobreza de la región, así como el carácter bárbaro y la condición belicosa de sus habitantes.

La narración histórica de Garcilaso emplea como su principal estrategia textual la argumentación por ejemplos. Dada la capacidad del ejemplo para la proyección de una visión del mundo, nos interesa determinar los aspectos ideológicos de la obra implicados en su argumentación ejemplar. En lo que corresponde a la ideología, Garcilaso presenta varios aspectos que giran en torno a una mejor comprensión del valor de los americanos y a una política de las relaciones entre Europa y América más acorde con principios de equidad.

El humanismo vuelve al sentido clásico retórico de «ejemplo que demuestra una regla general»[1]. El ejemplo señala la analogía con el ob-

---

[1] Lyons, 1989, p. 12.

jeto de comparación a través de sí mismo en tanto modelo y a través de una más compleja relación consistente en la categoría que establece la semejanza de fondo. Esta categoría interviene porque el ejemplo supone «la pertenencia a un único universal moral de los actos pasados y los presentes»[2]. La idea de la historia como repetición conduce a la aceptación de la continuidad entre pasado, presente y futuro. Esto permite fijar la significación de los modelos del pasado y proyectarlos hacia acciones futuras, función adecuada al género retórico deliberativo.

El ejemplo, adicionalmente a su función argumentativa inductiva, era adoptado en el Renacimiento humanista como una forma «especialmente efectiva de ilustrar la acción prudente o virtuosa, y de inculcarla en el lector»[3]. Se atribuía al ejemplo la función de proveer de modelos específicos de conducta para ser imitados por el lector, basándose en «la creencia en la importancia de la vida activa y la convicción de que somos mejor persuadidos para la práctica ética por la práctica retórica de la literatura»[4].

Los diversos aspectos tratados por Kristoffel Demoen en torno a la tradición retórica del ejemplo se sintetizan en su precisa definición del mismo como «evocación de una historia que ha ocurrido o no, la cual es similar o relacionada a la materia bajo discusión, traída implícitamente o explícitamente en conexión con esta materia como argumento (evidencia o modelo) o como adorno, y que toma la forma de una narración, la mención de un nombre, o una alusión»[5].

Siguiendo el doble punto de vista de la historia universal y el de la historia particular, Garcilaso no solamente acude al catálogo europeo humanista de ejemplos, sino que descubre, construye o inventa sus propios ejemplos americanos. La creación de nuevos ejemplos es un procedimiento recomendado por la retórica para casos especiales.

La transformación de la forma de leer y representar modelos, así como la elección del campo de su origen es fundamental en Garcilaso. En su caso tenemos no solo modelos inéditos, que ilustran visiones del mundo diferentes y al mismo tiempo semejantes, sino también el

---

[2] Aragüez, 1997, p. 7.
[3] Kahn, 1985, p. 74.
[4] Kahn, 1985, p. 13.
[5] Demoen, 1997, p. 148. Para una minuciosa aplicación de los criterios de Demoen en torno al ejemplo, véase Demoen, 1996.

uso de antimodelos procedentes del ámbito de lo clásico europeo y la respectiva percepción irónica o paradójica de los mismos. Garcilaso interpreta los casos de ejemplaridad americana para proponer su visión de América como parte del contexto humano general. Aspira a que los paradigmas americanos sean integrados en el contexto de los preceptos sapienciales europeos, con lo cual desarticula la noción centrista y homogénea de lo europeo. Mediante este gesto de incorporación, Garcilaso termina contaminando Europa y deseuropeizándola, al mismo tiempo que pone a América en la historia universal, europeizándola. Su actitud es parte del proceso de enriquecimiento propio de la tradición occidental y corresponde a la forma pedagógica humanista de enlazar «el estudio del pasado y la imitación de modelos a la acción pública»⁶.

La ventaja en Garcilaso está en que no se basa únicamente en representaciones textuales conocidas por los humanistas, sino en hechos y figuras involucrados en acontecimientos históricos inéditos ocurridos en América. El impulso ideológico que hace posible proponer estos casos nuevos, procedentes de la experiencia americana, como modelos autorizados de acción para ser imitados universalmente se basa en la capacidad del autor para establecer los principios y las líneas de comprensión que permiten construir los enlaces con la tradición sapiencial reconocida en Europa. De aquí el hecho de que no se solicite explícitamente una identificación moral entre el caso propuesto y el mundo del lector, sino que se avance sobre la identificación como algo que de sí cae por su propio peso, dándola por sentado sin que sea necesaria una mayor explicación o discusión para su adopción como paradigma a ser imitado o tomado en cuenta para actuar en el mundo. Es una manera de triangulación mediante la que, a través de lo ejemplar, se pone en diálogo la cultura del continente americano con la cultura de Europa.

Otro presupuesto que asume Garcilaso, y que comparte con los lectores de su época, es el de que tanto las figuras heroicas como las antiheroicas constituyen elementos a partir de los cuales se puede enseñar y aprender lecciones para la vida. Debido a la novedad de los acontecimientos y figuras, lo que sí es indispensable desde el punto de vista de la construcción discursiva es la indicación expresa en tor-

⁶ Hampton, 1990, p. 3.

no al sentido y el valor de lo que se está proponiendo como modelo o antimodelo de imitación.

Mas allá de la condición general de ejemplaridad o modelización al servicio de lo moral que opera en el discurso humanístico, Garcilaso tiene otras intenciones que conciernen a una idea de relación humana específica. Se trata de un concepto político, más que moral. Lo cual implica haber entrado a un campo no retórico, en el que lo histórico adquiere una dimensión diferente, superando la reducción humanística de lo ejemplar a la promoción de la virtud y la felicidad colectiva. Parte de la propuesta de Garcilaso tiene que ver con la pedagogía política apropiada a las relaciones de Europa con América. Que esto apunte al Perú, es innegable, pero considero que Garcilaso en *La Florida* tiene un proyecto más abarcador. *La Florida* es un texto autónomo con un proyecto ideológico específico aplicable a un territorio que excede el espacio limitado del Perú. La autonomía ideológica de *La Florida* con respecto al resto de la obra de Garcilaso le otorga un particular relieve y permite descartar la simple función de texto preparatorio o de entrenamiento para la escritura historiográfica que la crítica suele asignar a este libro[7].

Cuando el narrador de *La Florida*, aludiendo a una posible costumbre en los caciques de la provincia de Vitachuco relativa a herencias dispuestas con propósitos conmemorativos, propone que se hace «porque hubiese memoria de ellos, que el deseo de la inmortalidad, conservada en la fama, por ser natural al hombre, lo hay en todas las naciones por bárbaras que sean» (p. 198)[8], establece el contacto con una experiencia novedosa en América que le permite ingresar al terreno de lo universal humano.

Ante el estornudo del cacique Guachoya, todo su séquito le hace ceremonias de saludo:

---

[7] Es el caso de Durand (1954, p. 296), Miró Quesada (1956, p. LXI), Pupo-Walker (1982, pp. 40-41), etc. César Delgado encuentra una relación entre el año del inicio de la expedición de De Soto a La Florida y el año de nacimiento de Garcilaso (1539). Sería parte de una de las «fantasías natales del Inca» que busca hacer coincidir su origen personal con «acontecimientos que evocan vivas imágenes del nacer de un nuevo mundo» (1991, pp. 183 y ss.). Lo que implicaría la asignación de una motivación personal concreta para la redacción de este libro.

[8] Citamos de la edición de Carmen de Mora, 1988.

de lo cual, admirado el gobernador, dijo a los caballeros y capitanes que con él estaban: «¿No miráis cómo todo el mundo es uno?». Este paso quedó bien notado entre los españoles, de que, entre gente tan bárbara, se usasen las mismas o mayores ceremonias que al estornudar se usan entre los que se tienen por muy políticos (V, Primera parte, V, p. 472).

Se trata de una manera de señalar el factor común que enlaza a hombres de distintas procedencias culturales[9]. Es lo que consta también cuando un guerrero dice en otra ocasión: «Si nosotros tuviéramos canoas grandes como vosotros —quiso decir navíos— os siguiéramos hasta vuestra tierra y la ganáramos, que también somos hombres como vosotros» (VI, X, p. 552).

Debemos observar que Garcilaso propone la conducta noble de los indios como un texto social homólogo al de los europeos. Este texto obliga a leer a América en profundidad y con respeto.

Siguiendo la pauta retórica ejemplarizante de establecer correlatos históricos entre los hechos del presente y los del pasado, el autor equipara la ceremonia del segundo entierro de Hernando de Soto en el Río Grande con situaciones similares en la tradición hispánica[10]:

Estas fueron las obsequias tristes y lamentables que nuestros españoles hicieron al cuerpo del adelantado Hernando de Soto, su capitán general y gobernador de los reinos y provincias de la Florida, indignas de un varón tan heroico, aunque bien miradas, semejantes casi en todo a las que mil y ciento y treinta y un años antes hicieron los godos antecesores de estos españoles, a su rey Alarico en Italia, en la provincia de Calabria, en el río Bisento, junto a la ciudad de Cosenza (V, Primera parte, VIII, p. 482).

La semejanza es amplificada mediante comentarios aclaratorios que señalan tanto coincidencias como diferencias entre los dos acontecimientos.

---

[9] Raquel Chang-Rodríguez considera este comentario de Garcilaso como parte de su visión de la conquista basada en la armonía (1982a, pp. 38-39; 1982b, p. 27; 1983, pp. 154-155).

[10] Tomando en cuenta las tradiciones culturales andina y cristiana en torno al tema de las relaciones entre la muerte y la vida, Luis Millones compara el tratamiento que hace Garcilaso de los enterramientos dobles de De Soto y Atahualpa (2006).

En torno al rescate de siete indios que se negaban a abandonar el agua de una laguna y rendirse, Garcilaso pone en contacto dos hechos históricos europeos, uno antiguo romano y otro próximo español, con el objetivo de ilustrar mejor la escena americana que describe y otorgarle un alto relieve[11]:

> Con esta constancia y fortaleza estuvieron hasta las tres de la tarde, y estuvieran hasta acabar la vida, sino que a aquella hora, pareciéndole al gobernador inhumanidad dejar perecer hombres de tanta magnanimidad y virtud, que aun en los enemigos nos enamora, mandó a doce españoles grandes nadadores que, llevando las espadas en las bocas a imitación de Julio César en Alejandría de Egipto y de los pocos españoles que, haciendo otro tanto en el río Albis, vencieron al duque de Sajonia y a toda su liga, entrasen en la laguna y sacasen los siete valerosos indios que en ella estaban (II, Primera parte, XXV, p. 214).

Garcilaso hace converger en el ámbito de los sucesos históricos americanos narrados diversos casos, remotos en el tiempo y en el espacio, en la realidad y en la ficción. Es su manera de unificar la experiencia humana pues asume que la naturaleza humana es universal. Sobre el particular, Juan Bautista Avalle-Arce señala que existe:

> un supuesto que está ínsito en toda la obra del Inca y que se refiere a la fundamental uniformidad sicológica del hombre, vale decir, que a pesar de las diferencias de clima, raza, tiempo, etc., el hombre reacciona siempre de una manera sustancialmente igual. En La Florida esto se evidencia en una continua serie de paralelos y comparaciones entre el indio de Florida, el hombre de la Antigüedad clásica, el indio de México y el Perú y el propio español[12].

Desde la óptica del humanismo, el universalismo se halla vinculado al concepto de ley natural:

---

[11] Ricardo González Vigil plantea que las referencias históricas «refuerzan la atmósfera de sublimación heroica del pasaje». Igualmente llama la atención hacia el uso en la misma escena de números simbólicos como 3, 12, 7 (1989, p. 112).

[12] Avalle-Arce, 1970, p. 20. Ver también pp. 24-25.

una moral copiosamente ilustrada en los clásicos postula por principio una ley natural acorde con la revelada y anterior a la Redención, y de manera más o menos expresa supone, por tanto, que los gentiles, al mostrar los atributos de la una, preparan también para la otra. La naturaleza humana había sido bien creada, y Jesucristo no vino a cambiarla de sustancia, sino a renovarla, a brindarle un segundo nacimiento, perfeccionándola [...] En ese sentido, el hombre es siempre el mismo, porque el Señor lo ha querido así y ha dado incluso a los paganos una luz que les permitiera distinguir las virtudes inmutables y hasta vislumbrar los vestigios del único Dios verdadero[13].

Ideas que suponen la indagación en torno a universales éticos, la «búsqueda de unas constantes éticas que en última instancia unieran a los hombres, cristianos y gentiles, por encima de tiempos y fronteras»[14].

Bartolomé de las Casas en su *Apologética Historia* (1552), hablando de los hombres de la Florida, explica el sentido unitario de la noción de ser humano y concluye que:

La razón de esta verdad es, y pónela Tullio en el libro 1.º *De Legibus*: conviene a saber, porque todas las naciones del mundo son hombres, y de todos los hombres y de cada uno de ellos es una no más la definición, y ésta es que son racionales; todos tienen su entendimiento y su voluntad y su libre albedrío como sean formados a la imagen y semejanza de Dios; todos los hombres tienen sus cinco sentidos exteriores y sus cuatro interiores, y se mueven por los mismos objetos de ellos; todos tienen los principios naturales o simientes para entender y para aprender y saber las ciencias y cosas que no saben, y esto no sólo en los bien inclinados, pero también se hallan en los que por depravadas costumbres son malos; todos se huelgan con el bien, y sienten placer con lo sabroso y alegre, y todos desechan y aborrecen el mal, y se alteran con lo desabrido y que les hace daño[15].

Concordando con estas ideas de Las Casas, en *La Florida* Garcilaso atribuye a Hernando de Soto la frase «¿no miráis cómo todo el mun-

---

[13] Rico, 1993, p. 142.
[14] Rico, 1993, p. 143.
[15] Las Casas, *Apologética*, vol. 3, pp. 165-167 (Cap. XLVIII: «De cómo todas las naciones pueden ser reducidas a buena policía»).

do es uno?» (V, Primera parte, V, p. 472) y en *Comentarios reales de los Incas*, postula lapidariamente que «no hay más que un mundo»[16]. Afirmaciones suficientes para sustentar la unidad de los seres humanos. El universalismo de Garcilaso constituye un rechazo a las diferencias entre los hombres, pues por la diferencia cultural o biológica se suele justificar el abuso de unos pueblos sobre otros.

Es necesario indicar que Garcilaso no considera suficiente presuponer que la naturaleza humana sea universal. En lugar de ello, insiste en demostrar este fundamento de su visión del mundo con casos concretos y con propuestas explícitas e implícitas. Si consideramos que en el contexto europeo de la época los prejuicios en contra de la cultura, el espíritu y la inteligencia de los habitantes del Nuevo Mundo eran posiciones muy sólidas y diseminadas, es comprensible el esfuerzo particular de Garcilaso en el sentido de destacar la participación de sus compatriotas americanos y, en consecuencia, la suya propia, en la clase universal de aquellos que configuran la naturaleza humana.

Las diferencias sociales y las diferencias étnicas constituyen un accidente o, para usar palabras del Inca, ellas son una «particularidad», es decir, un caso concreto pero perteneciente a lo universal. Para el autor lo fundamental consiste en que, por encima de las jerarquías sociales y las distinciones étnicas, se encuentra el hombre universal. Esta tesis de Garcilaso, por medio de la cual rectifica, reajusta y afina perspicazmente concepciones del pensamiento antropológico de su tiempo cargadas de eurocentrismo, permite el reconocimiento de lo idéntico en la amplitud de la distribución de la diversidad espacial y temporal de los seres humanos. La geografía y la historia generan y muestran la diversidad, pero se requiere un cierto grado de sabiduría para el hallazgo dentro de ella de lo idéntico humano. Es en este momento cuando el discurso acerca de lo ejemplar tiene una participación sustancial. El uso del ejemplo como método ideológico supone la aceptación y la promoción de uno de sus principios básicos consistente en el supuesto de «que la semejanza prevalecerá sobre la diferencia»[17]. Este criterio que corresponde a los fundamentos del ejemplo y a su constitución interna, apoya estructuralmente el concepto garcilasiano de lo universal humano.

[16] Garcilaso, *Comentarios reales*, p. 9.
[17] Lyons, 1989, p. 33.

Para el Inca, la historia escrita debe ser persuasiva en tanto escarmiento o en tanto modelo. Los hechos históricos prueban su valor al ser interpretados o comentados por el discurso ejemplar. El comentario o la interpretación se realizan, en parte, de acuerdo con una sabiduría precodificada por la tradición, el sentido común, la religión, la historia, etc. Estos asuntos corresponden a un conglomerado de conceptos que son postulados como poseedores de un valor universal. Tales conceptos, al ser aplicados en situaciones concretas, establecen la relación entre lo universal y lo particular. Por otro lado, cuando lo particular encaja dentro del esquema ético y moral universal, implícitamente aquello particular pasa a ser integrado en lo universal. Es de esta manera como, en la argumentación de Garcilaso, los habitantes del Nuevo Mundo no resultan ajenos a lo universal humano.

La relatividad de las nociones de civilización, cultura, barbarie, queda ampliamente denunciada en los textos del Inca Garcilaso, quien emplea la comparación ejemplarizante como recurso para determinar valores culturales y proceder a la relativización de los mismos.

Las estatuas gigantescas en la entrada del templo de los señores de Cofachiqui son parangonadas de forma equivalente con obras del arte imperial romano, siguiendo un esquema familiar en el autor: «admirados de hallar en tierras tan bárbaras obras que, si se hallaran en los más famosos templos de Roma, en su mayor pujanza de fuerzas e imperio, se estimaran y tuvieran en mucho por su grandeza y perfección» (III, XV, p. 341). El comentario, mezcla del discurso del narrador con el de los españoles, se basa en la importancia del espacio y del contexto respecto a los juicios de valor. Por eso es necesario efectuar la transposición espacial imaginaria hacia el mundo europeo para poder darle a los elementos americanos la máxima apreciación. Lo notable en este párrafo es que la descripción de las citadas estatuas apuntala su alta valoración mediante el sentido bidireccional de la comparación con la tradición mítica europea:

> tenían diversas armas en las manos, hechas conforme a la grandeza de sus cuerpos. Los dos primeros, uno de cada parte, que eran los mayores, tenían sendas porras guarnecidas al postrer cuarto de ellas con puntas de diamantes y cintas de aquel cobre, hechas ni más ni menos que las porras que pintan a Hércules, que parecía que por estas se hubiesen sacado aquellas, o por aquellas estas (III, XV, p. 341).

La bidireccionalidad en la analogía implica una alteración del sistema de comparación que normalmente subordina todo a la tradición europea, en particular a la clásica. Mediante dicha alteración, Garcilaso pone en el mismo nivel de ejemplaridad a los dos términos de la comparación, suprimiendo la subordinación del elemento americano con relación al europeo.

Una forma de indicar el valor de la virtud personal como portadora de nobleza es consignada por Garcilaso en lo tocante al merecer. Particularmente en el tema del merecimiento de la honra, es interesante la larga argumentación atribuida al guerrero Anilco en defensa de su honor frente a los agravios del cacique Guachoya:

> Decís también que la honra y estima que se debe al señor de vasallos no es bien que se dé al que no lo es. Tenéis razón, cuando él merece ser señor. Mas juntamente con esto sabéis vos que muchos súbditos merecen ser señores y muchos señores, aun para ser vasallos y criados de otros, no son buenos. Y si el estado, que tanto os ensoberbece, no lo hubiérades heredado, no hubiérades sido hombre para ganarlo, y yo, que nací sin él, si hubiera querido, lo he sido para habéroslo quitado. Y porque no es de hombres sino de mujeres reñir de palabra vengamos a las armas, y véase por experiencia cuál de los dos merece por su virtud y esfuerzo ser señor de vasallos (V, Segunda parte, X, p. 515).

Argumentación que concluye Anilco afirmando que «el merecimiento de los hombres no está en ser muy ricos ni en tener muchos vasallos, sino en merecerlos por su propia virtud y valentía» (V, Segunda parte, X, p. 515).

Desde la perspectiva de la naturaleza universal del hombre, Garcilaso puede proponer como ejemplo de gobernante digno de ser emulado por príncipes europeos a un cacique de la Florida como Mucozo:

> basta representar la magnanimidad de un infiel para que los príncipes fieles se esfuercen a le imitar y sobrepujar, si pudieren, no en la infidelidad, como lo hacen algunos indignos de tal nombre, sino en la virtud y grandezas semejantes a que por la mayor alteza de estado que tienen, y están más obligados (II, Primera parte, IV, p. 156)[18].

---

[18] Ver Hopkins-Rodríguez, 1998, p. 139.

La imagen de este cacique es digna de las mayores consideraciones para el escritor:

> consideradas bien las circunstancias del hecho valeroso de este indio y mirado por quién y contra quién se hizo, y lo mucho que quiso posponer y perder, yendo aun contra su propio amor y deseo por [no] negar el socorro y favor demandado y por él prometido, se verá que nació de ánimo generosísimo y heroico, indigno de haber nacido y de vivir en la bárbara gentilidad de aquella tierra. Mas Dios y la naturaleza humana muchas veces en desiertos tan incultos y estériles producen semejantes ánimos para mayor confusión y vergüenza de los que nacen y se crían en tierras fértiles y abundantes de toda buena doctrina, ciencias y religión cristiana (II, Primera parte, IV, pp. 156-157).

Mucozo, hombre de América, se yergue como paradigma a ser imitado por los europeos.

Los modelos de Anilco y Mucozo dan testimonio de que los hombres del Nuevo Mundo también poseen cualidades que los ennoblecen. Este es otro punto de vista desde el que Garcilaso favorece el razonamiento en pro del valor humano de los americanos y de la universalización de la naturaleza humana. Y se está considerando que el arquetipo caballeresco o cortesano es un modelo universal de conducta humana elevada. Tal arquetipo excede la limitación al contexto histórico europeo y es un modelo que va más allá de su demarcación social dentro de una relación jerárquica aristocrática, pues se presenta como un principio de educación general. Lo caballeresco es un ideal de hombre civilizado. En consecuencia, la apelación a lo universal no se remite únicamente a lo moral, pues abarca la naturaleza y la cultura humanas en general.

Así como Garcilaso se preocupa por realizar el encomio de los americanos, puede expresar su indignación cuando detecta el menosprecio hacia los indígenas de parte de algunos europeos, como ocurre en el siguiente pasaje. Ante la falta de sal, varios soldados castellanos optaron por seguir a los indios en la manera de compensar esta carencia, que consistía en quemar «cierta yerba que ellos conocían y de la ceniza hacían lejía, y en ella, como en salsa, mojaban lo que comían, y con esto se preservaban de no morir podridos como los españoles» (IV, III, p. 421). Muchos españoles se negaron a este remedio por considerar que era bajeza hacer lo mismo que los indios. Cuando decidieron usar el remedio ya era demasiado tarde, y, en consecuencia, murieron. Garcilaso evalúa con dureza la conducta de los soldados españoles, expresando su indignación por el menosprecio de estos respecto a los indígenas:

> muchos de ellos, por ser soberbios y presuntuosos, no querían usar de este remedio por parecerles cosa sucia e indecente a su calidad, y decían que era bajeza hacer lo que los indios hacían. Y estos tales fueron los que murieron, y, cuando en su mal pedían la lejía, ya no les aprovechaba, por ser pasada la coyuntura que debía de preservar que no viniese la corrupción, mas después de llegada no debía ser bastante para remediarla, como no remedió a los que la pidieron tarde. Castigo merecido de soberbios que no hallen en la necesidad lo que despreciaron en la abundancia (IV, III, p. 421).

Si bien el comentario de Garcilaso concierne a una evaluación general de la conducta humana, es comprensible su reacción por el tema del desprecio a lo indígena[19]. Nada extraño en un autor que al evaluar su propia obra es capaz de pedir, por sus supuestos defectos, «perdón a todo aquel reino [de la Florida]» (VI, XXI, p. 583).

El criterio retórico humanista aconseja extraer los ejemplos históricos de la historia nacional: «Para facilitar la comprensión del *exemplum* y su valor persuasivo o inductivo la preceptiva retórica recomienda acudir a episodios históricos que pertenezcan a la historia nacional»[20]. Garcilaso, siguiendo este principio, adopta ejemplos de la historia particular nacional americana, aunque acude también a la historia clásica[21]. La presencia de material ejemplar histórico clásico cumple varias funciones. En primer lugar, sirve para la amplificación de los valores del caso americano. Mediante este procedimiento se aclara la significación del hecho americano al ponerlo en contacto con referentes europeos conocidos. Una segunda función, de mayor complejidad, es la de asumir las tradiciones europeas e indígenas como en-

---

[19] También cabe considerar el suceso como algo que podría contradecir un punto de vista americanista armonizador en el Inca, de acuerdo con Raquel Chang-Rodríguez (1982a, pp. 38-39 y 1983, pp. 154-155).

[20] Cresci, 2004, p. 125, n. 68.

[21] Aurelio Miró Quesada reconoce especialmente la presencia de «temas y recuerdos» de la historia romana en *La Florida* (Miró, 1956, p. XXX; Miró, 1971, pp. 156-157, 326-327).

tidades ejemplares equivalentes pertenecientes al común patrimonio histórico de la humanidad. La fusión de ambos componentes en una sola unidad histórica es un hecho sumamente importante en la metodología y en la ideología de Garcilaso.

Al decir que «las historias antiguas y modernas» pueden dar testimonio de determinados casos similares (II, Primera parte, IV, p. 156), Garcilaso está implicando que la historia es un continuo en el que puede producirse la repetición o la semejanza. Para el Inca el principio de semejanza entre los hechos históricos es un elemento central en su visión de la historia. Es lo que afirma, como si se tratara de un lugar común, cuando alude a Plutarco: «del cual, pues, se asemejan tanto los pasos de las historias, pudiéramos hurtar aquí lo que bien nos estuviera» (III, X, p. 328). Con la misma naturalidad sentenciosa puede puntualizar en otro momento este principio de repetición en la historia: «como se ve por muchos ejemplos antiguos y modernos» (I, XI, p. 131). No se trata de negar la posibilidad del cambio histórico, sino de buscar la relación, la confrontación con otras experiencias. En realidad, estamos ante uno de los métodos del humanismo que consiste en «el generoso modo de perseguir las implicaciones de los temas en distintos planos, proyectándolos sobre múltiples panoramas convergentes entre sí»[22].

Garcilaso examina modelos de conducta ejemplar en el mundo indígena, similares o mejores frente a los modelos europeos. Esta opción a favor de los modelos americanos no solamente implica su anexión a valores humanos adoptados como universales, sino una historización de dichos modelos que es, al mismo tiempo, una asignación de valor general a las peculiaridades locales americanas. Es una apreciación de la ejemplaridad clásica distinta a la usual en la historiografía europea, mediante la cual ya no es el paradigma europeo el único al que se puede acudir para la construcción de modelos de conducta ejemplar, sino que se puede adoptar el modelo americano para la constitución de paradigmas de un alto valor moral. Este nuevo método implica una concepción del hombre como ser históricamente relativizado —cuyos sistemas de valores no son únicos y estables, sino múltiples y cambiantes— pero que mantiene enlaces comunes, universales, con los diferentes grupos humanos en diferentes estadios del desarrollo histórico.

[22] Rico, 1993, p. 67.

En *La Florida* el pasado ejemplar evocado procede tanto de la historia cercana de América como de la historia europea antigua y reciente. La historia europea sirve para confrontar la historia y la cultura americanas desde puntos de vista positivos. Garcilaso tiene aquí dos propósitos. Primero, se trata de construir una unificación del patrimonio historiográfico americano y europeo integrando ambas fuentes en una totalidad universal. En segundo lugar, se promueve la historia indígena como digna de consideración por su valor intrínseco. La actitud de Garcilaso en este segundo aspecto es sumamente significativa por el relieve que le asigna al proceso histórico específico de América.

De acuerdo a lo expuesto, podemos reconocer que no hay en el sentido de lo ejemplar en Garcilaso un simple interés por la Antigüedad griega o romana, ni pretensiones eruditas, ni gusto por la digresión culta. Garcilaso no usa el ejemplo por motivos retóricos decorativos, sino por su funcionalidad para construir juicios alrededor de los hechos históricos y por su poder de proyección hacia el presente y el futuro. En el Inca los ejemplos del pasado no son modelos absolutos, pues, aunque la conducta humana parece repetirse, observa que la tendencia al cambio es esencial. Por este motivo es que necesita buscar nuevos ejemplos. Garcilaso cree en la capacidad de la palabra humana como portadora posible de la verdad y es esta convicción la que guía el plano interpretativo de hechos y personas con que estructura su libro. Debido a que su preocupación atañe a la argumentación en torno a la esencia ecuménica de lo humano, el procedimiento que le interesa seguir es el de la ratificación de lo universal en el espacio de la cultura americana. Parte de esta corroboración conlleva necesariamente rectificaciones y reajustes locales o particulares, analizados como errores de lectura o de aplicación de los criterios de lo humano universal.

LO SAPIENCIAL

La tradición sapiencial clásica y humanística pertenece al campo de la sabiduría práctica en torno a las consideraciones relativas al bien y el mal, así como acerca de qué buscar y qué evitar[23]. Aristóteles ex-

---

[23] Kahn, 1985, p. 42.

plica la máxima o sentencia como «una aseveración; pero no, ciertamente, de cosas particulares [...] sino en sentido universal; y tampoco de todas las cosas [...] sino de aquellas precisamente que se refieren a acciones y son susceptibles de elección o rechazo en orden a la acción»[24]. Si a una máxima se le añade la causa y el porqué, se convierte en entimema, es decir, en argumento aparente[25]. Aristóteles deriva de este hecho que hay cuatro tipos de máximas:

> unas veces van con epílogo y otras sin él. Por su parte, necesitan demostración las que expresan algo paradójico o controvertido, mientras que las que no dicen nada paradójico van sin epílogo. [...] estas últimas no precisan necesariamente epílogo, unas, porque se trata de algo conocido de antemano [...] y, otras, porque nada más ser dichas resultan evidentes para el que pone atención[26].

Entre las que llevan epílogo o complemento, se puede dar el caso de las que forman parte de un entimema y el de las que son entimemas, esto es, las que «por sí mismas aclaran la causa de lo dicho»[27]. La posición de la máxima en la frase puede darse antes del epílogo o después en forma de conclusión. En este última situación, la máxima resulta enfatizada[28].

A partir de las fuentes griegas y latinas, Heinrich Lausberg describe la sentencia como

> un pensamiento «infinito» (esto es, no limitado a un caso particular) formulado en una oración, y que se utiliza en una *questio finita* como prueba o como *ornatus*. En cuanto prueba la *sententia* entraña una *auctoritas* y está próxima al *iudicatum*. En cuanto *ornatus* la *sententia* comunica al pensamiento finito principal una luz infinita y, por tanto, filosófica[29].

La sentencia se asocia con la sabiduría y deriva de ésta su autoridad y su valor de prueba: «el carácter infinito y la función probatoria de la *sententia* proceden de que ésta, en el medio social de su esfera

---

[24] Aristóteles, *Retórica*, II, 21, p. 1394a, 20-25.
[25] Aristóteles, *Retórica*, II, 21, p. 1394a, 30-35.
[26] Aristóteles, *Retórica*, II, 21, p. 1394b, 5-10.
[27] Aristóteles, *Retórica*, II, 21, p. 1394b, 20.
[28] Aristóteles, *Retórica*, II, 21, p. 1394b, 30-35.
[29] Lausberg, 1966, II, p. 269.

de validez y aplicación, tiene el valor de una sabiduría semejante en autoridad a un fallo judicial o a un texto legal y es aplicable a muchos casos concretos (finitos)»[30]. Si bien las sentencias proceden de la sabiduría tradicional general es posible crear nuevas sentencias, «que surgen con la misma pretensión de universalidad»[31].

El empleo de material sapiencial a través de máximas o sentencias es otra de las formas que Garcilaso aplica para incorporar a los hombres de América en la unidad universal de lo humano por medio de lo ejemplar. Un método aplicado por Garcilaso para la creación de ejemplos es el de la conversión del acontecimiento histórico en ejemplar haciendo intervenir sentencias o máximas[32]. La sentencia o frase proverbial es la regla general que al ser vinculada al hecho histórico se ratifica en su dimensión sapiencial al mismo tiempo que transforma el hecho histórico en ejemplo. De acuerdo con Lyons, es la máxima o tema lo que le otorga al hecho un valor ejemplar, pues lo coloca en un cierto contexto[33]. En *La Florida* el proceso de universalización que genera la máxima asigna la condición y la significación de lo ejemplar al acontecimiento al que se refiere. También contribuye este proceso a definir las características del suceso.

En una relación muy personalizada, Garcilaso expande significativamente su situación particular al ponerla en contacto con múltiples máximas en torno a la fortuna y a su influencia en los seres humanos:

> muchos días ha desconfié de las pretensiones y despedí las esperanzas por la contradicción de mi fortuna. Aunque mirándolo desapasionadamente, debo agradecerle muy mucho el haberme tratado mal, porque, si de sus bienes y favores hubiera partido largamente conmigo, quizá yo hubiera echado por otros caminos y senderos que me hubieran llevado a peores despeñaderos, o me hubieran anegado en ese gran mar de sus olas y tempestades, como casi siempre suele anegar a los que más ha favorecido y levantado en grandezas de este mundo; y con sus disfavores y per-

---

[30] Lausberg, 1966, II, p. 269.

[31] Lausberg, 1966, II, pp. 269-270.

[32] Miró Quesada hace un breve recuento de máximas y proverbios en *La Florida* y relaciona su empleo con los recursos literarios típicos de los historiadores renacentistas. (1956, pp. XXXIII-XXXIV; también 1955, pp. 94-95). Para Miró Quesada este material moral reflexivo revela la «integridad de la visión y el permanente deseo de exactitud» en Garcilaso (1971, p. 158; cfr. pp. 330-331).

[33] Lyons, 1989, pp. 18-19.

secuciones me ha forzado a que, habiéndolas yo experimentado, le huye-
se y me escondiese en el puerto y abrigo de los desengañados, que son
los rincones de la soledad y pobreza, donde, consolado y satisfecho con
la escasez de mi poca hacienda, paso una vida, gracias al Rey de los Reyes
y Señor de los Señores, quieta y pacífica, más envidiada de ricos que en-
vidiosa de ellos (Proemio, pp. 102-103)[34].

Este fragmento es una elaboración en torno a las máximas sobre
la fortuna personal adversa. El autor propone mecanismos de defensa
ante los vaivenes de la fortuna para poder superar su influjo negativo.
Otras máximas, esta vez de carácter impersonal, relativas a la fortuna
contribuyen a contextualizar el suceso histórico disponiéndolo en un
plano ejemplar.

A veces, un párrafo que expande una sentencia inicial tiene también el perfil de una máxima o un matiz proverbial o sentencioso.
Como cuando para ilustrar la fuerza de la pasión dice elaborando la
máxima:

> ¡Oh *cuánto puede un poco de favor, y más si es de dama!,* pues vemos que
> el que poco antes no sabía dónde esconderse, temiendo la muerte, aho-
> ra se atreve a darla a otros de su propia mano sólo por verse favorecido
> de una moza hermosa, discreta y generosa, cuyo favor excede a todo otro
> favor humano (II, Primera parte, IV, p. 154).

Igualmente, al enlazar los temas de la fortuna y la guerra el texto puede
adquirir tonalidad sentenciosa, aunque sin incorporar una máxima:

> En aquel lugar, y a las cuatro de la tarde, entró Diego de Soto en la
> batalla más a imitar en la desdicha a su cuñado que a vengar su muerte,

---

[34] En la *Relación de la descendencia de Garci Pérez de Vargas*, Garcilaso manifiesta su descontento respecto a la falta de reconocimiento por los servicios presta-
dos al rey, responsabilizando por esto a la intervención de la fortuna: «*las más [de
las satisfacciones] de los grandes príncipes, más consisten en la buena ventura de los que las
reciben que no en sus méritos, ni en la liberalidad y magnificencia de los que las hacen*:
porque se ve a cada paso que muchos que las merecen no alcanzan ninguna; y
otros, sin mérito alguno por el oculto favor de sus estrellas, más que por la liberalidad o prodigalidad del príncipe, las reciben a montones» (Garcilaso, *Relación de
la descendencia de Garci Pérez de Vargas*, p. 238). El Inca expande aquí la máxima,
que hemos resaltado en cursiva, explicándola con hechos.

que no era tiempo de propias venganzas sino de la ira de la fortuna militar, la cual parece que, con hastío de haberles dado tanta paz en tierra de tan crueles enemigos, había querido darles en un día toda junta la guerra que en un año podían haber tenido (III, XXVIII, pp. 382-383).

Es interesante el uso anticipatorio de la máxima para determinar el carácter de un episodio que viene posteriormente:

> Bien recatados y con gran vigilancia navegaban nuestros españoles, viendo cuán a la mira venían los indios para no perder ocasión en que les pudiesen ofender, mas por mucha diligencia que pusieron no les bastó para que el décimo sexto día de su navegación no les sucediese una desgracia y pérdida de mucha lástima y dolor, y tanto más de llorar cuanto la causa fue más desatinada y disparada y menos ocasionada de peligro que los forzase o necesitase a poner en riesgo de perder las vidas, como las perdieron cuarenta y ocho hombres de los mejores y más valientes que en el armada iban. *Mas al desatino de un temerario no hay gobierno que baste a resistir, porque destruye más un loco que edifican cien cuerdos.* Y porque se entienda mejor el mal suceso de los nuestros, se me permita contarlo a la larga cómo pasó y quién fue la causa de tanto mal y daño (VI, VI, p. 542).

En este último caso se combina una máxima con un adagio o sentencia breve, ingeniosa y de uso conocido. Luego ingresa la extensa exposición del hecho, ya enmarcado en su transcurso desastroso por esta máxima que lo antecede y explica, a la cual parece amplificar.

Máximas al comienzo y al final de un párrafo enfatizan el componente patético de la acción narrada, al mismo tiempo que la califican moralmente:

> [Hernán Ponce de León] el cual, no fiando de la cortesía de su compañero ni pudiendo entender que fuese tanta, como después vio, ni aconsejándose con otro, *que con la avaricia, cuyos consejos siempre son en perjuicio del mismo que los toma*, acordó poner en cobro y esconder en tierra una gran partida de oro y piedras preciosas que traía, no advirtiendo que, en mar ni en tierra en todo aquel distrito, podía haber lugar seguro para él, donde le fuera mejor esperar en el comedimiento ajeno que en sus propias diligencias, *mas el temeroso y sospechoso siempre elige por remedio lo que le es mayor mal y daño* (I, XIV, p. 140).

Además, el párrafo da la tonalidad a las erradas acciones de Ponce de León que se narran enseguida. El final del episodio es reforzado

con una frase sentenciosa de valor general que censura moralmente lo
sucedido ajustando su significación al caso específico de la nobleza: «*muchas veces la codicia del interés ciega el juicio a los hombres,* aunque sean ricos y nobles, a que hagan cosas que no les sirven más que de haber
descubierto y publicado la bajeza y vileza de sus ánimos» (I, XV, p. 144).

LO PRUDENCIAL

Entre «las disposiciones por las cuales el alma posee la verdad cuando afirma o niega algo», Aristóteles incluye a la prudencia *(phronesis)*[35].
Las otras disposiciones del alma son el arte, la ciencia, la sabiduría y
el intelecto. Especifica Aristóteles que la prudencia es «un modo de
ser racional verdadero y práctico, respecto de lo que es bueno y malo
para el hombre»[36]. Se trata de un tipo de facultad humana apropiada
para el razonamiento práctico. La prudencia pertenece a la parte racional del alma llamada razonadora o deliberante. Aristóteles llama
hombre prudente «al que puede examinar bien lo que se refiere a sí
mismo»[37]. Esto significa que, en principio, la prudencia se refiere a lo
humano individual y que supone un proceso de deliberación: «la función del prudente consiste, sobre todo, en deliberar rectamente».Y deliberar rectamente significa ser capaz «de poner la mira razonablemente
en lo práctico y mejor para el hombre»[38]. De lo individual se deriva
el efecto sobre lo social, porque la consideración de la prudencia personal finalmente atiende a lo grupal.

En palabras de Aristóteles, una buena deliberación corresponde a
una «rectitud conforme a lo conveniente, con relación a un fin, cuya
prudencia es verdadero juicio»[39].Tal rectitud es una «conformidad con
lo útil, tanto con respecto al objeto, como al modo y al tiempo»[40]. Esta
integración entre prudencia y virtud moral obedece a que «la virtud
hace rectos el fin propuesto, y la prudencia los medios para este fin»[41].

[35] Aristóteles, *Ética Nicomáquea. Ética Eudemia,* VI, 2, p. 1139b, 15.
[36] Aristóteles, *Ética Nicomáquea. Ética Eudemia,* VI, 5, p. 1140b, 5.
[37] Aristóteles, *Ética Nicomáquea. Ética Eudemia,* VI, 7, p. 1141a, 25-30.
[38] Aristóteles, *Ética Nicomáquea. Ética Eudemia,* VI, 7, p. 1141b, 10.
[39] Aristóteles, *Ética Nicomáquea. Ética Eudemia,* VI, 9, p. 1142b, 30.
[40] Aristóteles, *Ética Nicomáquea. Ética Eudemia,* VI, 9, p. 1142b, 25.
[41] Aristóteles, *Ética Nicomáquea. Ética Eudemia,* VI, 12, p. 1144a, 5-10.

Si el sentido de lo prudencial concierne no a una simple afirmación o aseveración, sino a la realización de una acción, *La Florida* de Garcilaso se propone convocar a sus lectores a la acción correcta. Su propia escritura constituye un ejercicio prudencial que exige de la lectura una actividad prudencial.

El discurso de lo ejemplar en *La Florida* presenta una marcada concepción prudencial acerca de la existencia. Sus ejemplos se conectan con la prudencia y la experiencia. Dan por supuesto que los seres humanos pueden predecir y controlar acontecimientos. En el caso de esta obra de Garcilaso, la visión prudencial generalmente engloba a los enunciados morales. La capacidad de predicción del discurso prudencial tiene una importante participación en *La Florida*, pues se corresponde con el sentido utópico acerca de la colonización de América que proyecta Garcilaso. Aprender de la experiencia pasada es necesario para cumplir con los fines de una adecuada colonialización futura en América.

De Soto, al enterarse de los planes de amotinamiento de un grupo de los suyos, decide alejarse de la costa e ir tierra adentro para quitarles la ocasión de rebelarse. Tal decisión recibe la siguiente interpretación de parte de Garcilaso:

> Este fue el primer principio y la causa principal de perderse este caballero y todo su ejército. Y, desde aquel día, como hombre descontento a quien los suyos mismos habían falsado las esperanzas y cortado el camino a sus buenos deseos y borrado la traza que para poblar y perpetuar la tierra tenía hecha, nunca más acertó a hacer cosa que bien le estuviese, ni se cree que la pretendiese, antes, instigado del desdén, anduvo de allí adelante gastando el tiempo y la vida sin fruto alguno, caminando siempre de unas partes a otras sin orden ni concierto, como hombre aburrido de la vida, deseando se le acabase, hasta que falleció según veremos adelante. Perdió su contento y esperanzas, y, para sus descendientes y sucesores, perdió lo que en aquella conquista había trabajado y la hacienda que en ella había empleado; causó que se perdiesen todos los que con él habían ido a ganar aquella tierra. Perdió asimismo de haber dado principio a un grandísimo y hermosísimo reino para la corona de España y el haberse aumentado la Santa Fe Católica, que es lo que más se debe sentir (III, XXXIII, p. 396).

De Soto se deja afectar por el dolor de la traición, lo que atenta contra su sentido de la prudencia.

El Inca se detiene especialmente para evaluar la penosa conducta imprudente del capitán, a la que define como «principio y causa principal» (III, XXXIII, p. 396) de su fracaso. Particularmente, tratándose de los sediciosos, el escritor opina que De Soto debió tomar una actitud enérgica y no haberse dejado dominar por el desgano:

> por lo cual fuera muy acertado, en negocio tan grave, pedir y tomar consejo de los amigos que tenía, de quien podía fiarse para hacer con prudencia y buen acuerdo lo que al bien de todos más conviniese. Que pudiera este capitán remediar aquel motín con castigar los principales de él, con lo cual escarmentaran los demás de la liga, que eran pocos, y no perderse y dañar a todos los suyos por gobernarse por sólo su parecer apasionado, que causó su propia destrucción. Que aunque era tan discreto como hemos visto, en causa propia, y estando apasionado, no pudo regirse y gobernarse con la claridad y juicio libre que las cosas graves requieren, por tanto, quien huyere de pedir y tomar consejo desconfíe de acertar (III, XXXIII, pp. 396-397).

El Inca pone en práctica una escritura ritual que establece con la mayor lucidez el esquema racional y moral del devenir de una catástrofe como la de Hernando de Soto. Por su parte, el rango de efectividad de este proceso ritual sobre la misión del escritor implica establecer las pautas que permitan ejercer el dominio sobre el propio destino. Es lo que se observa en su discurso contra la mala fortuna:

> por no estar ocioso, que cansa más que el trabajar, he dado en otras pretensiones y esperanzas de mayor contento y recreación del ánimo que las de la hacienda, como fue traducir los tres *Diálogos de Amor* de León Hebreo, y, habiéndolos sacado a luz, di en escribir esta historia, y con el mismo deleite quedo fabricando, forjando y limando la del Perú [...]. En todo lo cual, mediante el favor divino, voy ya casi al fin. Y aunque son trabajos, y no pequeños, por pretender y atinar yo a otro fin mejor, los tengo en más que las mercedes que mi fortuna pudiera haberme hecho cuando me hubiera sido muy próspera y favorable, porque espero en Dios que estos trabajos me serán de más honra y de mejor nombre que el vínculo que de los bienes de esta señora pudiera dejar. Por todo lo cual, antes le soy deudor que acreedor, y como tal le doy muchas gracias, porque a su pesar, forzada de la divina clemencia, me deja ofrecer y presentar esta historia a todo el mundo (Proemio, p. 103).

Las consideraciones ejemplares en torno a la persona de Garcilaso como autor conllevan una voluntad de autonomía en el sujeto respecto a los cambios de la fortuna. En el Inca Garcilaso se trata de lograr, a través del saber prudencial, un máximo de control sobre el destino personal. Ante los desengaños de la fortuna, opta por dedicarse en su soledad a tareas intelectuales, campo en el que espera vencer a la adversidad.

Para culminar exitosamente sus propias metas, Garcilaso necesita resolver un problema concerniente a qué es lo que hace que las cosas que emprenden los humanos no se logren en la mejor de sus posibilidades. Esta será la línea central de sus temas como escritor. La filosofía neoplatónica le había señalado que la perfección es imposible, pero que aspirar a lograrla es una obligación, un imperativo ético. La indagación del escritor, entonces, se dirige hacia la experiencia de los hombres de la historia cercana de América para examinar en lo próximo qué es lo que origina el desastre en los planes humanos. Es lo que hace en torno a la expedición en la Florida, cuya frustración es explicada, en parte, desde un punto de vista generalizador:

> Todo lo cual se consumió y perdió sin fruto alguno por dos causas: la primera, por la discordia que entre ellos nació, por la cual no poblaron al principio; y la segunda, por la temprana muerte del gobernador, que, si viviera dos años más, remediara el daño pasado con el socorro que pidiera y se le pudiera dar por el Río Grande, como él lo tenía trazado (VI, XXI, p. 582).

Habría que especificar que la labor del Inca consiste en luchar enérgicamente en contra de esa frustración cultural y que, en lo personal, la escritura de *La Florida* es parte de un gran desafío, acabada con éxito y con pleno reconocimiento de parte de sus contemporáneos, no una derrota. El Inca no asume la frustración de De Soto como propia, pues su posición es sumamente crítica en lo tocante a las erradas decisiones del conquistador.

Desde un ángulo más específico, factores como descuido, desidia, descontento, ambición, vanidad, soberbia, inconstancia, falta de mesura, de autocontrol, falta de prudencia, falta de consejo, son solo algunos de los componentes analizados por Garcilaso como los que han provocado el estropicio de la expedición de Hernando de Soto. Por extensión ejemplarizante, estos factores pueden ser aplicados a las aspiraciones humanas en general. En esta dirección ejemplar universalizadora tales componentes resultan ser antimodelos que advierten al autor sobre los peligros que debe evitar para lograr culminar con éxito su misión como historiador tanto en *La Florida* como en su texto sobre el Perú.

BIBLIOGRAFÍA

ARAGÜEZ, J., «*Modi locupletandi exempla*. Progymnasmata y teorías sobre la dilatación narrativa del *exemplum*», *Evphrosyne*, 25, 1997, pp. 415-434.

ARISTÓTELES, *Ética Nicomáquea. Ética Eudemia*, Madrid, Gredos, 1985.

— *Retórica*, Madrid, Gredos, 1990.

AVALLE-ARCE, J. B., *El inca Garcilaso en sus comentarios (antología vivida)*, Madrid, Gredos, 1970.

CRESCI, L. F., «*Exempla* storici greci negli encomi e nella storiografia bizantini del XII secolo», *Rhetorica*, 22, 2, 2004, pp. 115-145.

CHANG-RODRÍGUEZ, R., «Sobre la vertiente filosófica de *La Florida del Inca*», en *Violencia y subversión en la prosa colonial hispanoamericana, siglos XVI y XVII*, Madrid, José Porrúa Turanzas, 1982a, pp. 21-40.

— «Armonía y disyunción en *La Florida del Inca*», *Revista de la Universidad Católica*, 11-12, 1982b, pp. 21-31.

— «Armonía y disyunción en *La Florida del Inca*», *Cuadernos Americanos*, 247.2, 1983, pp. 148-156.

DELGADO DÍAZ DEL OLMO, C., *El diálogo de los mundos. Ensayo sobre el Inca Garcilaso*, Arequipa, Universidad Nacional de San Agustín, 1991.

DEMOEN, K., *Pagan and Biblical Exempla in Gregory Nazianzen. A study in rhetoric and hermeneutics*, Tvrnholti, Typographi Brepols Editores Pontificii, 1996.

— «A Paradigm for the Analysis of Paradigms: The Rhetorical *Exemplum* in Ancient and Imperial Greek Theory», *Rhetorica*, 15, 2, 1997, pp. 125-158.

DURAND, J., «La redacción de *La Florida del Inca*: Cronología», *Revista Histórica*, 21, 1954, pp. 288-302.

GARCILASO DE LA VEGA, Inca, *Comentarios Reales de los Incas*, Lima, FCE, 1991.

— *Diálogos de amor de León Hebreo*, en *Obras completas del Inca Garcilaso de la Vega*, Madrid, Atlas, 1960a, vol. I.

— *La Florida del Inca*, prólogo de A. Miró Quesada, estudio bibliográfico de J. Durand, edición y notas de E. Susana Speratti Piñero, México, FCE, 1956.

— *La Florida*, ed. C. de Mora, Madrid, Alianza, 1988.

— *Primera parte de los Comentarios reales de los incas*, en *Obras completas del Inca Garcilaso de la Vega*, Madrid, Atlas, 1960c, vol. II.

— *Relación de la descendencia de Garci Pérez de Vargas*, en *Obras completas del Inca Garcilaso de la Vega*, Madrid, Atlas, 1960b, vol. I.

— *Segunda parte de los Comentarios reales o Historia general del Perú*, en *Obras completas del Inca Garcilaso de la Vega*, Madrid, Atlas, 1960d, vols. III y IV.

GONZÁLEZ VIGIL, R., *Comentemos al Inca Garcilaso*, Lima, Banco Central de Reserva del Perú, 1989.

HAMPTON, T., *Writing from History. The Rhetoric of Exemplarity in Renaissance Literature*, Ithaca and London, Cornell University Press, 1990.

HOPKINS-RODRÍGUEZ, E., «The Discourse on Exemplarity in Garcilaso de la Vega's *La Florida del Inca*», en *Garcilaso Inca de la Vega, an american humanist*, ed. J. Anadón, Notre Dame, University of Notre Dame, 1998, pp. 133-140.

KAHN, V., *Rhetoric, Prudence, and Skepticism in the Renaissance*, Ithaca and London, Cornell University Press, 1985.

LAS CASAS, B. de, *Apologética Historia*, en *Obras escogidas*, Madrid, Ediciones Atlas, Biblioteca de Autores Españoles, 1958, volúmenes 3 y 4.

LAUSBERG, H., *Manual de retórica literaria. Fundamentos de una ciencia de la literatura*, Madrid, Gredos, 1966.

LYONS, J. D., *Exemplum. The Rhetoric of Example in Early Modern France and Italy*, Princeton, Princeton University Press, 1989.

MILLONES, L., «Escondiendo la muerte: Atahualpa y Hernando de Soto en la pluma de Garcilaso», *Letras*, 77, 111-112, 2006, pp. 21-39.

MIRÓ QUESADA, A., «Prólogo», en Garcilaso de la Vega, *La Florida del Inca*, México, FCE, 1956, pp. IX-LXXVI.

— *El Inca Garcilaso y otros estudios garcilasistas*, Madrid, Ediciones Cultura Hispánica, 1971.

— «Creación y elaboración de la *Florida del Inca*», en *Nuevos estudios sobre el Inca Garcilaso de la Vega. Actas del Symposium realizado en Lima del 17 al 28 de junio de 1955*, Centro de Estudios Histórico-Militares del Perú, Lima, Banco de Crédito, 1955, pp. 87-122.

PUPO-WALKER, E., *Historia, Creación y Profecía en los Textos del Inca Garcilaso de la Vega*, Madrid, José Porrúa Turanzas, 1982.

RICO, F., *El sueño del humanismo. De Petrarca a Erasmo*, Madrid, Alianza, 1993.

ÉPICA RELIGIOSA HISPANOAMERICANA: *LA CRISTIADA* DE DIEGO DE HOJEDA Y LA MÁQUINA SOBRENATURAL

Catalina Quesada Gómez
Université Paris IV-Sorbonne

Nacido en Sevilla, Diego de Hojeda (¿1571?-1615) había de marchar en su juventud, como tantos hombres de su tiempo, a las Indias, al Perú en concreto, donde residirá hasta el final de sus días. Pocos datos poseemos acerca de su vida: tras salir hacia Perú, presumiblemente en 1588 ó 1589, realiza un año de noviciado e ingresa en la orden de los dominicos, en Lima, en 1591, ciudad en la que ejercerá como maestro de teología y director de estudios religiosos. Con posterioridad, será prior en Cuzco (1609) y en Lima (1610), aunque, a causa de una disputa fue desposeído de su cargo; se exilió a Cuzco y después a Huánuco, donde murió el 24 de octubre de 1615, «con fama de santo», «consumido de trabajos, que sufrió con admirable paciencia»[1]. Milá y Fontanals aventura en su prólogo a la edición de *La Cristiada* de 1867 que la escasez de datos en torno a su vida podría estar debida a la humildad del poeta: «no a otra causa puede atribuirse la escasez de noticias biográficas que del autor se conservan, mientras abundan las de otros de muy inferior mérito»[2]. Los primeros datos de la biografía de Hojeda los encontramos ya en el XVII, en la obra del cronista dominico

---

[1] Meléndez, *Tesoros verdaderos de Indias en la Historia de la gran Provincia de San Juan Bautista del Perú*, p. 73.

[2] Milá y Fontanals, 1867, p. 7. Ver el apartado «Materials for Hojeda's Biography», en la «Introducción» que precede a la edición de *La Cristiada* de Corcoran, 1935, pp. XV-XXXVII.

Fray Juan Meléndez, los *Tesoros verdaderos de las Indias*, cuyo segundo volumen, publicado en Roma, en 1681, da cuenta, así sea someramente, de ciertos aspectos de la biografía del sevillano. Aunque publicó versos y alguna obra en prosa, la mayor parte perdida[3], debe hoy su fama al hecho de haber escrito uno de los poemas religioso-épicos más importantes del Barroco, ese «sonoro centón de metáforas mineras, lamentos místicos y remembranzas de Virgilio y Ariosto»[4] que es la *Cristiada*, publicada en Sevilla, en 1611, en casa de Diego Pérez[5].

BREVE HISTORIA DEL TEXTO Y ADSCRIPCIÓN GENÉRICA

Pese al interés que la épica religiosa suscitó en los siglos XVII y XVIII, el poema no será reeditado hasta el XIX, cuando Manuel José Quintana lo incluya en su antología *Musa épica* (1833). Las ediciones completas contemporáneas con que contamos son la de Cayetano Rosell, para la BAE, en 1851, la de Manuel Ribé (Barcelona, 1867), la ilustrada de Leoncio González Llopis (Barcelona, 1896), así como las de Mary Helen Patricia Corcoran (Washington, 1935) y Rafael Aguayo Spencer (Lima, 1947). Pero las únicas de ellas que pueden ser consideradas como ediciones críticas son las de Corcoran —que, a partir de un ejemplar de la *princeps* y del manuscrito existente en la Bibliothèque de l'Arsenal, en París, reconstruyó el texto, depurándolo de las nume-

---

[3] La licencia del provincial Fray Francisco de Vega, con fecha de 28 de marzo de 1609, da noticia, de forma general, de algunas de esas obras por salir a la luz, que, curiosamente, habrían de ser, a su entender, superiores en importancia a esta: «Por la presente le doy licencia, por lo que a la religión toca, para que en este reino, o en otra cualquier parte, pueda hacer imprimir este libro, que ha intitulado: *La Christiada*, que aunque de su autor esperamos que presto sacará a la luz otros trabajos de sus estudios, mayores, y más importantes, éste nos parece que será muy útil, y de gusto para todos los que lo leyeren», Hojeda, *La Christiada*, 1611, s.n. Se conservan de él los versos laudatorios al *Arauco domado* y la censura de la primera parte de la *Miscelánea Austral*.

[4] Sánchez, 1974, p. 38.

[5] En la portada de la *princeps* se lee: «*La Christiada* del padre maestro Fray Diego de Hojeda: Regente de los Estudios de Predicadores de Lima. Que trata de la vida y muerte de Cristo nuestro Salvador. Dedicada al Excelentísimo Señor don Juan de Mendoza y Luna, Marqués de Montes Claros y Virrey del Perú. Año 1611. Con privilegio. Impreso en Sevilla, por Diego Pérez». La imprenta estaba situada en la calle Catalanes, la actual Carlos Cañal.

rosas erratas de la *princeps*— y la de Aguayo Spencer[6]. Frank Pierce propone la siguiente hipótesis para explicar que durante más de dos siglos no se reeditase:

> Seguramente la falta de interés por este poema épico, que se ha considerado siempre como uno de los más logrados en lengua española, fue debida a las especiales circunstancias de su primera publicación: Hojeda, en esa época fuera de España, no pudo revisar ni la primera ni las otras ediciones que hubiese[7].

De esa ausencia y de las erratas de la *princeps* da igualmente cuenta Cayetano Rosell:

> De obras insignificantes por más de un concepto se han hecho repetidas ediciones, y de *La Cristiada* no existía más que una, y ésta rarísima, hecha en Sevilla, en casa de Diego Pérez, el año 1611. Está en 4°, y aunque algo incorrecta, sobre todo en la parte de puntuación, es clara y de buenos tipos. Un libro pues de tan difícil adquisición, y tan apreciable como éste por su mérito literario, bien merecía tener cabida en la Biblioteca[8].

Sin embargo, su edición sigue únicamente la *princeps* —aún no se conocía el manuscrito—, al igual que las de 1867, 1896 y todas las que, con posterioridad, han reproducido alguna de estas ediciones[9].

Como dato curioso, mencionaremos la edición, no solo compendiada, sino también *enmendada*, publicada en 1837 por el peruano Juan Manuel de Berriozábal[10], que no tiene empacho en eliminar cuantos *excesos* cree encontrar en el original (separando así el *oro* de la *escoria*) y, lo

---

[6] Aguayo Spencer dice seguir la *princeps*, «recogiendo las variantes que contiene la edición del manuscrito del Arsenal», 1947, p. 19; pero su más que exiguo aparato crítico hace difícil que podamos hablar con propiedad de una auténtica edición crítica como la de Corcoran.

[7] Pierce, 1982, p. 225. Pierce recoge una idea ya expresada por Quintana en el prólogo a su *Musa épica*, cuando hablaba del «desaliño y descuido con que se hizo la impresión en Sevilla, estando él tan lejos para corregirla, y quedando el texto viciado sin culpa suya» (1833, p. 49).

[8] Rosell, 1851, p. 401.

[9] Ver, por ejemplo, la reciente edición *La Cristiada: vida de Jesús, N. S.* (Madrid, EDIBESA, 1995), que es una reproducción de la edición monumental e ilustrada de Barcelona, 1896.

[10] La edición fue hecha en París, en 1837, en la imprenta de Moessard, calle de Fubstemberg, núm. 8, y está dedicada al Exmo. e Ilmo. Señor don Sebastián de Goyeneche, obispo de Arequipa.

que resulta más sorprendente, en añadir al texto versos y estrofas de su propia cosecha *para atar*, de ese modo, *el hilo del discurso*. Y, en efecto, las modificaciones que realiza son de tal calibre que resulta ardua la labor de seguir considerando el resultado como una de las ediciones de la obra de Hojeda. Como nos advertía, no solo epitoma el texto, dejando los doce libros en ocho cantos, sino que se permite incluso enmendar la plana al dominico, ya desde la primera estrofa, vertiendo a lo sagrado cualquier amago de paganismo, cambiando adjetivos, versos completos y rimas sin mayor fundamento que el de su voluntad. En 1841 aparece en Madrid otra versión de esta obra, con un canto más que la de 1837, cuyo título, *La nueva Cristiada*, resulta más adecuado, por cuanto evita la confusión con la de Hojeda. El interés de ambos textos es escaso, si bien habrá una edición posterior (Santiago de Chile, 1848) que, titulada *La Pasión de Jesu-Cristo o La Cristiada*, reproducirá la de 1837.

El manuscrito hallado por Mary Helen Patricia Corcoran en la Bibliothèque de l'Arsenal de París constituye el punto de partida para su edición del texto, por considerarlo la autora, a diferencia de lo sostenido por Ochoa, anterior a la versión impresa. Se trataría de una copia corregida del manuscrito original de Hojeda, bastante cercana a la voluntad del autor —aunque no habría sido él quien lo habría copiado, sino tres copistas, a los que denomina X, Y y Z—, a partir de la cual se habría realizado, al menos, otra copia, que ya contendría buena parte de los errores que aparecerán en la *princeps*; hipotéticamente, sería aquella con la que se habrían otorgado las licencias en España[11].

Los preliminares de la primera edición de *La Cristiada* nos ofrecen una información de singular interés[12], por cuanto la definen genéri-

---

[11] El texto del manuscrito del Arsenal (Ms. 8312) difiere no poco del de la *princeps*, tal y como lo detalla Corcoran. Pese a ser anterior a la impresión, alrededor de unas 24 notas marginales habrían sido añadidas después del envío al impresor del texto, por lo que no aparecen recogidas ni en la *princeps* ni en ninguna de las ediciones que siguieron. Tiene 1973 octavas reales (una menos que la *princeps*) y cuatro de ellas poseen una colocación distinta a la que después tendrán en la edición impresa. Como dejó sentado Corcoran, es un documento imprescindible para fijar el texto definitivo y aproximarse al máximo a la voluntad del autor, eliminando así los abundantes errores de la *princeps*, seguramente debidos tanto a una mala copia del manuscrito en cuestión, como a una libre intervención por parte del impresor, algo a la orden del día en las publicaciones de la época.

[12] El ejemplar consultado es el de la Bibliothèque Nationale de France (Yg-1499); hay siete más en Madrid, en la Biblioteca Nacional. Corcoran menciona

camente, adscribiéndola sin ambages a la épica culta[13]. Así, en la aprobación del Maestro F. Juan de Lorenzana, de 27 de marzo de 1609, quedan subrayados lo elevado del argumento, la gravedad del estilo y la erudición del texto:

> Por ma[n]dado de nuestro muy revere[n]do Padre, el presentado Fray Fra[n]cisco de Vega, provincial de esta provincia de Sa[n] Jua[n] Bautista del Perú, de la orde[n] de predicadores, he visto el libro intitulado *Christiada*, en verso heroico, q[ue] compuso el padre maestro Fray Diego de Hojeda, de la misma orden y provincia, y no solamente no tiene cosa contra nuestra santa fe católica, ni contra las buenas costumbres, mas siendo su argumento altísimo, que es la vida y muerte de Nuestro Salvador Jesu Cristo, es en estilo grave, en erudición profundo, y en la devoción suave, y en todo digno de un gran doctor teólogo, y tal, que mucha honra de nuestra sagrada religión puede salir a la luz[14].

Además de la devoción intensa, también el estilo elevado y el carácter extremadamente docto del texto son objeto de atención para el Maestro Fray Agustín de Vega, a quien, sin embargo, parece *extrañar* que éste no vaya en latín y en prosa[15]:

> no tiene cosa disonante a nuestra fe sagrada, ni a la doctrina de los santos, ni a las buenas costumbres de la Iglesia católica, antes (aunque en lengua vulgar, y en verso) es en el decir levantado, en el modo de contemplar la vida y pasión de Cristo redentor nuestro, devotísimo, y en el tratar las materias de teología, y escritura sagrada, e historia eclesiástica, muy docto, y bien considerado, al fin parto digno de tal maestro[16].

el del Archivo Nacional, en Lima, y el de la Library of the Hispanic Society, en Nueva York; se trataría en estos dos casos de *rebound copies* (1935, p. liii).

[13] Ver Chevalier, 1976; Prieto, 1980; Lara Garrido, 1999.

[14] Hojeda, *La Christiada*, 1611, s. n.

[15] En efecto, la mayoría de las fuentes de Hojeda estaban en latín, incluidas las obras más recientes, entre las que destacan *De partu Virginis* (1526), de Jacopo Sannazaro, y la *Christias* (1535), de Marco Girolamo Vida, ambas de tema religioso; sin embargo, los dos autores recurren al verso. Por otra parte, es bien sabido que en Italia hacía tiempo se venían publicando obras de estilo grave en lengua vulgar, como *La Gerusalemme liberata* (1575), de Torcuato Tasso, que servirá de modelo a Hojeda, en especial en la cristianización que realiza del modelo épico. Las traducciones al español de los grandes modelos greco-latinos de la épica culta (*Ilíada, Odisea, Eneida, Farsalia*) proliferaron, a su vez, en el XVI.

[16] Hojeda, *La Christiada*, 1611, s. n.

Cayetano Rosell, en cambio, en la «Advertencia» que precede a los *Poemas épicos*, duda de la existencia de una auténtica épica española: «Poema verdaderamente épico, ninguno existe en nuestra literatura: es una verdad innegable, demostrada por todos los críticos, y por lo mismo no necesita de nuevas pruebas»[17]; si bien reconoce seguir empleando el marbete por comodidad y por falta de uno, igualmente abarcador, que lo sustituya:

[L]a verdad es que entre los centenares de poemas escritos en España desde el último tercio del siglo XVI con pretensiones, no con título, de épicos, ninguno es rigorosamente digno de semejante calificación. —Entonces, se nos dirá, ¿a qué aplicarla a los que ahora se reimprimen?— Hemos creído que, aunque inexacta, ninguna cuadraba mejor a nuestro propósito, dado que cualquiera otra adolecería de inconvenientes, o por ser demasiado vaga, o por concretar demasiado la misma calificación, como sucedería por una parte llamando a esta colección *de poemas castellanos*, y por otra si nos sirviésemos del nombre de *heroicos*, que algunos preferirían. Heroico denominó Valbuena su *Bernardo*; pero ¿podremos calificar así la *Cristiada* del Padre Hojeda? Hemos pues adoptado el título más genérico, más usual, y más inteligible por consiguiente[18].

La crítica más reciente, sin embargo, no duda en situar *La Cristiada* entre los escasos ejemplos de épica culta, en este caso, religiosa, de las letras áureas hispánicas. El protagonismo de Jesús, paradigma del héroe épico (Frazer) y, sobre todo, la asimilación por parte de Hojeda de muchas de las técnicas homéricas y virgilianas, pasadas por el tamiz cristiano de Tasso, confieren a la obra un talante épico más que notable[19]. Como el propio Pierce señala, el precepto de no incluir *materia relacionada con los artículos de la fe* no siempre se cumplió en España y es evidentemente obvio que no fue así con *La Cristiada*, lo cual no impediría la utilización de la *libre imaginación del poeta*, allá donde pudo hacerlo. El desarrollo de ciertos motivos (según la técnica de la *amplificatio*) se haría, ora siguiendo otras fuentes distintas a las de los escuetos *Evangelios*, ora gracias al sentido estético y poético del dominico,

---

[17] Rosell, 1851, p. i.

[18] Rosell, 1851, p. ii.

[19] Ver Pierce, 1968, pp. 16-17, que resume las características que Tasso considera debe contener la obra épica. Para un análisis de la presencia de Tasso en las letras españolas, ver Arce, 1973. Ver asimismo Zlatar, 1997.

pero sin llegar a violentar en ningún momento los dogmas de la fe cristiana. El ejemplo del libro VII, en el que el episodio del arrepentimiento y suicidio de Judas se prolonga a lo largo de cincuenta y tres octavas, sin modificar lo esencial de la historia, nos servirá para ilustrar esta idea.

De entre todos los elementos épicos presentes en *La Cristiada*, destaca la maestría de Hojeda para trazar un antagonista que contrarreste el peso protagónico de Jesús y la potencia celestial, de elaborar un sistema de fuerzas lo suficientemente equilibrado como para que la victoria del bien sobre el mal resulte aún más meritoria. La recurrencia al procedimiento de la *máquina sobrenatural*, presente ya en la *Ilíada*, y la construcción de un infierno épico, de raigambre netamente libresco, con una presencia frecuente de Satán y una constante participación en la acción, no constituyen ninguna originalidad, pues son elementos recurrentes en la épica culta. Pero también es cierto que hay algunas particularidades en la creación de Hojeda que dotan a la obra de singularidad y que son dignas de ser destacadas.

LA MÁQUINA SOBRENATURAL Y EL INFIERNO ÉPICO

Desde la *Ilíada*, la presencia de la divinidad en la épica, frecuentemente dividida en dos bandos, constituye un tópico que ha dado en llamarse *sistema* o *máquina sobrenatural*. Los dioses intervienen en la acción, motivando los distintos cambios de fortuna y dirigiendo así el desarrollo de los acontecimientos humanos. La cristianización que del modelo épico lleva a cabo Tasso implica, como es lógico, la adaptación de dicho recurso a la cosmovisión cristiana, con el consiguiente enfrentamiento del cielo y el infierno[20].

---

[20] Ya Frank Pierce lo apuntaba: «Un rasgo estructural mucho más fundamental [...] es la máquina sobrenatural, que procede también de Virgilio y fue imitado o adaptado por dos de las fuentes inmediatas de Hojeda: Vida y Tasso. Nuestro poeta sigue en este caso a estos dos poetas y, sobre todo, a Tasso, interpretando el relato histórico con arreglo a un plan puramente cristiano [...]. Desde el comienzo de *La Cristiada* la presencia divina en todos los acontecimientos es un hecho evidente [...]. Las fuerzas infernales juegan su papel correspondiente en cuanto intentan desbaratar el cumplimiento de la misión de Cristo con su venida al mundo [...]. Todo este sistema o máquina épica facilita a Hojeda la anatomía de su vi-

El recurso se mantiene en *La Cristiada*, con la particularidad de que en el libro IV, una de las partes dedicadas a las fuerzas del mal, encontramos un extraordinario ejemplo de sincretismo cultural, gracias a la mezcla de diversas deidades provenientes de tradiciones diversas, a las que se equipara con los demonios de la tradición cristiana, todos a las órdenes de Luzbel[21]. Junto a demonios bíblicos como Astaroth[22], se hallan dioses paganos greco-romanos (Apolo, Hermes), divinidades egipcias (Apis), e incluso precolombinas:

> Ni los dioses en México temidos
> de aqueste horrendo cónclave faltaron,
> de humana sangre bárbara teñidos,
> en que siempre sedientos s'empaparon;
> ni del Pirú los ídolos fingidos,
> qu'en lucientes culebras se mostraron;
> ni Eponamón, indómito guerrero,
> Mavorte altivo del Arauco fiero (p. 138)[23].

Hay que destacar el uso tropológico que el poeta hace aquí de *Mavorte* (arcaísmo latino de Marte, de uso poético), dios de la guerra,

---

sión poética de la historia narrada en los Evangelios y le permite interpretarla de la manera que más conviene a su propósito, esto es, estimulando estéticamente a los lectores que también son creyentes. Su poema trata del Cielo, de la Tierra y del Infierno» (Pierce, 1982, pp. 227-228). Pueden consultarse, con provecho, los capítulos V y VI, «Angelology» y «Demonology», de Meyer, 1953, donde analiza la constitución de cada una de las facciones, en especial en lo que respecta a su filiación tomista; ver Calderón de Cuervo, 2001.

[21]   Frank Pierce atribuye a *una antigua creencia* la identificación entre los dioses paganos y el Diablo, motivo con el cual Hojeda vendría a adelantarse a Milton (Pierce, 1971, pp. 227-228). Dicha equiparación está en *Salmos* XCV, 5: «Todos los dioses de los gentiles son demonios». Ya Ochoa lo había subrayado, estableciendo la coincidencia en el proceder entre Hojeda y Milton.

[22]   Los fenómenos de sincretismo cultural y de identificación de deidades paganas con demonios se hallan magníficamente sintetizados en este demonio, Astaroth, integrante, según la *Biblia*, de las huestes satánicas. Su nombre sería una deformación del de la diosa fenicia Astarté (Ashtart), asimilación, a su vez de la Inanna de los sumerios o la Ishtar de los acadios.

[23]   A menos que se indique lo contrario, todas las citas de *La Cristiada* están tomadas de la edición crítica de Mary Helen Patricia Corcoran (Washington, D.C., The Catholic University of America, 1935). Nos limitaremos, en adelante, a indicar entre paréntesis el número de la página.

frecuentemente utilizado en los textos literarios de la época como nombre común. Además del efecto poético, la identificación de ambos (*Eponamón es el Marte arauco*) tiene una marcada función pedagógica para el lector no americano, basada en la comparación con una realidad más próxima, tal y como, por otra parte, sucede en los textos coloniales más tempranos, cuando la palabra por sí misma no sirve para describir una realidad desconocida para el europeo. Pero, además, es necesario tener presente que Ercilla había dejado establecido el vínculo de Eponamón con lo demoníaco cuando, en la «Declaración de algunas dudas que se pueden ofrecer en esta obra» que sigue a *La Araucana*, explica de *Eponamón* que «es nombre que dan al demonio, por el cual juran cuando quieren obligarse infaliblemente a cumplir lo que prometen»[24]; o cuando describe las costumbres de los indios araucos e identifica a Eponamón con el *ángel caído*[25].

A la luz de lo dicho hay que situar la definición que Sabino Sola hace del infierno de *La Cristiada* como

> síntesis de varios elementos y estratos, desde el mitológico pagano hasta el cristiano —pasando por el indígena de América (de manera más expresa que lo que se había dado, por ejemplo, en Ercilla)— pero todo ello con una armonía y viveza de colorido ciertamente extraordinarias. Es realmente la obra de un barroco clásico y que queda —en lo que al infierno se refiere— como la más alta cota dentro de los poemas épicos del área hispánica y no sólo americana[26].

Por otro lado, como remarcó Pierce, la ubicación en el infierno de los dioses paganos, cuya presencia en las letras occidentales había sido vivamente actualizada por el Renacimiento, es la respuesta más lógica de un poeta barroco como Hojeda[27].

---

[24] Ercilla, *La Araucana*, p. 976.
[25] «Gente es sin Dios ni ley, aunque respeta / aquel que fue del cielo derribado, / que como, a poderoso y gran profeta / es siempre en sus cantares celebrado. / Invocan su furor con falsa seta / y a todos sus negocios es llamado, / teniendo cuanto dice por seguro / del prospero suceso o mal futuro. // Y cuando quieren dar una batalla / con él lo comunican en su rito; / si no responde bien, dejan de dalla / aunque más les insista el apetito. / Caso grave y negocio no se halla / do no sea convocado este maldito: / llámanle Eponamón, y comúnmente / dan este nombre a alguno si es valiente» (Ercilla, *La Araucana*, pp. 91-92).
[26] Sola, 1973, pp. 163-164.
[27] Pierce, 1953, p. 491.

Los rasgos del infierno de Hojeda, así como sus posibles fuentes, fueron bien estudiados por Frank Pierce en «The Poetic Hell in Hojeda's *La Christiada*: Imitation and Originality» (1953), donde destaca la pericia del poeta para dar un paso adelante en el género, superponiendo a la herencia clásica (Virgilio)[28] la italiana más reciente (Vida, Tasso), pero también las soluciones presentes en otros modelos, como las del Evangelio apócrifo de Nicodemo o las de los textos de Claudiano[29]. El caos y el desconcierto reinan entre los moradores de este infierno, sobre lo cual vuelve una y otra vez el poeta, que no duda en contraponer, de un modo tajante, la oscuridad en la que se hallan los falsos dioses a la claridad auténticamente divina; la falsedad y el engaño de aquellos a la verdad cristiana. De ahí que las imprecaciones sean frecuentes: «¡Oh fábulas de locos inventadas! / ¡Bendito el qu'encerró vuestra locura / en las hondas tinieblas del abismo, / y la verdad fundó del Cristianismo!» (p. 136). Pese a las maldiciones, el sincretismo se mantiene, pasando el infierno cristiano a ser identificado, sin mayor dificultad, con el *averno*[30]. Y sin embargo, a pesar del secta-

[28] Para la relación del texto de Hojeda con el de Virgilio y la tradición clásica, ver Cristóbal, 2005.

[29] «The pattern of imitation would here seem to be: Vida and Tasso suggested the function of the episode in the whole poem, with the convocation, harangue and the sending-out of the devils; but (a) Hojeda innovates by taking from Nicodemus the discussion of Christ's divinity as between Satan and Hades, and by connecting this dispute with a final decision as in Claudian; (b) he further replaces the trite and not always apt or properly symbolisable monsters of Virgil by the pagan gods, whom he uses, backed as he is by a long Christian tradition of demonology, both scriptural and patristic, to give a final and full twist to the screw in the overthrow of paganism; this attitude is implicit doctrinally in the Gospel of Nicodemus, but only partially explicit in such poetic statements as Vida's and Tasso's» (Pierce, 1953, p. 481).

[30] También con el Tártaro clásico, con una ingente cantidad de elementos y figuras de raigambre netamente pagana: «Hojeda furnishes his Hell with the stream Lethe and that he makes the Stygian boatman into a servant of Lucifer (these came from Virgil not Tasso although Hernández Blasco has a distinctly Virgilian Hell); further, his Charon raises a smile, for the scene is made to include the human touch of this creature's fear» (Pierce, 1953, p. 500). La presencia del Cancerbero a las puertas del infierno, tal como se lo describe en libro IX, opera en el mismo sentido: «El edificio de rebelde acero / sobre una inculta roca se levanta, / y en su puerta mayor el Cancerbero / con tres en una voz la noche espanta: / Aleto, hija atroz del Orco fiero, / que de culebras ciñe su garganta, / con sus hermanas dos siempre despiertas, / ocupan las demás guardadas puertas» (p. 333).

rismo, no duda el poeta en darle la palabra a Satán, recurso interesante, pues nos topamos con un Luzbel que acepta, aunque le disguste, los dogmas del cristianismo y cuya maldad, por lo tanto, para el público lector cristiano, no es tan extrema como cuando el poeta predica directamente de él. De hecho, la alocución de Lucifer viene a dar por buena una parte importante de los fundamentos del credo cristiano: la virginidad de María, la condición humana, a la vez que divina, de Jesús, lo intachable de su conducta, etc. No es tanto el suyo, en *La Cristiada*, un discurso de rebelión, como de confirmación de los citados dogmas[31]. Se trata, por lo tanto, de un antagonismo peculiar, al menos, como lo es que el fin perseguido sea el de evitar la muerte de Cristo, en una suerte de búsqueda de un bien aparente cuya propósito último no es más que el de perpetuar el dominio del mal, abandonando a la humanidad en las tinieblas, que no se vería así ni redimida ni salvada.

La posibilidad de la metamorfosis, omnipresente en la mitología clásica y heredada por Satán, fue un motivo especialmente recurrente en los textos del final de la Edad Media, bien estudiado por Claude-Claire Kappler en *Monstres, démons et merveilles à la fin du Moyen Âge*. Dicha facultad se actualiza en el canto IV con la transformación de uno de los demonios en Mercurio, mensajero de Júpiter, para engañar a la mujer de Pilatos[32]. El engaño a los ojos, la falsedad y el fingimiento son cualidades demoníacas que, con frecuencia, se hacen extensivas a la mujer, considerada por la tradición misógina occidental como «arma del diablo, cabeza de pecado y destrucción del paraíso»[33]. Si en esta escena la

---

[31] Ver Corcoran, 1935, p. 141.

[32] «Pilato era gentil y era casado, / y por aquí trazó Luzbel su enredo: / a un demonio en fingir ejercitado / mandó que a su mujer pusiese miedo: / el ángel, en Mercurio transformado, / su figura tomó gozoso y ledo, / mintiendo ser de Júpiter el nuncio, / que le llevaba un trabajoso anuncio. // Ricas alas formó del aire vano, / hermoso aspecto y juvenil presencia, / y un caduceo en la derecha mano, / y en los labios un río de elocuencia: / bello donaire y proceder lozano, / y ropas cual de noble inteligencia, / y fantástica luz y rojo pelo, / de oro el calzado y de ave presta el vuelo. // Entra, pues, en la sala do la dueña / sola durmiendo está en su blando lecho; / y entra con arrogancia no pequeña, / y coruscante faz y altivo pecho: / muéstrale su poder, luego la enseña, / y al fin la deja triste y sin provecho; / efectos de demonio convertido / en ángel mentiroso y dios fingido» (p. 165).

[33] La frase, presente ya en *La Celestina*, será retomada en el XVII por Juan Rodríguez Freyle en *El Carnero*.

mujer no pasa de ser *arma del diablo*, con un papel ciertamente pasivo en la ejecución del mal, en otros momentos se la viene a considerar casi como aparición demoníaca ella misma, poco menos que encarnación de la serpiente bíblica:

> Andaba una mozuela revoltosa
> por allí, cual mujer, impertinente,
> de saber novedades codiciosa,
> y por su mal portera diligente:
> miró a Pedro con vista ponzoñosa,
> y como a nuestra madre la serpiente,
> le habló trasfundiéndole el veneno
> de que su lengua y silbo estaba lleno (p. 156).

La capacidad de acción de Satán no queda circunscrita, por lo tanto a sus huestes, sino que cuenta en la obra de Hojeda, como en tantos otros textos de la época en los que la herencia misógina bíblica y medieval son patentes, con la inestimable ayuda de la mujer. En la anterior escena, cuando la mujer de Pilatos intenta informarse acerca de la identidad del tal Jesús, las amas preguntadas «le contaron algunas falsedades; / que, cual gentiles, sin fiel cimiento / fábulas envolvieron en verdades» (p. 168). Será precisamente la *dueña ilustre*, la que «hazañas ciertas refirió de Cristo, / por haberlo en su patria y Salén visto» (p. 168), quien asista al falso Mercurio en su labor: incluso cuando la mujer obra bien y ensalza la figura de Jesús —de ahí el *enojo* del diablo metamorfoseado[34]— contribuye, sin saberlo, a la ejecución de los designios infernales. El infierno épico de Hojeda goza, por lo tanto, de una ligera ampliación de sus límites hacia lo femenino.

---

[34] La última octava del libro IV resulta, pese a lo dicho, un tanto enigmática: ¿a qué el enfado del falso Mercurio, si con su relato elogioso la *dueña venerable* trabaja en el mismo sentido que él? ¿Por qué *desata* —en el sentido antiguo del término, 'anular, disolver'— la conversación? Solo un excesivo celo por parte del discípulo de Satán (quiere ser él mismo el que mueva a la mujer de Pilatos) o bien una íntima repugnancia por oír hablar bien de Jesús (cosa que ya él había hecho para conseguir sus fines) podrían explicarlo: «Esto contó la dueña venerable / y secreta discípula de Cristo, / y aun más dijera de su trato afable / casos que había en varias partes visto; / pero fuese la noche irrevocable, / y andaba por allí Mercurio listo, / y desató la plática, enojado / de ver que él la ocasión hubiese dado» (p. 173).

EL SUICIDIO DE JUDAS

Habida cuenta de que la mayoría de los estudios en torno al *concilio infernal* se centra en el libro IV, abordaremos a continuación un segmento de la obra menos estudiado como es el del suicidio y posterior *descensus ad inferos* de Judas en el libro VII de *La Cristiada*, así como las implicaciones de dicha muerte.

Aunque el ahorcamiento de Judas sea un motivo presente en el Nuevo Testamento (Mateo, 27, 1-6), resulta sorprendente, en cualquier caso, el tratamiento amplio que Hojeda proporciona al tema, en especial si consideramos la proscripción que de la muerte autoinfligida ha hecho el cristianismo y la abundante literatura que, a partir del siglo IV, generó la cuestión:

> Le Nouveau Testament ne pose jamais explicitement la question du suicide. On y trouve, bien sûr, la mort de Judas. Mais la matérialité des faits est loin d'être établie. Il n'en reste pas moins que, pour le chrétien moyen, Judas «se retira et alla se prendre», selon le texte de Sain Matthieu (27, 5) et que sa pendaison reste inséparable de sa trahison[35].

La escueta narración que hace Mateo del acto mismo del suicidio (*se ahorcó*), además de ser solidaria de la economía narrativa que caracteriza al texto, está justificada por tratarse de un acto infame, incluso para el que pasará a la historia de Occidente como el traidor por antonomasia:

> Entonces Judas, el que le entregó, viendo que Jesús había sido sentenciado a muerte, arrepentido, devolvió a los sumos sacerdotes y a los ancianos los treinta siglos, diciendo: Pequé entregando sangre inocente. Pero ellos dijeron: ¿A nosotros qué? Allá tú. Y arrojando en el santuario los siglos, se retiró, y, marchándose de allí, se ahorcó. Los sumos sacerdotes, tomando los siglos, dijeron: No es lícito echarlos en el arca de las ofrendas, pues es precio de sangre.

Mientras que Mateo incide en el hecho de la traición y en el rechazo por parte de los sacerdotes del fruto de la misma, el efectismo

---

[35] Paulin, 1977, p. 29.

de Hojeda es mucho mayor, pues concluye la escena focalizando el suicidio[36]:

A un tronco de higuera levantado
se subió, y el espíritu invisible
le siguió para darle ayuda en ello,
y echose una gran soga al triste cuello.

Ató el cordel bruñido al ramo fuerte;
y contra el cielo y contra sí rabioso,
suspenderse dejó de aquesta suerte,
al aire dando el cuerpo contagioso:
abrazóse con él la fiera muerte;
y Satanás, contento y presuroso,
hizo las veces de cruel verdugo,
poniendo en su cerviz el mortal yugo (pp. 271-272).

Un acto que, por otra parte, había sido anunciado prolépticamente, además de en el argumento, en las primeras octavas del libro que se dedicaban a Judas, donde ya se mostraba su desesperación[37]. En este sentido, Hojeda prolonga la línea de las representaciones artísticas de Judas, donde, por encima de la traición, se atendió a la condición suicida del apóstol[38]. El poeta, sin embargo, no atribuye la acción a Judas directamente, sino que imputa la autoría a Satanás, al que menciona cada vez que refiere el suicidio, incluso en esa brevísima relación del argumento. Tras las octavas dedicadas a la imprecación al dinero y la

[36] Subrayaremos que Hojeda recrea el episodio de la muerte de Judas a partir de la versión de Mateo, que es, por otra parte la más conocida y difundida. Sin embargo, en Hechos (1, 18) se afirma que «éste, pues, con el salario de su iniquidad adquirió un campo, y cayendo de cabeza, se reventó por la mitad, y todas sus entrañas se derramaron». Algunas miniaturas medievales, aunando ambos relatos, presentaron un Judas colgado con las entrañas abiertas (Minois, 1995, p. 36).

[37] «Promete más que da nuestro adversario, / y búrlanos habiéndonos vencido; / y al vicio nos ofrece en rostro vario / del que primero nos pintó lucido: / a Judas fue y a sí mismo contrario, / para que, de su mal arrepentido, / y no por Dios, de Dios desesperase, / y ya desesperado, se ahorcase» (p. 258).

[38] «The history of Judas in sculpture, glass, and miniature painting drives the same points further home. From the earliest surviving representations of Judas he is principally shown, not *qua* uncertain disciple, *not* qua traitor in the garden of Gethsemane, but as suicide» (Murray, 2000, p. 327). Ver asimismo Dinzelbacher, 1977 y Brown, 2002.

confesión pública de Judas, en las que expresa su arrepentimiento, Hojeda traza los síntomas de la locura en el personaje, signos que la tradición occidental ha vinculado frecuentemente con los suicidas: embriaguez, desatino, melancolía, bipolaridad, posesión demoníaca, estado extático, mirada perdida[39]. Y a esa vesania superpone el poeta la labor instigadora de Satanás, mediante la infusión de *internas voces* que contribuyen a incrementar el sentimiento de culpa, desencadenante último del ahorcamiento, de ahí que no haya aparición como tal, sino que se trate de un proceso psicológico del propio Judas, insuflado por Satán, mas de modo indirecto:

> El crudo Satanás esto decía,
> y aquesto Judas con dolor pensaba;
> el demonio sutil lo proponía,
> y el confuso traidor lo imaginaba:
> el perdón de la gracia le escondía
> aquél, y éste también lo despreciaba;
> la culpa sola, y sola la justicia
> pintando con rigor y con malicia (p. 271)[40].

[39] «Así como el que bebe mucho vino, / y ardiendo se le sube a la cabeza, / está con un airado desatino, / y la razón no acaba si la empieza, / y bravo y triste va por el camino, / y el paso a varias partes endereza, / y suspéndese ya, ya se apresura, / según el fuerte humor de su locura; // o como la feroz sacerdotisa / en el templo de Apolo endemoniada, / fingiéndose divina profetisa, / andaba en mente y ojos elevada, / ya espacio, ya parándose, ya aprisa, / y en todo con razón desatinada, / pues llevaba en su pecho furibundo / al insolente rey del caos profundo; // tal se fue Judas, y dejó medrosos / a los que allí su plática escucharon, / y en busca de los montes cavernosos / voló, donde sus furias le aguijaron: / ya fijaba los ojos codiciosos / que a hambre de dinero le incitaron, / y los clavaba atentos en el suelo, / ya en sí, ya en sus cuidados, ya en el cielo» (p. 267).

[40] Las semejanzas con las tesis de Juan de Ávila (1500-1569) en torno al suicidio hacen pensar en una posible fuente de Hojeda, en especial cuando explica cómo hace el diablo crecer en el hombre esa desesperación que lo empuja a darse la muerte: «Otra arte suele tener el demonio contraria a esta pasada: la cual es no haciendo en alzar el corazó[n]: mas abajándolo, y desmayándolo, hasta traerlo a desesperación: y esto hace trayendo a la memoria los pecados que el hombre ha hecho, y agravá[n]dolos cua[n]to puede, para que el tal hombre espantado con ellos, caiga desmayado, como debajo de carga pesada, y así se desespere. Desta manera hizo con Judas, que al hacer del pecado, quitole delante la gravedad de él, y d[es]pués trájole a la memoria, cuán gran mal era haber vendido a su maestro, y por ta[n] poco precio, y para tal muerte: y así cególe los ojos con la grandeza

De hecho, Hojeda entremezcla las dos principales posibilidades que durante la Edad Media y hasta los albores del Renacimiento habían sido contempladas en los suicidas: la de la locura y la de la tentación del *enemigo*. La desesperanza o desesperación había sido considerada por la Iglesia como la peor de las causas del suicidio, en especial en aquellos casos, como el de Judas, en el que los remordimientos hacían olvidar la gracia y el perdón divinos, la absolución de los pecados. Pero la locura fue, con frecuencia, una circunstancia eximente, una condición que posibilitaba que el cuerpo del suicida fuera enterrado en sagrado, sin ser sometido al maltrato que se ejercía sobre los cadáveres de los desesperados. En cambio, la consideración de la intervención demoníaca tuvo un tratamiento ambivalente, siendo vista, ora como agravante —la mayor parte de las veces—, ora como atenuante[41]. El tratamiento que Hojeda da al motivo refleja dicha postura, pues si de una parte Judas, en su suicidio, parece más ser una víctima de Satán que un *asesino de sí mismo*, eso no impedirá, sin embargo, su descenso al infierno, motivado, no solo ya por haber entregado a Cristo, sino también, y sobre todo, por haberse dado la muerte[42]:

> Que tú, en vender a Dios, soberbio fuiste
> y avaro, pues por precio le entregaste;
> y adulterio del alma cometiste,
> pues al divino Esposo repudiaste;
> y a la pasión airada te rendiste,
> pues con tal brevedad lo ejecutaste;
> y a gula, pues el único alimento
> profanaste del sumo Sacramento.
>
> y el honor envidiaste religioso
> que hizo al buen Jesú la Madalena,

del pecado, y dio co[n] él en el lazo, y de allí en el infierno» (Juan de Ávila, *Libro espiritual, que trata de los malos lenguajes del mundo, carne y demonio, y de los remedios contra ellos*, fol. 57r-57v).

[41] «Dans les célèbres pénitentiels anglo-saxons des VIIIe et IXe siècles, le seul cas de suicide excusé est celui des fous ou "démoniaques", à condition qu'ils aient mené une vie honorable avant d'être saisis par le diable» (Minois, 1995, p. 41). Ver Minois, 1999 y 2000.

[42] Ver Guiance, 1998, en concreto el capítulo «El suicida, asesino y víctima», pp. 359-379.

y en alcanzar virtudes perezoso
fuiste en la escuela de virtudes llena,
y centro de traidores alevoso;
y así todo te culpa y te condena.

¡Oh mísero infeliz desesperado!,
que fue a la postre tu mayor pecado (p. 286)[43].

Aunque no se desprende directamente del texto, en última instancia, la intervención de Judas contraviene el plan satánico de impedir la muerte de Cristo, de ahí quizá la insistencia del poeta en mostrar su muerte más como un castigo infligido por Satán que como un suicidio libremente elegido por el personaje[44], aunque eso no lo vaya a exonerar en modo alguno de los *horrores y tinieblas* eternos.

El motivo de Judas en los infiernos también había gozado de amplia representación en las artes, de igual modo que los tormentos que le habían de ser aplicados estaban ya arraigados en el imaginario medieval, especialmente en el nivel de las creencias populares. Dante lo

[43] Aunque los Padres de la Iglesia (Orígenes, Dioniosio de Alejandría) reconocen el componente suicida en la muerte voluntariamente aceptada por Cristo, la cuestión ha sido siempre controvertida en el seno del pensamiento cristiano (Dauzat, 1998). Hojeda no quiere dejar lugar a dudas en lo que a su posición respecta, comenzando por resaltar la obediencia: «La blanca aurora con su rojo paso, / en nubes escondida, caminaba, / y los celajes del Oriente raso, / de oro confuso y turbia luz bordaba; / y adivina quizá del triste caso, / oscurecer quisiera, y alumbraba, / no voluntaria, no, mas obediente / al que gustó de estar en cruz patente» (p. 174). Para luego, a través de Pilatos, destacar la admiración que dicha actitud resignada suscita: «"Quién, dice, no defiende su derecho / en cuantas el sol ve romanas curias? / ¿Quién no pide al juez? ¿Quién no le ruega? / O ¿quién razones en su pro no alega?" // "Quién estorbar su muerte no procura, / último daño de la vida humana? / ¿Quién su preciosa fama no asegura, / aunque la funde en apariencia vana? / ¿Quién no estima su próspera ventura, / y para más gozarla, más no afana? / ¿Quién por su honor y su salud no mira? / Y ¿quién de lo contrario no se admira?"» (p. 196).

[44] En absoluto se aparta Hojeda de la ortodoxia cristiana en lo que respecta a la traición de Judas, tal y como sucede en algunos textos recientemente dados a la luz, como *El evangelio de Judas*, del códice Tchacos. Como se sabe, el manuscrito, encontrado a finales de los sesenta, cuya veracidad no siempre ha sido aceptada, postula que Judas no traicionó a Jesús, sino que habría sido su máximo colaborador, contribuyendo con su entrega a la ejecución del designio divino. Nada se dice en ese documento del suicidio de Judas.

situaba en el *Infierno* (XXXIV, 61-69), con Bruto y Casio, también, como él, traidores de su benefactor[45], una clara influencia que ya fue apuntada por Corcoran:

> The second canticle of the *Divina commedia* may have given Hojeda his plan for the description of Hell in Book VII. The *Purgatorio* of Dante's poem id divided into seven circles where, in each circle, the temporal punishment due to one of the seven Capital Sins is purged away and spiritual liberty regained by the purgatorial pains. In Hojeda's description of Hell, the seven circles have become seven houses of torment where, in each house, the eternal punishment due to one of the Capital Sins is meted out to the condemned. The influence of Dante's *Inferno* is felt, also, in the details of Hojeda's description of Hell, borne out by the fact, as in the *Divina commedia*, Judas occupies a separate prison in Hell rather than being found in any one of the seven houses of the condemned[46].

Pero a diferencia de lo que sucede en la *Divina comedia*, donde Judas comparte los tormentos de Dite con Bruto y Casio, en *La Cristiada* las furias infernales lo recluyen en una cárcel aislada —al margen de las siete restantes, consagradas a sendos pecados capitales—, entre *ardor y hielo, noche y nieblas*.

BIBLIOGRAFÍA

ARCE, J., *Tasso y la poesía española. Repercusión literaria y confrontación lingüística*, Barcelona, Planeta, 1973.
BROWN, R. M., *The Art of Suicide*, London, Reaktion Books, 2002.
CALDERÓN DE CUERVO, E. M., «El imaginario bíblico en la cosmovisión barroca de *La Cristiada*», *Les cahiers du GRIMH, 2. Images et divinités*, 1, 2001, pp. 143-158.
CHEVALIER, M., «La épica culta», *Lectura y lectores en la España del siglo XVI y XVII*, Madrid, Turner, 1976, pp. 104-137.

---

[45] Cayo Casio Longino se habría suicidado de forma indirecta, al pedirle a Píndaro, su liberto, que lo matara. Pero en Dante pesa más la condición de *traidores de sus benefactores* que la de suicidas, pues estos aparecen en el segundo recinto del séptimo infierno (XIII), convertidos en árboles secos y nudosos, mientras que a Judas, Bruto y Casio los sitúa en la última zona del Cocito.
[46] Corcoran, 1935, p. lxviii.

CRISTÓBAL, V., «Virgilianismo y tradición clásica en la *Cristiada* de Fray Diego de Hojeda», en *Cuadernos de Filología Clásica. Estudios Latinos*, 25, 1, 2005, pp. 49-78.

CUERVO, J., *El maestro Fray Diego de Hojeda y «La Cristiada»*, discurso leído en la Universidad de Madrid, Madrid, 1898.

DANTE ALIGHIERI, *La divina comedia*, ed. bilingüe de Á. Crespo, Barcelona, Seix Barral, 2004.

DAUZAT, P.-E., *Le suicide du Christ: une théologie*, Paris, Presses Universitaires de France, 1998.

DINZELBACHER, P., *Judastraditionen*, Wien, Raabser Märchen-Reihe, 1977.

El evangelio de Judas, ed. F. García Bazán, Madrid, Trotta, 2006.

ERCILLA, A. de, *La Araucana*, ed. I. Lerner, Madrid, Cátedra, 1993.

GUIANCE, A., *Los discursos sobre la muerte en la Castilla medieval (siglos VII-XV)*, Valladolid, Junta de Castilla-León, 1998.

HOJEDA, D. de, *La Christiada*, Sevilla, En Casa de Diego Pérez, 1611.

— *La Cristiada, Poema épico-sacro del padre Fray Diego de Hojeda, Dominico de Lima, compendiado por Don Juan Manuel de Berriozábal, peruano, en los Árcades Cintio Elimeo*, Paris, Moessard, 1837.

— *La nueva Cristiada de Hojeda: poema épico-sacro sobre la Pasion del Redentor* [revisión de Berriozábal de la ed. por él compendiada: Paris, Moessard, 1837], Madrid, Imprenta de Eusebio Aguado, 1841.

— *La Cristiada* [ed. C. Rosell para la *Biblioteca de Autores Españoles. Poemas épicos*, vol. XVII, t. I.], Madrid, Rivadeneyra, 1851, pp. 401-501.

— *La Cristiada* [ed. M. Ribé para la *Biblioteca de antiguos y modernos escritores católicos*], Barcelona, La Maravilla, 1867.

— *La Cristiada: Vida de Jesús Nuestro Señor* [ed. monumental], Barcelona, L. González y Compañía, 1896.

— *La Cristiada* [ed. M. H. P. Corcoran], Washington, D.C., The Catholic University of America, 1935.

— *La Cristiada* [ed. R. Aguayo Spencer], Lima, Editorial P.T.C.M., 1947.

— *La Cristiada* [ed. F. Pierce], Madrid, Anaya, 1971.

— *La Cristiada: vida de Jesús, N. S.* [reproducción de la ed. monumental, Barcelona, L. González y Compañía, 1896], Madrid, EDIBESA, 1995.

JUAN DE ÁVILA, *Libro espiritual que trata de los malos lenguajes del mundo, carne y demonio y de los remedios contra ellos, de la fe y del proprio conocimiento, de la penitencia, de la oracion, meditacion y passion de nuestro señor Iesu Christo y del amor de los proximos*, Alcalá, En casa de Antón Sánchez de Leyua, 1577.

KAPPLER, C.-C., *Monstres, démons et merveilles à la fin du Moyen Âge* [3ª ed. corregida y aumentada], Paris, Éditions Payot, 1999.

LARA GARRIDO, J., *Los mejores plectros: teoría y práctica de la épica culta en el Siglo de Oro*, Málaga, Universidad de Málaga, 1999.

LEÓN, M. de, «Diego de Hojeda: *La Cristiada*», en L. A. Sánchez, *Historia de la literatura peruana, I: Los poetas de la colonia*, Lima, Euphorion, 1921.

MELÉNDEZ, J., *Tesoros verdaderos de Indias en la Historia de la gran Provincia de San Ivan Bavtista del Perv*, t. II, Roma, Imprenta de Nicolas Angel Tinassio, 1681.

MENÉNDEZ PELAYO, M., *Historia de la poesía hispanoamericana*, t. II, Madrid, Editora Nacional, 1948.

MERINO, F., *Poesía épica de la Edad de Oro: Ercilla, Balbuena, Hojeda*, Zaragoza, Ebro, 1955.

MESANZA Y OZETA, A., *El Padre D. de Hojeda y «La Cristiada» [Apuntes para un ensayo literario publicado en el diario de Caracas «La Religión»]*, Caracas, 1925.

MEYER, M. E., *The Sources of Hojeda's «La Cristiada»*, Ann Arbor, University of Michigan, 1953.

MILÁ Y FONTANALS, M., «Prólogo», en D. de Hojeda, *La Cristiada*, Barcelona, La Maravilla, 1867.

MINOIS, G., *Histoire du suicide. La societé occidentale face à la mort volontaire*, Paris, Fayard, 1995.

— *Histoire de l'enfer*, Paris, Presses Universitaires de France, 1999.

— *Le diable*, Paris, Presses Universitaires de France, 2000.

MIQUEL Y BADÍA, F., «Prólogo. Algunas palabras al que leyere la Cristiada», en D. de Hojeda, *La Cristiada: Vida de Jesús Nuestro Señor* [ed. monumental], Barcelona, L. González y Compañía, 1896, pp. VII-XIV.

MURRAY, A., *Suicide in the Middle Ages*, Oxford, Oxford University Press, 1998-2000, 2 vols.

OCHOA, E. de, *Tesoro de los poemas españoles épicos, sagrados y burlescos*, Paris, Baudry, 1840.

PAULIN, B., *Du couteau à la plume. Le suicide dans la littérature anglaise de la Renaissance (1580-1625)*, Lyon, L'Hermès, 1977.

PIERCE, F., «*La Christiada* of Diego de Hojeda: A Poem of the literary Baroque», *Bulletin of Spanish Studies*, 17, 1940, pp. 1-16.

— «The Poetic Hell in Hojeda's *La Christiada*: Imitation and Originality», en *Estudios dedicados a Menéndez Pidal*, IV, Madrid, CSIC, 1953, pp. 469-508.

— *La poesía épica del Siglo de Oro*, Madrid, Gredos, 1968.

— «Diego de Hojeda: Religious Poet», en A. Kossoff, A. David y A. Vázquez (eds.), *Homenaje al Profesor William L. Fichter: estudios sobre el teatro antiguo hispánico y otros ensayos*, Madrid, Castalia, 1971, pp. 585-599.

— «Diego de Hojeda», en L. Íñigo Madrigal (comp.), *Historia de la literatura hispanoamericana. Época colonial*, Madrid, Cátedra, 1982, pp. 225-234.

PIÑERO RAMÍREZ, P., «La épica hispanoamericana colonial», en L. Íñigo Madrigal (comp.), *Historia de la literatura hispanoamericana. Época colonial*, Madrid, Cátedra, 1982, pp. 161-188.

PRIETO, A., «Origen y transformación de la épica culta en castellano», en

Coherencia y relevancia textual. De Berceo a Baroja, Madrid, Alhambra, 1980, pp. 117-178.

QUINTANA, M. J., *Poesías selectas castellanas: segunda parte. Musa épica ó Colección de los trozos mejores de nuestros poemas heroicos*, Madrid, Imprenta de M. de Burgos, 1833.

QUIRÓS, F. P., «Nuevos datos biográficos del gran poeta teólogo Fr. Diego de Hojeda», *Ciencia Tomista*, 4, 1911-1912, p. 388.

RADA Y GAMIO, P. J., *La Cristiada: discurso leído en el Ateneo de Madrid*, Madrid, 1917.

REINA Y CASTRILLÓN, F., *El alma española a través de La Cristiada: colección de artículos que estudian la obra de Hojeda*, Santander, Editorial Cantabria, 1951.

ROSELL, C., «Advertencia», en *Poemas épicos,* vol. XVII, t. I, Madrid, Rivadeneyra, 1851, Biblioteca de Autores Españoles, pp. I-VII.

SÁNCHEZ, L. A., «Fr. Diego de (H)ojeda», en *Escritores representativos de América. Primera serie*, Madrid, Gredos, 1971, pp. 61-66.

— *Panorama de la Literatura del Perú*, Lima, Milla Batres, 1974.

SOLA, S., *El diablo y lo diabólico en las letras americanas (1550-1750)*, Bilbao, Universidad de Deusto, 1973.

ZLATAR, Z., *The Epic Circle. Allegoresis and the Western Epic Tradition From Homer to Tasso*, Lewiston/Queenston/Lampeter, The Edwin Mellen Press, 1997.

EL NUEVO MUNDO EN LOS *ANALES* DE LA CIUDAD DE SEVILLA DE ORTIZ DE ZÚÑIGA

Consuelo Varela
EEHA, CSIC

Sin lugar a dudas fue Diego Ortiz de Zúñiga el gran historiador de la ciudad de Sevilla del siglo XVII. Por ello, y dadas las vinculaciones de Sevilla con el Nuevo Mundo, propuse este tema en el convencimiento de que América y lo americano estaría muy presente en la obra de Zúñiga.

Mi primera sorpresa fue la falta de bibliografía sobre nuestro autor. Solo conozco una pequeña monografía de Manuel Chaves, de apenas 97 páginas, publicada en 1903. Nada más. Las ediciones que se han efectuado de su obra son facsimilares y su nombre solo aparece citado, como de pasada, en las grandes obras de referencia. Así, por ejemplo, Menéndez Pelayo lo menciona muy a menudo, dedicándole grandes alabanzas que no van más allá de dos o tres líneas en cada ocasión. Solo he encontrado una referencia más amplia en un artículo que Antonio Domínguez Ortiz dedicó a la historiografía sevillana del Siglo de Oro, un «raro» publicado en unas Actas de un Congreso celebrado en una Universidad americana, y en un opúsculo de Hazañas y la Rúa.

BREVE NOTICIA BIOGRÁFICA

Don Diego Ortiz de Zúñiga nació en Sevilla en 1633. Era hijo de Luisa del Alcázar y de Juan Ortiz de Zúñiga, miembros de dos conocidas familias de la oligarquía hispalense. Su tatarabuelo, Melchor Maldonado, veinticuatro de Sevilla, había sido uno de los acompañantes de Colón en su segundo viaje al Nuevo Mundo y su abuelo, también llamado Melchor Maldonado, llegó ser tesorero y factor de la Casa de la Contratación.

En su época brillaba su tío, José Maldonado Dávila y Saavedra, un curioso personaje que dividía su dedicación entre el estudio de las antigüedades y las matemáticas[1], aunque se duda si su pariente favorito era otro de sus tíos, perteneciente a la otra rama de su familia, Alonso Ortiz de Zúñiga Ponce de León y Sandoval, segundo marqués de Valencina, señor de la Alquería y señor de los mayorazgos de Ortiz de Zúñiga, Ortiz de Sandoval, Ponce de León, Torres y Santillán a quien nuestro autor dedicó su *Discurso genealógico de los Ortices de Sevilla*.

En 1640, con apenas siete años y a petición de su padre, el niño fue investido con el hábito de Santiago. Ya con veinticuatro años don Diego fue nombrado veinticuatro de Sevilla, cargo que ocupó hasta su fallecimiento. En esa misma fecha, 1657, siendo ya señor de Espartinas, casó con doña Ana María Antonia Caballero de Cabrera, hija del regidor Diego Caballero, también relacionada con el Nuevo Mundo, pues era hija y nieta de conocidos conversos con negocios en las Antillas[2]. En 1665 ingresó en la Hermandad de la Caridad. Fue familiar de la Inquisición, siendo Alcalde de la Hermandad por el estado noble, y también fue cofrade de la Hermandad de la Hiniesta[3]. Su último puesto en la administración fue el de veedor de artillería y de las armas y flotas de Indias, cargo que le fue concedido por el rey el 10 de noviembre de 1671[4].

---

[1] En 1673 publicó su *Discurso geográfico de la antigua villa de Peñaflor* y dejó inéditos: *Tratado verdadero del motín que hubo en Sevilla en el año 1652*, un *Catálogo de los arzobispos de Sevilla*, y un *Discurso histórico de la Capilla Real de Sevilla con fama de ser la que el rey moro entregó a San Fernando con la ciudad y sus interpretaciones*.

[2] Las capitulaciones matrimoniales se firmaron en Sevilla el 2 agosto de 1657 ante el escribano Tomás Carrasco de Orellana. Llevó la novia de dote 29.810 ducados de vellón en posesiones, joyas, alhajas, dinero y un rebaño de 500 vacas, más unas casas en la colación de San Bartolomé, una cruz de Caravaca de diamantes, tres sortijas de diamantes, una tapicería de paños de corte fina de la historia de Sansón con ocho paños, una cama de tela de primavera, ropa blanca, vestidos y otras cosas. 2.050 reales de renta anuales, más 200 ducados de renta. Diego le dio 2.000 ducados de plata en arras, que eran la décima parte de sus bienes.

[3] Chaves, 1902, p. 18.

[4] Chaves, 1902, p. 84.

La vida de nuestro autor transcurrió siempre en Sevilla, salvo un corto viaje a Madrid por motivos familiares, residiendo en su casa de la calle San Pedro de Alcántara en la colación de San Martín. Falleció en 1680 con cuarenta y siete años. Según dejó ordenado en su extenso testamento[5], fue enterrado con el hábito de Santiago, y a petición propia, de la misma forma que había recibido sepultura el año anterior de 1679 don Miguel de Mañara. Fue sepultado en la iglesia de San Martín al pie del altar de la Virgen de la Esperanza.

OBRAS

Su puesto en la administración sevillana y su matrimonio le dejó tiempo para escribir con apenas veinticuatro años su primera obra, *La Aurora,* una novela pastoril cuyo original se conserva en la Biblioteca Colombina de Sevilla[6], a la que siguió otra, cuyo nombre desconozco, que no llegó a publicar. Su interés por la *Sevilla antigua* le llevó a comenzar una obra sobre las grandes familias a la que pensó dar el título de *Teatro genealógico,* que no llegó a terminar. Y solo pudo dar a la prensa el *Discurso genealógico de los Ortices de Sevilla,* publicado en Cádiz en 1670, que mencioné antes, y tres años después, en 1673, la obra *Posteridad ilustre y generosamente dilatada de Juan de Céspedes, Trece y Comendador de Monasterio en el orden de Santiago, en las ciudades de Sevilla, donde se conservan sus baronías, y de Badajoz, en que permanece su primera línea, y otras a que se ha dilatado su sangre,* dedicada a su tercer nieto. Sus compatriotas lo animaron a seguir y a terminar su *Teatro,* pero por razones que desconozco abandonó la empresa.

A partir de esa fecha, con objeto de escribir «la gran historia» de Sevilla, dedicó Zúñiga sus días a recoger datos y a consultar documentos y papeles viejos tanto en el Archivo de la ciudad como en el catedralicio y en casas particulares, casas y archivos que cita en su obra para dejar constancia de sus fuentes[7]. Pretendió hacer una historia do-

---

[5] Otorgó su testamento en 1680 ante el notario Juan Núñez Naranjo, libro I, f. 642.

[6] Hazañas, 1899, pp. 801-804.

[7] Vio las bibliotecas de los duques de Alcalá, del marqués de Peñaflor, del marqués de Agrópoli y la de su amigo don Fernando de la Sal; consultó los archivos de la casa de Arcos y del marqués de Valencina; revolvió los documentos

cumentada con datos nuevos y con mayores elementos de crítica que los contenidos en las escritas anteriormente, con intención de superar a Rodrigo Caro, el historiador de la ciudad del siglo XVI, que según nos declara el analista en el Prólogo, se ocupó más que de otra cosa de las antigüedades sevillanas:

> Tuve una *Sevilla antigua*, no ajena a codearse con la que formó Rodrigo Caro, y con más extensión, cuanto era más lato que el suyo mi asunto, que había de comprender lo secular y lo eclesiástico; pero después, con diverso acuerdo y larga deliberación, resolví suspender todo lo tocante a las cuatro edades primeras.

Así pues, Zúñiga limitó su plan al tiempo comprendido entre la conquista de Sevilla por Fernando III y su canonización, celebrada en la ciudad con gran pompa e innumerables festejos.

La magnitud de la obra hizo imposible su propósito y solo pudo dar a la imprenta los *Anales eclesiásticos y seculares de la muy noble y muy leal ciudad de Sevilla, metrópoli de la Andalucía, que contienen sus más principales memorias desde al año de 1246, en que emprendió conquistarla del poder de los moros el gloriosísimo rey San Fernando III de Castilla y León, hasta el de 1671 que la Católica Iglesia le concedió el culto y título de bienaventurado*, que vieron la luz en Madrid en 1677. Es su obra más conocida, que en 1795 ilustró y corrigió Antonio María Espinosa y Cárcel, publicándola en cinco volúmenes con apéndices y correcciones al texto. En 1892 los *Anales* fueron de nuevo editados en el folletín del periódico sevillano *El comercio de Andalucía*, haciéndose tirada aparte para su venta[8]. En 1874, la Real Academia Española incluyó al escritor en el *Catálogo de autoridades* de la lengua española[9].

Como indica su largo y farragoso título, Ortiz de Zúñiga fue recogiendo año tras año los sucesos de Sevilla que consideró más significativos. Hay que destacar que solo quiso escribir una historia local de su

del Archivo Municipal, en el que comenzó a trabajar en 1674, y no dejó de revisar cuantos protocolos y archivos conventuales había en Sevilla.

[8] Con el mismo texto que el de Espinosa y Cárcel y tan solo en el tomo primero se suprimió la «Disertación sobre si se puede sostener la tradición de que Santa Justa y Rufina defendieron la torre de la Santa Iglesia de Sevilla para que no cayese en el gran terremoto de 5 de abril de 1504».

[9] *Catálogo*, p. 66.

ciudad; y por ello, como ya señaló Domínguez Ortiz, el enlace entre esa historia local y la nacional lo resolvió como una historia propia, sin tomar de las nacionales más que lo indispensable. Una pequeña cita aquí y otra allá, siempre breves: la historia de España no le incumbía en absoluto. Eso sí, para mayor gloria de su ciudad construyó su discurso tendiendo un puente hacia el pasado, haciendo a la España de los Austrias heredera de la España romana y convirtiendo a todos los Césares hispanos (Trajano, Adriano, Teodosio) en sevillanos. Por ello, nuestro autor no tuvo empacho en reducir los siglos de presencia arábiga a un paréntesis nefasto que trató de eludir suprimiéndolo totalmente, si bien deteniéndose con algún que otro ejemplo al recordar la presencia de cristianos, los mozárabes, que mantuvieron la verdadera fe y el culto a las imágenes ocultas. Así pues, sus *Anales* comienzan con la reconquista de la ciudad, sepultando en el olvido toda la época musulmana.

El Nuevo Mundo en los *Anales*

Más vayamos ya al tema que nos ocupa. En primer lugar, huelga decir que el nombre de América no aparece nunca en nuestro texto por razones obvias: en España el término no se popularizó hasta bien entrado el siglo xviii. Zúñiga siempre trata del Nuevo Mundo en general y solo cuando lo encuentra imprescindible menciona a los Virreinatos de Nueva España y del Perú.

Cristóbal Colón y el Descubrimiento

El Descubrimiento del Nuevo Mundo se anuncia al narrar las noticias del año 1489, que comienza señalando que, en el día 12 de mayo de ese año, los reyes escribieron una carta al cabildo de Sevilla ordenando a la ciudad que diera posada y ayuda de costa a Colón, que pasaba a su corte «a conferencias de cosas importantes a su real servicio». Esta carta mensajera la pudo ver Zúñiga en el archivo municipal. Nuestro autor, que sitúa al descubridor viviendo en Sevilla, señala que fueron Alonso de Quintanilla y Luis de Santángel quienes intervinieron para que los reyes le llamaran a parlamentar, aunque la conferencia no se pudo celebrar «por la interposición de la campaña» de Granada, en la que también se halló Colón[10].

Por lo demás, las noticias que Zúñiga introduce sobre el genovés, siguiendo a Oviedo, lo ponen en La Rábida desde 1485, donde también vivía su hijo Diego al cuidado de Fray Juan Pérez de Marchena, incurriendo al citar el nombre del fraile en un error que proviene de G. Fernández de Oviedo.

El 15 de mayo de 1492, unos días más tarde de la firma de las capitulaciones para descubrir, da cuenta el historiador de las cartas que los Católicos enviaron al conde de Cifuentes y al cabildo hispalense para que permitiesen a don Cristóbal sacar los mantenimientos necesarios para los navíos que tenía orden de aprestar, con los cuales a 3 de agosto se hizo a la vela del río de Palos, «habiéndole esta ciudad asistido tan grata, que lo reconoció el resto de su vida»; y sigue diciendo Zúñiga que «en esta ocasión acordáronse los reyes de lo que importaba fomentar los privilegios de los navegantes». Unos días más tarde, el 15 de mayo de 1492, se confirmaron los privilegios de los cómitres de Sevilla y sus exenciones, «pidiéndolo el mismo Cristóbal Colón, por lo que pensaba valerse de ellos»[11]. Es ésta una noticia sorprendente que no encontramos en ninguna otra fuente. Ahora, gracias a la nueva edición de los Pleitos Colombinos que preparan la Fundación Mapfre Tavera y la Escuela de Estudios Hispano Americanos, sabemos que, en el pleito por los derechos del almojarifazgo, la familia Colón pidió que se les aplicaran los mismos derechos, exenciones y privilegios que desde antiguo tenían los cómitres sevillanos. Es una reclamación que ha pasado desapercibida a la mayor parte de los historiadores del Descubrimiento, pero que sí conocía Zúñiga. No creo que el sevillano llegara a ver los procesos del pleito, pero sí demuestra esta mención que nuestro autor había oído hablar de ello, quizá por lo escandaloso del asunto.

De pasada se recuerda la llegada de Colón en abril de 1493, que esperó en Sevilla, «dando admiración con las noticias del Nuevo Mundo que había hallado», hasta que los reyes le llamaron a Barcelona[12]. Nada se habla del resto de sus navegaciones ni de los llamados viajes meno-

---

[10] Ortiz de Zúñiga/Espinosa y Cárcel, *Anales*, vol. 3, pp. 144, 145 y 163.
[11] Ortiz de Zúñiga/Espinosa y Cárcel, *Anales*, vol. 3, pp. 163-164.
[12] Ortiz de Zúñiga/Espinosa y Cárcel, *Anales*, vol. 3, pp. 166-167.

res o andaluces que partieron de nuestra ciudad, y tan solo se menciona a los sevillanos que formaron parte de las primeras flotas; por supuesto, la mayoría de los pasajeros eran caballeros principales de Sevilla que, «ejercitados ya en la guerra de Granada, no cabían en el sosiego de sus casas». Entre estos experimentados personajes se hallaban, según Zúñiga, fray Bartolomé de las Casas, hijo de Francisco de las Casas, principal caballero de la ciudad[13] y Juan Aguado, a quienes los reyes enviaron como juez pesquisidor «a la averiguación de algunos capítulos, que envidiosos émulos ponían al almirante don Cristóbal Colón y a sus hermanos: comisión de cuyos moderados órdenes excediendo Juan Aguado, obligó al almirante a venir a Castilla a defenderse de sus calumnias»[14]. La misma versión que da Oviedo en su *Historia*.

Las tensas relaciones de Colón con don Juan Rodríguez de Fonseca se ponen de manifiesto desde el regreso del Almirante en 1496. Y Zúñiga no lo oculta: «Colón se detuvo mucho en Sevilla porque don Juan Rodríguez de Fonseca le había apartado de la superintendencia de la preparación del próximo viaje, dándosela a Antonio de Torres»[15].

La figura del Descubridor no vuelve a ser mencionada hasta finales de 1504 cuando Colón regresa a Sevilla tras su último viaje al Nuevo Mundo. «El almirante famoso, agravado de vejez y enfermedades y más de sentimiento de ver ajada su gloria... estuvo poco en la ciudad y se fue rápido a la corte ... en que tenía por valedor a nuestro arzobispo fray Diego de Deza... que lo favoreció mucho»[16]. Al año siguiente nos dice Zúñiga que, «puesto en gran tribulación, acrecentándosele cada día más el mal, entre desengaños de pago del mundo, ingrato siempre, lo halló la muerte». Sabe el analista que Colón murió el 20 de mayo en Valladolid y asegura que sus huesos fueron traídos a la Cartuja de Sevilla, «siendo enterrados en el depósito de los señores de la casa de Alcalá». Narra el traslado posterior a la Catedral de Santo Domingo y, al igual que Francisco López de Gómara, nos da la divisa que adornaba su tumba: *A Castilla y a León Nuevo Mundo dio Colón*[17].

[13] No fue fray Bartolomé, sino su padre quien acompañó a Colón en su segundo viaje al Nuevo Mundo.
[14] Ortiz de Zúñiga/Espinosa y Cárcel, *Anales*, vol. 3, p. 169.
[15] Ortiz de Zúñiga/Espinosa y Cárcel, *Anales*, vol. 3, p. 171.
[16] Ortiz de Zúñiga/Espinosa y Cárcel, *Anales*, vol. 3, p. 202.
[17] Ortiz de Zúñiga/Espinosa y Cárcel, *Anales*, vol. 3, p. 205.

Diego y Fernando Colón

El tratamiento que merecen los dos hijos del Almirante es muy diferente. A Diego, el primogénito, lo despacha Zúñiga en dos palabras. Dice así: «En este año [1520] fue la famosa entrada de Fernando Cortés en México, y en él también el almirante don Diego Colón, que había venido siniestramente capitulado a la corte, libre de sus calumnias volvió a las Indias y se embarcó en Sevilla por el mes de septiembre»[18]. Se aprovecha, pues, la entrada de Hernán Cortés en México en 1520, que se cuenta de pasada, para señalar lo que a Zúñiga le importa: que don Diego Colón había regresado a Santo Domingo acompañado de muchos sevillanos, entre ellos, de fray Bartolomé de las Casas.

El 11 de julio de 1539 murió en Sevilla Hernando Colón. Zúñiga nos ha dejado un retrato edulcorado del cordobés, hijo de doncella noble, y da cuenta de sus viajes: al Nuevo Mundo con su padre y hermano, como acompañante del Emperador a Italia, Flandes y Alemania y aun se inventa otros viajes a Asia y África, continentes que don Hernando no visitó[19]. Lo que le interesa es reseñar que estos periplos le enriquecieron de noticias y de libros, «de que juntó número de más de veinte mil selectísimos en esta ciudad, adonde asentó los útimos años de su vida y en ella, con licencia del Emperador, deseó establecer una academia y colegio de las ciencias matemáticas, importantísimas a la navegación, para que eligió sitio en que comenzó a fabricar, preeminente al río, donde ahora está el Colegio de San Laureano, de nuestra Señora de la Merced; pero sus intentos atajó la muerte sin haberse casado y escogiendo sepultura en la Santa Iglesia, a que dejó su insigne librería. Yace en medio del trascoro, donde tiene en su lápida estos letreros...», texto que transcribió fielmente.

La importancia de su biblioteca y su posterior traslado a la Catedral se cuenta con detenimiento, añadiéndose un detalle triste, pues ya en su época, observa Zúñiga, la biblioteca estaba poco frecuentada: «difícil de gozar y fácil de consumir». Parece como si el analista anuncia-

---

[18] Ortiz de Zúñiga/Espinosa y Cárcel, *Anales,* vol. 3, p. 220. Se le vuelve a mencionar diciendo que pasó varias veces a las Indias en vol. 3, p. 375 y en la p. 205 se menciona que fue el sucesor de su padre. Nada más.

[19] Ortiz de Zúñiga/Espinosa y Cárcel, *Anales*, vol. 3, p. 375.

se el fatal derrumbe de la Colombina que ocurrió hace unos años. Para colmo, ya en 1671 se habían perdido muchos libros.

La librería, famosa en número y calidad, puso el cabildo de la Santa Iglesia en una pieza que antes había servido de Capilla Real, sobre las capillas de la nave del Lagarto, adornándola con estantes de caoba de linda traza, y en sus paredes y bóvedas de pinturas al fresco al propósito, en que permanece despojada del tiempo, más olvidada y menos frecuentada que la quiso su dueño, difícil de gozar y fácil de consumirse. Y de los cuatro libros originales, cuyos títulos están borrados en la losa de don Fernando, sólo he hallado yo en ella algunos fragmentos que muestran contenían variedad de materias históricas, morales y geográficas de las tierras que peregrinó, y de las Indias, descubrimientos y conquistas de su padre; solo le restan sin alteración memorias y aniversario que le canta la Santa Iglesia.

Hernán Cortés

La conquista de México por Cortés se despacha, como vimos, en dos líneas. El extremeño sí en cambio es mencionado en el año de su muerte, ocurrida en 1547. Refiere Zúñiga que falleció el 2 de diciembre en Castilleja de la Cuesta, «a media legua de esta ciudad, estando hospedado en casa de Alonso Rodríguez, jurado de Sevilla... Su cuerpo se depositó en San Isidoro del Campo en el entierro de los duques de Medina Sidonia y llevado después al convento de San Francisco de México, donde yace»[20]. Una vez más, lo que de verdad le interesa al historiador sevillano son las conexiones familiares del conquistador: « [tuvo Cortés] con doña Juana de Zúñiga y Arellano, su mujer, hija del segundo conde de Aguilar, al sucesor y, con otras hijas, a doña Juana Cortés, que casó en esta ciudad con don Fernando Henríquez de Ribera, que vino a ser segundo duque de Alcalá». Como no parece que la historia de Cortés merezca más comentarios, termina su mención al extremeño con una frase lapidaria: «Los elogios de tanto héroe no caben en lo sucinto de estas memorias».

Sin embargo, sí le interesó al analista recordar un chisme, sin duda para adornar con una anécdota la entrada del cardenal fray García de Loaisa en Sevilla en 1541. Cuenta Zúñiga que ese mismo año Carlos

---

[20] Ortiz de Zúñiga/Espinosa y Cárcel, *Anales*, vol. 3, p. 396.

V intentó de nuevo tomar Argel organizando una gran expedición naval que fracasó no por falta de pericia sino por la inclemencia de los elementos, «mostrando el cielo su rigor en borrascas y temporales, que la imposibilitaron». Sabía Zúñiga que en esa campaña había participado Cortés y que en la contienda el extremeño perdió «tres esmeraldas riquísimas que se apreciaban en cien mil ducados». Mas los disgustos del conquistador se agravaron al no consentir el Emperador que tomara el mando para continuar la contienda[21].

SEVILLANOS EN EL NUEVO MUNDO

De todos los sevillanos que fueron al Nuevo Mundo solo dos merecieron la atención del analista: Melchor Maldonado y fray Bartolomé de las Casas.

Muy orgulloso de su pariente, nos cuenta Zúñiga que Maldonado, que había acudido a Roma a llevar cautivos redimidos, recibió una bula de Inocencio VIII en la que se concedía jubileo a los que acudiesen con limosna a la iglesia de San Juan de la Palma: «Por esto, deseando que la capilla del altar mayor de la iglesia parroquial de San Juan de la Palma, que según hemos entendido fue fundada y edificada por los progenitores de nuestro amado hijo el noble varón Melchor Maldonado, caballero sevillano... su fecha a 3 de mayo de 1488». Y a continuación copió literalmente la inscripción de la lápida de su sepultura: «Aquí yace el ilustre caballero Melchor Maldonado, embajador de Roma por los Reyes Católicos, es el enterramiento y capilla suya y de sus sucesores y antepasados. Falleció tres de septiembre de 1504»[22]. El entarimado del suelo actual nos impide comprobar la lectura de Zúñiga.

Otras fuentes nos indican que Maldonado había acompañado a Colón en su segundo viaje al Nuevo Mundo. Enviado por los Reyes Católicos contra su voluntad, don Melchor regresó tan pronto como pudo de las Indias. Pasó en la Española los peores años de su vida y quizá por ello su descendiente corrió un tupido velo sobre aquella penosa estancia.

---

[21] Ortiz de Zúñiga/Espinosa y Cárcel, *Anales*, vol. 3, p. 384.
[22] Ortiz de Zúñiga/Espinosa y Cárcel, *Anales*, vol. 3, p. 258.

A Zúñiga no le caía bien fray Bartolomé de las Casas, y así lo demuestra en todos los pasajes en los que le menciona. Al narrar su primera misa en Santo Domingo en 1510 añade que

> fue celoso predicador de la fe, y más celoso reprehendor de los desafueros y exorbitantes rigores de los españoles, en cuya contra y de los que gobernaban y patrocinio de los indios había escrito verdades muchas, mas tan vestidas de la acrimonia de su natural que en parte perdían por falta de desnudas de pasión que le atribuían, con que se había hecho sumamente odioso a todos; y obligado a venir a la corte en 1517, donde poco grato al obispo de Burgos, no tuvo buena acogida a los principios, si bien al fin su celo y desinterés en que no le podían poner tacha, negoció mucho en cuanto solicitaba, y con este autorizado modo de volver acrecentó su reputación[23].

No parece que ocurriera nada extraordinario en la Sevilla de 1550, y por ello Zúñiga se limita a narrar el gran revuelo que supuso en la Corte las disputas de fray Bartolomé con Sepúlveda:

> En la Corte se tenían grandes consultas sobre las cosas de las Indias y tratamiento de los indios y pasaron aquellas célebres disputas entre el padre fray Bartolomé de las Casas y el doctor Sepúlveda que corren impresas; dimanaba de allí la controversia a todos los doctos y estadistas del reino, y en Sevilla era la principal parte, como donde había más testigos que informasen de la una y otra parte[24].

INDÍGENAS AMERICANOS

No cabe duda de que Sevilla era una ciudad cosmopolita en la que había una comunidad importante de indígenas americanos, unos indios que Zúñiga ignora. Tan solo aparecen indios en una ocasión. En 1526, el Emperador vino a Sevilla, que le recibió con grandes fiestas y que adornó con fastuosidad las calles por las que había de pasar el cortejo. No era para menos. Carlos V llegaba a Sevilla para celebrar su boda con la bellísima Isabel de Portugal. Zúñiga se detie-

---

[23] Ortiz de Zúñiga/Espinosa y Cárcel, *Anales*, vol. 3, p. 321.
[24] Ortiz de Zúñiga/Espinosa y Cárcel, *Anales*, vol. 3, p. 403.

ne en describir con mucho detalle la arquitectura efímera que entonces mandó hacer el cabildo sevillano. En un arco puesto en las gradas de la Catedral se había montado una escena en la que estaban representados los súbditos del monarca: «Un romano vestido a la romana antigua, y un alemán y un morisco y un indio, cada uno con su insignia. El romano con la corona imperial, el alemán con otra corona real, el morisco con un vaso con una sobre-ropa, el indio vestido de pluma con un plato y fuente de perlas llena». Más adelante, en otro arco, estaba simbolizada una compañía de mujeres, entre las que figuraba una india, de las que no se mencionan los atributos que las adornaban[25].

No sé si quienes diseñaron los motivos de este arco eligieron este lugar adrede o si cayó allí por casualidad; lo cierto es que otras fuentes nos indican que era precisamente en las gradas de la Catedral donde acostumbraban a tener sus reuniones y a cantar sus «areítos» los indígenas americanos que vivían en Sevilla.

LA CASA DE LA CONTRATACIÓN

La fundación de la Casa de la Contratación en 1503, necesaria por «el aumento grande de las cosas de las Indias», se narra por menudo. Zúñiga cita la cédula, dada el 14 de febrero en Alcalá de Henares, para que los primeros oficiales residiesen en las atarazanas, «aunque por otra del 5 de junio los reyes señalaron el Alcázar Viejo, que llamaban cuarto de los almirantes», en donde aún permanecía en 1647, cuando redactó esas líneas, aunque, según nos advierte, sus funciones ya estaban muy mermadas. El historiador se detiene en darnos los nombres y las funciones de los primeros cargos que ocuparon la Casa y señala sus fuentes de información: la *Historia de las Indias* de Antonio de Herrera y el *Norte de la Contratación de las Indias* de José de Veitia Linaje[26]. De la misma manera, en otra ocasión, dio la nomina de los Consejeros de Indias[27].

---

[25] Ortiz de Zúñiga/Espinosa y Cárcel, *Anales*, vol. 3, p. 352.
[26] Ortiz de Zúñiga/Espinosa y Cárcel, *Anales*, vol. 3, pp. 190-191.
[27] Ortiz de Zúñiga/Espinosa y Cárcel, *Anales*, vol. 3, pp. 335, 403, 420, 422.

SUCESOS CURIOSOS

El Nuevo Mundo tuvo que proporcionar multitud de anécdotas a los sevillanos, desde la llegada de productos exóticos al regreso de nuevos ricos o de empobrecidos viajeros que habían empeñado sus recursos en empresas que no cuajaron. Las noticias de naufragios, de hechos extraordinarios o de chismes hubieron de correr de boca en boca. Zúñiga no se detiene en ellos y tan solo nos narra dos escenas. La primera es un suceso ocurrido en diciembre de 1553. Refiere Zúñiga un escándalo acaecido a un mercader, cuyo nombre no cita, que habiendo estafado a muchos sevillanos intentó huir al Nuevo Mundo; pero, ay, la justicia logró prenderlo en Sanlúcar de Barrameda, desde donde lo trajo a Sevilla para ahorcarlo[28].

La llegada en 1614 de una embajada japonesa a Sevilla debió de ser impresionante y mereció el interés de nuestro autor. Como se recordará, la misión diplomática que había partido de Japón dos años antes había realizado un largo periplo: de Japón a Acapulco, de Acapulco a Veracruz y de allí a Sevilla donde, antes de partir para Roma, permaneció unos meses en la ciudad hispalense. Con todo detalle anotó el analista la llegada de Hasekura y del padre sevillano Luis Sotelo. Comenta su alojamiento en el Alcázar y reproduce fielmente la traducción de la carta de Date Masamune que Hasekura traía para la ciudad, añadiendo que el original y una espada que la embajada ofreció de regalo se guardaban en el Cabildo municipal. Hoy ambas están en el Archivo del ayuntamiento.

Por supuesto, no olvidó Zúñiga referir la evangelización del franciscano en las Filipinas y en Japón, aunque por distracción o desconocimiento de las circunstancias no pudo narrar su martirio.

No reveló Zúñiga que el mártir estaba emparentado con su mujer, pues Sotelo, como bien se menciona en el texto, era hijo de Diego Caballero de Cabrera y de Catalina Niño Sotelo y, por tanto, nieto de Diego Caballero, mariscal de la Española, bisabuelo de su mujer[29].

---

[28] Ortiz de Zúñiga/Espinosa y Cárcel, *Anales*, vol. 3, p. 414.
[29] Ortiz de Zúñiga/Espinosa y Cárcel, *Anales*, vol. 4, pp. 234-242.

La Iglesia en el Nuevo Mundo

Como historiador de su ciudad, el analista se propone recoger cuantos más datos pueda de la misma; y así, las fundaciones de obispados en el Nuevo Mundo solo le interesan en tanto que se crean a imagen y semejanza de los de Sevilla:

> El aumento de las poblaciones de las Indias, islas y Tierra Firme, cuyas iglesias hasta ahora se habían ido haciendo como anexos o capillas de la catedral de Sevilla... necesitaba obispos. Julio II, decidió hacer tres obispados en Santo Domingo, la Concepción y Puerto Rico, sufragáneas a nuestra Metropolitana: a Santo Domingo fray Juan de Padilla, de la orden de San Francisco, a la Concepción don Pedro Suárez de Deza, sobrino de nuestro arzobispo y a Puerto Rico a don Alonso Manso... y diéronsele a todos los estatutos, los usos, rezos y ceremonias de nuestra Iglesia, que puede bien propiamente llamarse madre de todas las de las Indias occidentales, pues fueron sus hijas las que allá después se erigieron en Metropolitanas, hasta cuya creación duró este grado de superioridad de gran honor para esta santa sede[30].

Las riquezas del Nuevo Mundo

Al tratar de las riquezas del Nuevo Mundo, Zúñiga no reseña las mercancías que de allí se traían. Los documentos notariales de su época nos dan cuenta de los nuevos objetos que adornaban las casas de los sevillanos pudientes. La lectura de sus testamentos y contratos nos proporcionan buenos ejemplos de ello. Todo el que podía contaba entre sus enseres más preciados con camas, reposteros y porcelanas procedentes de la China, que llegaban a Sevilla desde México en el anual galeón de Manila, además de impresionantes piezas de orfebrería, en plata o en oro, que venían bien de la Nueva España o del Perú. Y ¿qué decir de las drogas y plantas desconocidas para los europeos que Nicolás Monardes cultivaba en su jardín de la calle de la Sierpe y que le hubieran dado juego para adornar sus *Anales*? Nada de ello aparece en su obra, y solo es nombrado el naturalista cuando transcribe la lista de sevillanos ilustres citados por Nicolás Antonio en su *Biblioteca*.

---

[30] Ortiz de Zúñiga/Espinosa y Cárcel, *Anales*, vol. 3, p. 284.

Así resulta que el «médico y herbolario insigne» se dio a conocer entre otras obras, que nuestro autor desconoce, «con la de las drogas de las Indias»; un libro muy apreciado pues había sido traducido al francés y al italiano[31].

Zúñiga no menciona objetos, pero sí censura con acritud las penalidades que ese tráfico causó a los sevillanos. Esa crítica está presente desde que, al narrar los sucesos del año 1497, la salida de Colón desde Sanlúcar de Barrameda le da pie para anotar que, junto a los sevillanos, muchos extranjeros se aprestaron a acudir al Nuevo Mundo debido «a la fama del oro que venía de las Indias». Es curioso que, para Zúñiga, muchos de esos extranjeros fuesen flamencos, «particularmente por los nuevos parentescos de sus príncipes con los nuestros».Y sigue diciendo que gracias al oro que venía de las Indias subían en Sevilla los precios y en todo el reino había alteración en las monedas. Mal asunto que trataban de controlar los monarcas dictando cédulas y prohibiendo llevar a las Indias géneros que no hubieran sido fabricados en España[32].

No andaba muy bien de memoria el analista. En 1497 apenas había llegado oro de las Indias; Colón solo pudo reunir un contingente de 333 hombres, cuando había prometido llevar muchos más, y pocos flamencos se habían embarcado hasta entonces con destino al Nuevo Mundo: ninguno en aquella tripulación, y en las dos anteriores apenas tenemos noticias de un par de frailes legos borgoñones, su concuñado Miguel Muliart y algún que otro espingardero o ballestero.

Las riquezas del Nuevo Mundo aparecen de nuevo mencionadas en 1515.Ya entonces, al decir de Zúñiga, la nobleza sevillana estaba «floridísima» gracias al comercio con las Indias que enriquecía sus rentas[33]. De nuevo nuestro autor anda a oscuras. Si bien para esa fecha ya comenzaban a llegar cantidades apreciables de oro, brasil y perlas, el comercio estaba controlado en manos de unos pocos que sí se beneficiaron; pero el dinero no llegó a espuertas, como da a entender, hasta pasadas unas décadas.Y ahí sí atina nuestro autor cuando sitúa en torno al año de 1564 la gran opulencia de la ciudad:

> Estaba Sevilla por estos años en el auge de su mayor opulencia, las Indias, cuyas riquezas conducían las repetidas flotas cada año, la llenaban de te-

---

[31] Ortiz de Zúñiga/Espinosa y Cárcel, *Anales,* vol. 4, p. 183.
[32] Ortiz de Zúñiga/Espinosa y Cárcel, *Anales*, vol. 3, p. 171.
[33] Ortiz de Zúñiga/Espinosa y Cárcel, *Anales*, vol. 3, p. 291.

soros que atraían el comercio de todas las naciones, y con él la abundancia de cuanto en el orbe todo es estimable por arte y por naturaleza: crecían a este paso las rentas, aumentándose el valor de las posesiones, en que los propios de la ciudad recibieron grandísima mejora...[34].

Pero estas riquezas que arribaban a nuestra ciudad, y aquí comienzan las críticas de Zúñiga, no quedaban en Sevilla. Los reyes vendían «piezas principales para cosas de su servicio» y gravaban los productos con altísimos tributos, lo que causó la ruina de muchos. Hasta tal punto se empeñaron los sevillanos que hubo que crear un nuevo puesto en la administración, un juez del Desempeño. Los sevillanos, que podían haber disfrutado de esas rentas para hacer «bellas fábricas», habían gastado su dinero festejando a los reyes en sus entradas, haciendo funerales grandiosos, enviando y costeando los ejércitos. Por su parte el cabildo, acuciado por los gastos, se había empobrecido «en servicio de sus reyes, con que es especie de más grandeza el menoscabo». Solo la Iglesia seguía manteniendo sus fiestas y con gran magnificencia se celebraba el día del Corpus[35].

En 1579, los tesoros del Nuevo Mundo llegaron a la Península en cantidades que Zúñiga no puede «reducir a guarismo»[36]. El analista parece encantado y se adivina una ciudad rica con los tesoros indianos; pero, y ahora viene el sollozo, las flotas arribaban cada vez menos a Sevilla, deteniéndose en Sanlúcar de Barrameda o en la bahía de Cádiz, «con tan gran aumento de esta ciudad como detrimento de la nuestra, de que ha alejado mucha parte del grueso comercio, pero ni esta parte con las de discursos de sus causas y sus remedios tocan a lo histórico». A Sevilla, concluye, «llega lo más y queda lo menos. Baste que escribo historia y no lamentación política»[37]. Menos mal que Zúñiga no llegó a conocer la decadencia que para Sevilla supuso el traslado de la Casa de la Contratación a Cádiz, que significó para la ciudad un declive importante.

---

[34] Ortiz de Zúñiga/Espinosa y Cárcel, *Anales,* vol. 4, p. 28.
[35] Ortiz de Zúñiga/Espinosa y Cárcel, *Anales,* vol. 4, p. 29.
[36] Ortiz de Zúñiga/Espinosa y Cárcel, *Anales,* vol. 4, pp. 109-110.
[37] Ortiz de Zúñiga/Espinosa y Cárcel, *Anales,* vol. 3, p. 121.

A MODO DE CONCLUSIÓN

Señaló Domínguez Ortiz que Zúñiga no trata en su *Anales* del comercio de Indias, «por creer que tales materias no se compaginaban con la majestad de la Historia»[38]. No sé si estoy totalmente de acuerdo. Como se ha podido ver a lo largo de estas líneas, no todo lo relacionado con el Nuevo Mundo resulta para Ortiz de Zúñiga un asunto marginal, ni lo excluye; no podía haberlo hecho al tratar la historia de una ciudad que presume de ser el puerto y puerta de las Indias y que de hecho lo fue durante 250 años. A Zúñiga lo que le interesa por encima de todo es Sevilla y sus sevillanos ilustres, y quizá por eso no menciona en ninguna ocasión a indígenas o mestizos entre su población. Pero, ¡vaya si le interesaban el comercio y las riquezas que de allí venían! Esto se observa con claridad en el tratamiento que da al tema. Sevilla se enriquece desde 1497 gracias a las rentas que de allí llegaron y se empobrece a partir de 1579 precisamente por esa abundancia de tesoros que, por diversos motivos, no quedan en la ciudad.

En la «crónica rosa» que hace Zúñiga de la ciudad hemos visto desfilar a los hombres ilustres de Sevilla que acudieron al Nuevo Mundo y, curiosamente, los pocos lamentos que se encuentran en ella los profiere el analista por la conexión económica de su ciudad con las Indias.

BIBLIOGRAFÍA

CHAVES, M., *Don Diego Ortiz de Zúñiga. Su vida y sus obras*, Sevilla, Imp. E. Rasco, 1902.
DOMÍNGUEZ ORTIZ, A., «La historiografía local andaluza», en *Actas del XI Congreso de la Asociación de Hispanistas*, coord. J. Villegas, Irvine, University of California, 1994, vol. 1, pp. 29-41.
HAZAÑAS Y LA RÚA, J. «Ortiz de Zúñiga novelista y poeta», en *Homenaje a Menéndez Pelayo*, Madrid, Victoriano Suárez, 1899, vol. I, pp. 801-804.
ORTIZ DE ZÚÑIGA, D., *Anales eclesiásticos y seculares de la muy noble y muy leal ciudad de Sevilla, metrópoli de la Andalucía, que contienen sus más principales memorias desde al año de 1246, en que emprendió conquistarla del poder de los moros el gloriosísimo rey San Fernando III de Castilla y León, hasta el de 1671*

[38] Domínguez Ortiz, 1992, p. 37.

en que la Católica Iglesia le concedió el culto y título de Bienaventurado, Madrid, Imprenta Real, Juan García Infanzón, 1677.

— *Discurso genealógico de los Ortices de Sevilla / escrito por Don Diego Ortiz de Zúñiga, caballero del Orden de Santiago*, Cádiz, Pedro Ortiz, 1670.

— *Posteridad ilustre y generosamente dilatada de Juan de Céspedes, Trece y Comendador de Monasterio en el orden de Santiago, en las ciudades de Sevilla, donde se conservan sus baronías, y de Badajoz, en que permanece su primera línea, y otras a que se ha dilatado su sangre*, Sevilla, Tomé de Dios Miranda, 1673 (reimpresión facsimilar del Marqués de Saltillo, Madrid, Castalia, 1954).

ORTIZ DE ZÚÑIGA, D. y ESPINOSA Y CÁRCEL, A. M., *Anales eclesiásticos y seculares de la muy noble y muy leal ciudad de Sevilla, metrópoli de la Andalucía, que contienen sus más principales memorias desde al año de 1246, en que emprendió conquistarla del poder de los Moros el gloriosísimo rey San Fernando III de Castilla y León, hasta el de 1671 que la Católica Iglesia le concedió el culto y título de bienaventurado*, Madrid, Imprenta Real, 1795.